CITADEL
Grupo Editorial

# A mentira do Glúten

## E outros mitos sobre o que você come

Alan Levinovitz, PhD

*A verdade sobre:
Sal
Açúcar
Gordura
Carboidratos... e o mais novo modismo, Glúten %

LIBERTE-SE DA CULPA E COMECE A SABOREAR SUA COMIDA NOVAMENTE

A Mentira do Glúten
1ª edição em português
Título original em inglês:
The Gluten Lie


**Tradução**
*Lúcia Brito*

**Autor**
*Alan Levinovitz*

**Capa**
*Pâmela Siqueira*

**Assistente de criação**
*Dharana Rivas*

**Projeto Gráfico e Editoração**
*Rodrigo Saldanha de Abreu*

DADOS INTERNACIONAIS DE CATALOGAÇÃO NA PUBLICAÇÃO (CIP)

L665m Levinovitz, Alan
A mentira do glúten : e outros mitos sobre o que você come / Alan Levinovitz. –
Porto Alegre : CDG, 2015.
248 p.

1. Dieta. 2. Hipersensibilidade Alimentar 3. Nutrição. 4. Hábitos Alimentares.
5. Medicina – promoção da saúde. I. Título.

CDD - 613.2

Bibliotecária Andreli Dalbosco – CRB 10-2272

ISBN: 978-85-68014-16-5

Produção editorial e distribuição:

CITADEL
Grupo Editorial
Site: www.citadeleditora.com.br
E-mail: contato@citadeleditora.com.br

BRIX
CARGAS AÉREAS
www.brixcargo.com.br
Agente Logístico
www.brixcargo.com.br
Tel: (11) 5031-4565 / (51) 3470-7800 / (41) 3323-1499

# Sumário

# INTRODUÇÃO

# Era uma vez uma toxina

Mais de 100 milhões de norte-americanos querem evitar o glúten, e eles estão em boa companhia.[1] A dieta de limpeza de 21 dias de Oprah é livre de glúten. O guru pessoal de Bill Clinton para perda de peso, o Dr. Mark Hyman, questionou se o "superglúten" moderno não seria um demônio alimentar[2]. Em seu best-seller *A dieta da Mente*, o neurologista David Perlmutter argumenta que o glúten causa demência e Alzheimer. E em *Barriga de trigo* (mais de um milhão de cópias vendidas), o cardiologista William Davis inclui uma seção intitulada, toda em maiúsculas, "O PÃO É MEU CRACK!".[3] Demônio alimentar, de fato.

É difícil de acreditar que há vinte anos praticamente ninguém, incluindo os entusiastas da saúde, sequer tivesse ouvido falar do glúten. Os livros best-sellers sobre dieta omitiam-no inteiramente. Naquela época, o mais novo demônio alimentar da nação tinha um nome diferente: glutamato monossódico ou *monosodium glutamate* (MSG) - em inglês.

Onde cardápios e rótulos agora anunciam alimentos "Sem glúten", os proprietários de restaurante e fabricantes certa vez tiveram que tranquilizar seus clientes com uma promessa diferente: SEM MSG. Na verdade, o MSG *parece* seguro — é um sal de sódio extraído de algas por cientistas japoneses pela primeira vez em 1908[4] e um tempero básico da culinária dos longevos asiáticos do leste. Mas norte-americanos preocupados com a saúde é que sabiam das coisas. Todo mundo leu os jornais e assistiu as reportagens de TV que revelaram o cristal realçador de sabor como um veneno mortal. Em meados da década de 1980, era de conhecimento comum que o MSG causava enxaquecas devastadoras, síndrome do intestino irritável e um conjunto de outros sintomas. Ainda pior, algumas autoridades acreditavam que causava danos cerebrais e doenças crônicas. Somente tolos e chineses arriscariam sua saúde consumindo uma toxina tão potente.

O pânico do MSG começou em 4 de abril de 1968, com uma carta ao *New England Journal of Medicine* do médico sino-americano Robert Ho Man Kwok.[5] Na carta, intitulada "Síndrome do restaurante chinês", Kwok relatou que, depois de comer em restaurantes chineses, ele regularmente sentia torpor, fraqueza geral e palpitação. Seus colegas sugeriram que ele era alérgico ao molho de soja, mas Kwok sabia que não podia ser isso. Ele usava molho de soja com frequência em sua comida caseira sem efeito nocivo.

"A causa é obscura",[6] ele admitiu, antes de identificar três suspeitos: vinho culinário ("porque a síndrome se assemelha em certa medida aos efeitos do álcool"), glutamato monossódico e os altos níveis de sódio na comida chinesa de restaurante.

Uma avalanche de respostas desabou sobre o *NEJM*. Todo mundo tinha experimentado a síndrome! Em maio, o jornal publicou nada menos que dez destas cartas,[7] muitas escritas por médicos altamente credenciados, cada uma endossando uma causa diferente da "síndrome do restaurante chinês". Uma sugeriu "envenenamento por muscarina", relacionado à ingestão de cogumelos importados. Outra destacou "os taninos elusivos do chá" e o "processamento de legumes congelados chineses". Um neurologista tocou o terror, relatando ter tratado um derrame em um paciente até então saudável — derrame esse inexplicável, exceto pelo fato de que três horas antes o homem havia ingerido comida chinesa.

A rapidez com que o MSG se tornou uma ameaça de saúde nacionalmente reconhecida é surpreendente, especialmente dado que isso foi em 1968, num tempo em que os cabos de telefone e o papel impresso ainda regulavam a disseminação de informações. Menos de dois meses após a carta de Kwok, o *New York Times* publicou um artigo sob o título "Síndrome do restaurante chinês intriga os médicos".[8] Dentro de seis meses, a prestigiosa revista *Nature* publicou pesquisas de cientistas que definitivamente identificaram o MSG como culpado e, em tom alarmante, assinalaram que ele se escondia em todos os lugares, não só na comida chinesa, mas também em congelados, enlatados, temperos, até comida para bebê.[9]

Totalmente convencidos por sua pesquisa, os autores do artigo para a *Nature* procuraram um jovem advogado chamado Ralph Nader,[10] com quem fizeram uma campanha para que o MSG fosse removido da comida de bebês e retirado da lista de Geralmente Reconhecidos como Seguros (GRAS) da Administração de Alimentos e Medicamentos americana ( FDA). Em outubro de 1969, Gerber, Heinz e Squibb Beech-Nut cederam à enorme pressão pública e anunciaram que sua comida de bebê não mais seria produzida com MSG.[11] Em 4 de abril de 1970, dois anos depois da publicação da carta de Kwok, o Conselho Nacional de Pesquisa decretou que o MSG era "apto para consumo humano, mas não necessariamente para lactentes",[12] um pronunciamento enigmático que só aumentou as preocupações quanto à segurança.

Para milhões de adoentados, a "descoberta" da sensibilidade ao MSG veio como um tremendo alívio. Dores de cabeça, indisposições estomacais, dores nas articulações, suores frios, cólicas de bebês — finalmente, o mistério de infinitas doenças recorrentes fora solucionado. E a solução fazia sentido. A maioria dos cozinheiros domésticos não estava familiarizada com o glutamato monossódico, um produto químico estrangeiro de ar assustador. Os porta-vozes da indústria alimentícia pediam um debate com calma — prova positiva de que estavam escondendo algo grande. Afinal, se não havia motivo de preocupação, por que tinham ido em frente e retirado o MSG da comida para bebê?

Todavia, em meio aos protestos contra o MSG, a ciência avançou, sempre cética quanto a julgamentos apressados e evidências pitorescas. Depois de muitos estudos rigorosos, o pânico mostrou-se infundado. Ao contrário da crença popular, os experimentos clínicos sugeriram com firmeza que o MSG não produz sintomas como enxaquecas.[13] Hoje, os especialistas em alergia alimentar acreditam que a esmagadora maioria das reações ao MSG é psicológica, não fisiológica. De acordo com a edição de 2013 de *Food Allergy: Adverse Reactions to Foods and Food Additives* (*Alergia alimentar: reações adversas a alimentos e aditivos alimentares*), um abrangente manual de referência para hospitais e médicos particulares, existe pouca dúvida quanto "à raridade do complexo de sintomas do MSG mesmo entre indivíduos que acreditam ser sensíveis ao MSG".[14] Em outras palavras: as dores de cabeça do MSG são provavelmente apenas dores de cabeça.

Porém, quando se trata de sensibilidade alimentar, as pessoas têm uma incrível má vontade para questionar os autodiagnósticos. Ninguém quer pensar que os benefícios que experimenta por ficar sem glúten ou eliminar o MSG possam ser psicológicos. Isso significaria que, para começar, o problema era psicológico, e existe algo intensamente perturbador na noção de que podemos causar doenças a nós mesmos. Psicologia, não fisiologia, torna-se o mecanismo da doença, e o indivíduo assume o lugar da comida ruim como fonte de culpa por seu sofrimento. Isso pode nos dar uma sensação de vulnerabilidade, estupidez e fraqueza, como se tivéssemos a opção de ser melhores, mas carecêssemos de acuidade mental para consegui-lo. Além do mais, é difícil não achar que uma explicação psicológica banaliza seu estado de saúde — daí a expressão: "Isso é coisa *só* da sua cabeça".

**Quando se trata de sensibilidade alimentar, as pessoas têm uma incrível má vontade para questionar os autodiagnósticos.**

E, assim, o mito da sensibilidade ao MSG segue vivo. Entre aqueles que acreditam ter reação ao MSG, a conclusão de longa data dos alergistas beira a heresia e, muitas vezes, provoca raiva extrema. Aqui estão duas reações representativas a um ensaio on-line de 2014, "O MSG é incompreendido?",[15] publicado no Livestrong.com, uma fonte popular de informações de saúde:

> Que artigo insensível. Sou uma pessoa que sofre, SOFRE, quando consome MSG. Tenho uma enxaqueca terrível e me sinto

> horrível por horas. Para mim, esse resultado é consistente e reproduzível. Vivi anos com essas enxaquecas antes de descobrir o que as causava. É muito perturbador ler um artigo dizendo que meus sintomas são psicossomáticos.
>
> Isso é como dizer que o diabo é bom. Fui a um restaurante chinês no aniversário do meu filho e, depois da festa, quando saímos, ele, como que desorientado, arrancou o espelho retrovisor. Vocês não podem reabilitar o MSG, então parem com isso ou vou parar de ler o blog.

A raiva nesses comentários reflete a fé inabalável que as pessoas depositam em seus próprios diagnósticos nutricionais, fé muitas vezes depositada no lugar errado. Descobrir os efeitos da dieta é extremamente complicado. Para a maioria de nós, cortar o MSG ou ficar sem glúten envolve mudanças mais amplas na forma de lidar com a comida. Isso dificulta definir o que causou o que. As dores de cabeça passaram — mas foi a ausência de MSG ou um aumento das refeições preparadas em casa? Você perdeu peso por ficar sem glúten ou por comer menos lanches rápidos? Para complicar ainda mais o assunto, descobrir uma solução dietética dá sensação de empoderamento, e o empoderamento em si pode levar a significativas mudanças fisiológicas positivas. A menos que possamos ter certeza absoluta de nosso autodiagnóstico, é melhor manter a mente aberta para explicações alternativas.

Mas admitir incerteza é difícil, particularmente a incerteza sobre o funcionamento de nosso próprio corpo. De modo que, em vez disso, mentimos para nós mesmos. Mentimos para nós mesmos sobre nossa capacidade de recordar os sintomas e sua intensidade — o fato de, digamos, termos tido uma dor de cabeça e sua gravidade. Mentimos para nós mesmos sobre nossa capacidade de recordar o que comemos, um problema perene para pesquisadores que dependem de dados autorrelatados de consumo alimentar. (Você realmente lembra quanto frango *kung pao* comeu há duas semanas? Você comeu mais legumes, frango ou amendoins?) Finalmente, mentimos para nós mesmos sobre nossa capacidade de diagnosticar com precisão a relação entre o que consumimos e nossa experiência de sintomas físicos e mentais.

Os cientistas reconhecem universalmente a prevalência das mentiras. Elas são o motivo para estudos de alimentos e medicamentos com controle de placebo — como aqueles conduzidos com o MSG —, que substituem a substância que está sendo testada por uma substância neutra. Estudos controlados com placebo são necessários para distinguir os reais efeitos fisiológicos do poder do pensamento positivo (ou negativo). Antidepressivos — e dietas sem glúten — podem nos fazer sentir melhor só porque achamos que vão fazer isso. E o MSG pode nos deixar doentes pelo mesmo motivo.

É por isso que depoimentos pessoais não podem, por si só, estabelecer a eficácia de uma droga ou dieta. Apenas imagine se o fato de ficar super convencido de que uma coisa funciona tornasse essa coisa um tratamento legítimo. A água benta da fonte de Lourdes contaria como medicamento altamente eficaz. O exorcismo seria uma ótima maneira de lidar com problemas comportamentais. A ciência médica moderna como nós a conhecemos não existiria.

Todos reconhecem que as expectativas podem moldar experiências e distorcer memórias. Ainda que a maioria de nós reconheça o quanto o autoengano molda histórias de cura sobrenatural, estamos menos dispostos a considerar o quanto isso possa moldar nossas próprias histórias de salvação pela dieta.

Infelizmente, quando as pessoas estão propensas ao autoengano, também estão abertas a serem enganadas por figuras de autoridade. Quando o público em geral acreditava que os demônios causavam doenças, os exorcistas faziam fortunas vendendo água benta. Agora somos bombardeados com milhares de soluções dietéticas para nossos problemas de saúde, endossadas por médicos e nutricionistas de verdade — pílulas milagrosas que derretem gordura, smoothies para desintoxicação, goji berries ricos em vitaminas — e compramos, no sentido figurado e literal. Com frequência, essas soluções vêm empacotadas com um bode expiatório. *Livre-se desta substância terrível e não haverá mais câncer. Sem MSG, sem dores de ca-*

*beça. Elimine o glúten, elimine o Alzheimer. (E derreta a gordura no processo!)* É simples: aponte um dedo acusador, conte a história certa, e nasce um novo demônio.

Como o glúten hoje, o MSG já foi certa vez o bode expiatório da hora. Enquanto o debate sobre os perigos do MSG grassava nas revistas científicas, médicos impacientes e partidários vorazes foram a público com conclusões prematuras. Uma narrativa mítica rapidamente tomou forma: a de pesquisadores virtuosos lutando contra corporações maléficas envenenadoras de bebês. Os meios de comunicação acentuaram o fascínio sensacionalista da história, estampando manchetes hiperbólicas como esta do *Chicago Tribune* em 1979: "Comida chinesa deixa você louco? MSG é o suspeito nº 1".[16]

A paranoia virou uma bola de neve, e o MSG transformou-se de alérgeno potencial em super vilão alimentar. Em 1988, o Dr. George R. Schwartz, especialista em medicina de emergência, publicou *In Bad Taste: The MSG Symptom Complex* (*De mau gosto: o complexo de sintomas do MSG*), no qual liga o MSG aos seguintes males: TDAH, Aids, ELA, Alzheimer, asma, câncer, diarreia, depressão, refluxo gastroesofágico, doença de Huntington, hiperatividade, hipertensão, obesidade, Parkinson e síndrome pré-menstrual.[17]

Oito anos mais tarde, o neurocirurgião Russell L. Blaylock reempacotou as teorias de Schwartz sob o título apocalíptico *Excitotoxins: The Taste that Kills* (*Excitotoxinas: o sabor que mata*). Em seu livro, Blaylock forneceu uma explicação "científica" detalhada da toxicidade e do risco de dependência do MSG e acrescentou o autismo à lista de doenças que este causava. Schwartz escreveu o prefácio, proclamando *Excitotoxins* uma "síntese de ponta"[18] de um "neurocirurgião clínico certificado, com profundo conhecimento da estrutura e funcionamento do cérebro". Ele conclamou os pais a parar de envenenar seus filhos e previu que o livro de Blaylock seria "visto como uma obra de referência" e "um marco de nosso tempo".[19]

As previsões de Schwartz não vieram a se concretizar. Em vez disso, sua licença para tratar pacientes foi suspensa em 2006, após ser flagrado pelas autoridades prescrevendo narcóticos e anfetaminas ilegalmente.[20]

(Schwartz ainda posta tweets esporádicos de uma conta no Twitter localizada no "Caribe mexicano".) Blaylock é agora uma figura marginal no movimento antivacina e estrela de vídeos mal produzidos do YouTube como "Nutrição e a agenda illuminati".[21] Sua mais recente teoria sobre nossos problemas de saúde destaca as "chemtrails" (trilhas químicas) — nuvens de toxinas secretamente espalhadas por aviões do governo para fins não revelados.[22]

Hoje esses homens parecem uns notórios excêntricos. Mas, na época, era difícil não os levar a sério. *In Bad Taste* e *Excitotoxins* subjugaram os leitores com jargões e citações científicas que, combinados com as qualificações médicas dos autores, criaram uma pátina convincente de autoridade. O programa de TV *60 Minutes* de fato apresentou Schwartz em um segmento de 1991 sobre os perigos de MSG.[23] Quando Jeff Nedelman, porta-voz da Associação de Fabricantes de Alimentos, queixou-se de que a aparição de Schwartz poderia levar a "pânico injustificado entre os consumidores",[24] ele apenas reforçou a narrativa das empresas alimentícias maléficas lutando para manter os consumidores alheios à verdade — assim como as companhias de tabaco tinham feito quando confrontadas com provas arrasadoras sobre o cigarro.

O caso contra o MSG também obteve força de um mito comum e convincente: *os produtos da tecnologia e da modernidade são inerentemente perigosos*. Apesar de ridículo na superfície — você não iria querer beber a água potável pública de duzentos anos atrás —, esse mito tem uma enorme prevalência cultural. De acordo com o psicólogo Keith Petrie, da Universidade de Auckland, especialista em como as pessoas percebem a doença, o medo da modernidade predispõe rotineiramente nosso julgamento sobre cuidados médicos e fatores de risco alimentar como o MSG.

"Ondas de rádio, produtos químicos — essas coisas são invisíveis e extremamente poderosas", Petrie explicou para mim. "Isso pode ser assustador. Faz você sentir que não tem controle sobre sua saúde".

Schwartz e Blaylock exploraram com perícia os medos da modernidade de seus leitores. A sinistra frase de abertura de *Excitotoxins* usa a palavra "químico" duas vezes:

> E se alguém lhe dissesse que um produto químico adicionado aos alimentos pode causar danos cerebrais em seus filhos e que este produto químico poderia afetar *[sic]* como o sistema nervoso de seus filhos formou-se durante o desenvolvimento, de modo que anos mais tarde eles podem ter dificuldades de aprendizagem ou emocionais?

Os leigos que se esforçaram para entender o caso técnico de Blaylock contra o MSG não tiveram nenhuma dificuldade com sua premissa intuitiva: substâncias modernas — produtos químicos, aditivos, conservantes, vacinas, MSG — são inerentemente perigosos.

A crença na toxicidade do MSG persiste apesar das repetidas desmistificações. Cientistas têm confirmado e reconfirmado que o realçador de sabor encontrado em tudo, de sushi a Doritos, não é mais suspeito do que qualquer outra substância. Em 2014, a Sociedade Americana de Química — a maior organização científica do mundo — resumiu o consenso mais uma vez em um vídeo curto destinado a assegurar aos consumidores que o MSG é perfeitamente seguro.[25] Todavia, uma pesquisa on-line mostra dezenas de artigos populares que continuam a regurgitar o alarmismo sem fundamento de Schwartz e Blaylock. Um artigo do Huffington Post chama o MSG de "assassino silencioso à espreita no armário da sua cozinha".[26] Outro afirma que "a ingestão crônica de MSG por crianças pode ser um motivo por trás da queda dos resultados nos testes da nação".[27] É risível, mas não é realmente surpreendente. Para os verdadeiros crentes, o mito sempre será mais sagrado do que a evidência.

**Para os verdadeiros crentes, o mito sempre será mais sagrado do que a evidência.**

Se somos sérios na busca da boa saúde, física *e* mental, não podemos ser escravos do medo e de nosso desejo por respostas fáceis. Devemos admitir nossa ignorância com honestidade. Devemos reconhecer nossa capacidade para o autoengano e, quando os outros — incluindo profissionais médicos e científicos — se recusam a fazer o mesmo, temos de aprender a reconhecer as mentiras deles.

Infelizmente, a história do MSG é algo corriqueiro no mundo da ciência da nutrição. Médicos bem-intencionados constantemente chegam a conclusões precipitadas e injustificadas sobre alimentos. Os meios de comunicação estão sempre famintos por fábulas de Cruzados lutando contra corporações do mal. Vendedores de suplementos e gurus das dietas continuam a explorar um público irracional. Seria bom se nossos medos atuais sobre alimentos fossem baseados em ciência sólida e fundamentada, mas, como você está prestes a descobrir, nada poderia estar mais longe da verdade. A maioria das crenças sobre o glúten, a gordura, o açúcar e o sal tem pouca base em fatos e tudo a ver com um poderoso conjunto de mitos, superstições e mentiras que, apesar dos progressos científicos modernos, permanecem inalterados há séculos.

Este livro é um convite à mudança. Os alimentos cotidianos não têm propriedades de dar vida ou causar a morte. Supermercados não são farmácias. Sua cozinha não é abastecida com assassinos silenciosos, e os charlatães que ganham a vida com falsas promessas e ciência duvidosa precisam ser revelados como o que realmente são. Chegou a hora de abater nossos demônios alimentares, expondo as falsidades e os mentirosos que lhes dão vida.

CAPÍTULO UM

# Ficção científica ainda assim é ficção

## Monges contrários aos grãos

Sou um estudioso de religião. Meu trabalho é ler textos sagrados — mitos, histórias, mandamentos, profecias — e então descobrir o que queriam dizer e por que foram persuasivos. Embora tenha me especializado em pensamento chinês clássico, conhecimentos de outras tradições contribuem para o meu trabalho. Isso é válido para qualquer um que estude religião. Se você está intrigado com a história da arca de Noé, vale a pena examinar mitos semelhantes de dilúvio, como o babilônico *A epopeia de Gilgamesh*, que tem tudo, a arca e o resgate de animais; ou o *Mahabharata* hindu, em que, além do resgate de animais, o herói salva os grãos e sementes do mundo. A repetição da história em diferentes momentos históricos e com variações culturais significa que mitos de dilúvio devem ser lidos como metáforas para punição divina e limpeza, e não como boletins meteorológicos do passado. Significa também que, caso venha à tona um novo mito sobre algum dilúvio norte-americano esquecido, provavelmente não devemos perder nosso tempo vasculhando o Grand Canyon em busca dos restos de uma arca.

Religião e ciência são comumente entendidas como sistemas explicativos separados, então minha especialização pode parecer não ter relação com nutrição. Debates modernos sobre glúten, gordura, açúcar e sal parecem científicos, não religiosos; envolvem discussões sobre micróbios do intestino e glicose, não sobre deuses e demônios, e retiram evidências de estudos revisados por especialistas, não de revelações divinas. Os especialistas que entrevistei para este livro repetidamente perguntaram por que acabei escrevendo sobre um assunto tão diferente daquele que normalmente estudo.

Minha resposta foi simples: contei sobre os monges sem grãos da China antiga.[28] Como todos os gurus das dietas, esses monges zombaram da cultura culinária de seu tempo. Prometeram uma dieta revolucionária que poderia curar doenças, rapidamente convertendo um substancial culto de seguidores. E, claro, estavam errados. A chave para a compreensão e desmistificação das dietas da moda, eu sugeri, não era ciência, mas um pouco de história. Uma vez que você veja o suficiente dos mesmos mitos arquetípicos e das mesmas superstições, novas alegações dietéticas começam a se parecer em muito com os mitos de dilúvio.

Então o que aconteceu com os monges sem grãos? Dois mil anos atrás, os chamados cinco grãos — dois tipos de milhete, cânhamo, arroz e feijões — definiram a civilização chinesa.[29] Os primeiros historiadores da corte usaram a adoção da agricultura e o cultivo de grãos para distinguir os povos civilizados dos bárbaros. A poesia devocional comparou os grãos aos deuses e elogiou-os como o fundamento da vida humana. Evitar os cinco grãos era, literalmente, um sacrilégio.

Ainda assim, uma pequena minoria dos praticantes religiosos, os fundadores do taoísmo[30] escandalizaram seus contemporâneos referindo-se aos cinco grãos como "as tesouras que cortam a vida".[31] De acordo com seus ensinamentos radicais, as dietas chinesas convencionais "apodreciam e sujavam" os órgãos internos e levavam à doença e morte prematura. Os monges aconselhavam quem buscava uma vida longa a adotar uma dieta de plantas colhidas em ambiente selvagem, suplementada com minerais especiais e "elixires" exóticos, preparados de acordo com fórmulas alquímicas de propriedade deles. Os resultados espetaculares desse regime estrito estavam documentados nas biografias dos sábios santos: saúde perfeita, juventude eterna, imortalidade, a habilidade de voar *e* se teletransportar.[32]

As pessoas na China antiga não eram estúpidas. Muitas duvidaram dos relatos de alquimistas voadores que nunca ficavam doentes.[33] Porém, apesar da lógica básica e das provas do contrário, a filosofia dos monges sem grãos ganhou popularidade. Isso porque, naquela época, como agora, o apelo de modismos dietéticos tinha a ver com mitos, não fatos. No caso dos taoístas, a proibição de grãos representava a rejeição da cultura moderna e a promessa de retorno a um paraíso natural mítico.[34] Sofrimento, doença e morte eram aspectos inextirpáveis do presente; portanto, os monges explicaram suas práticas alimentares com uma atraente ficção sobre um paraíso pré-agrícola do passado.

Quando os grãos eram o símbolo culinário da civilização chinesa, os taoístas argumentaram que rejeitar grãos era a chave para se escapar dos males da modernidade. Mais tarde, quando comer carne assumiu a importância simbólica outrora atribuída ao consumo de cereais, os tabus taoístas deslocaram-se dos cinco grãos para carne e sangue.[35] Rejeição do *status quo* — não ciência — determinava a proibição de alimentos do momento. Mas, apesar da proibição específica mudar, o mito arquetípico de uma rota dietética de retorno ao paraíso permaneceu constante, juntamente com as falsas promessas de juventude eterna e saúde perfeita.

O mito do passado paradisíaco é uma das muitas crenças irracionais recorrentes em culturas e gerações, influenciando nossa atitude em relação à comida. A história das práticas dietéticas é cheia de superstição e pensamento mágico, desde ser vegetariano porque Adão e Eva eram vegetarianos no jardim do Éden até o tratamento da impotência com um elixir de pênis de tigre. Uma vez adotadas, tais práticas tornam-se parte importante da identidade e, portanto, difíceis de se questionar ou largar. Essa é uma versão do que os economistas chamam de "falácia do custo irrecuperável". Quando você embarca em uma dieta de eliminação, faz um sacrifício pessoal, juntamente com uma declaração pública de sua decisão. Encerrar a dieta significa admitir que seu sacrifício foi desperdiçado e sua decisão equivocada — considerações desagradáveis que favorecem a continuidade da dieta, mesmo que surjam evidências de que é desnecessária.

Rejeitar um alimento — como os monges taoístas rejeitaram os grãos — também pode ajudar a definir sua participação em um grupo superior. Vemos isso na prevalência intercultural de insultos baseados em alimentos, coletados pelos antropólogos:[36] "canibais", "comedores de carne de porco", "comedores de batata-doce", "comedores de tartaruga" "comedores de sapo", "comedores de gafanhoto", "comedores de elefante", "comedores de merda" e assim por diante. Começar a comer uma comida proibida significa tornar-se membro do grupo que anteriormente você definiu como inferior e impuro.

Podemos preferir pensar que o progresso científico levou as crenças sobre comida para além do mito e da superstição. Afinal de contas, a salubridade dos alimentos agora é determinada por estudos científicos ao invés de textos sagrados, interpretados por pessoas em jalecos de laboratório em vez de vestes sacerdotais. Dados confiáveis sobre longevidade substituíram casos pitorescos sobre monges longevos. Quando autoridades seculares como a Organização Mundial de Saúde e a FDA ditam limites de gordura, sal e açúcar, presumimos que seus números refletem conhecimento baseado em evidências.

Na realidade, fatos cientificamente estabelecidos são apenas um dos muitos fatores que influenciam nossas decisões alimentares. O discurso americano moderno sobre comida — incluindo o discurso jurídico e científico — é recoberto de vocabulário moral e religioso. São alimentos "naturais" ou "antinaturais", "bons" ou "ruins". Alimentos ruins podem prejudicar você, mas são "pecaminosamente" deliciosos, prazeres "culpados". Alimentos bons, por outro lado, são "integrais", "de verdade" e "limpos" — termos mais adequados a manuais monásticos e tratados filosóficos (o que é comida *de verdade* exatamente?) do que a debates científicos.

Esses termos refletem nossas próprias crenças alimentares idiossincráticas. Uma vez, numa feira de agricultores, perguntei a uma vendedora de suco se seu suco era "processado" — mais um epíteto vago e não científico que é lançado por aí nas discussões sobre alimentos. Depois de um momento de choque, ela deixou-me ciente de que o processamento de frutas em suco não resulta em alimentos processados. Apenas corporações, ela insistiu, eram capazes de fazer comida processada. Não só isso, mas que não era o processamento que tornava algo processado, e sim a presença de produtos químicos e aditivos.

A proteína em pó opcional que ela oferecia contava como um aditivo químico?, eu pressionei. Uma cliente bronzeada e esquelética nos interrompeu.

"É fácil", disse ela, me encarando intensamente. "Comida processada é do mal".

Comida processada é do mal. Comida natural é do bem. Isso são mantras religiosos, a versão condensada de contos de fadas simplistas que dividem alimentos — e o mundo — conforme binários moralistas. Ciência da nutrição genuína, como toda ciência, rejeita a simplificação excessiva. "Natural" e "processado" não são categorias científicas, tampouco bom e mau. Esses termos devem ser empregados por monges e gurus, não por médicos e cientistas. No entanto, são precisamente tais categorias, amplamente não questionadas, que determinam as decisões supostamente científicas da maioria das pessoas sobre o que e como comer.

## A evolução dos mitos alimentares

A base não científica de crenças alimentares modernas figura em destaque na obra de Paul Rozin, um psicólogo barbudo e sem noção da Universidade da Pensilvânia. Rozin é conhecido por cunhar a frase "o dilema do onívoro" — que Michael Pollan, autor de livros sobre alimentação, popularizou como título de seu best-seller de 2006 — e tem escrito extensivamente sobre a influência da superstição no modo como percebemos o que comemos.

"É um problema imenso", Rozin me disse, com o ar exasperado de alguém que repetidamente tem que explicar uma verdade óbvia. "O amor pela natureza é como uma religião. Você pode mostrar que pesticidas naturais, o que quer isso signifique, são mais perigosos que os artificiais, mas não importa. Ninguém vai acreditar em você".

A narrativa mítica da modernidade "antinatural" e de um paraíso "natural" do passado é persuasiva como sempre. Figuras religiosas como

Adão e Eva não são mais protagonistas plausíveis, por isso os gurus das dietas as substituíram pelos antepassados pré-agrícolas e sarados do paleolítico, que corriam alegremente pela floresta, catando frutinhas e trespassando javalis sem jamais se preocupar com diabetes ou autismo. Os alimentos que pertencem àquele passado culinário são bons. Em contraste, os produtos da modernidade — MSG, grãos, xarope de milho com alto teor de frutose, organismos geneticamente modificados, fast-food — são os frutos tóxicos do pecado, as ofertas tentadoras de uma divindade temível conhecida como *Big Food*[1].

A retórica científica disfarça as raízes não científicas dos medos alimentares modernos. Dizer que não somos *evoluídos* para comer glúten ou açúcar processado *soa* mais factual do que dizer que Deus proibiu. Todavia, usar a linguagem da ciência não garante acesso a *insights* de ciência.[37] No caso de conselhos dietéticos infundados, estes apenas fornecem um novo vocabulário com o qual se reescreve mitos anticientíficos.

Embora a formação científica possa vacinar contra o poder dos mitos nutricionais, de forma alguma garante imunidade. A ciência é um meio de entender a realidade que se baseia em observação e experiência em vez de julgamentos morais e intuição. Mas a ciência é praticada por humanos, e os humanos jamais conseguem refrear totalmente suas motivações irracionais. Pesquisadores e médicos temem a morte e a doença, assim como todos os outros. Muitos escolhem suas carreiras motivados pelo desejo de salvar pessoas de sofrimento desnecessário. Então, quando cidadãos e planejadores de políticas clamam por soluções para as crises de saúde pública, médicos especialistas podem ficar tentados a superestimar o alcance de seus conhecimentos e exagerar os efeitos potenciais para a saúde de mudanças na alimentação. A perspectiva de curar o mundo com leis alimentares sempre foi muitíssima atraente, especialmente quando essas leis se encaixam lindamente com mitos intemporais ou superstições intuitivas. O resultado é ciência desleixada: identifique uma substância suspeita, realize alguns estudos que confirmem o que você se propôs a encontrar e pronto, nasce uma nova regra sancionada por respeitáveis membros da comunidade científica.

[1] *Big Food* refere-se às gigantes da indústria alimentícia (N.T.).

Não coma muito sal. Não coma muita gordura. Não coma açúcar. Não coma glúten.

Claro que quem presta atenção às notícias de saúde sabe que essas regras não são confiáveis. Em 1984, uma capa icônica da revista *Time* estampou uma carinha contrariada feita com dois ovos e uma fatia de bacon, sob a manchete: *Colesterol — e agora as más notícias.*[38] Trinta anos depois, a mesma revista substituiu a carinha por uma espiral de manteiga e mudou a manchete para *Coma manteiga*. "Toda a carne vermelha é arriscada, descobre um estudo", diz uma manchete de 2012 do *Los Angeles Times*.[39] Mas, de acordo com o BBC Health News de 2013, a carne gorda está "sendo ... demonizada" injustamente.[40] E eis aqui o *New York Times* sobre o resveratrol, um composto orgânico encontrado no vinho tinto:

2011: "Vida Mais Longa para Ratos Obesos"[41]

2012: "Limites do Resveratrol Como Auxiliar no Metabolismo"[42]

2013: "Novo Otimismo Sobre o Resveratrol"[43]

2014: "Ingrediente do Vinho Pode Ter Poucos Benefícios para a Saúde"[44]

Nem mesmo os chamados alimentos saudáveis oferecem refúgio. Em 2014, a revista *Vogue* citou o guru paleolítico Loren Cordain dizendo que a quinoa "deve ser evitada".[45] Então o que vamos comer? Pão com manteiga e vinho tinto ou quinoa e água com limão? (Cuidado — água com limão corrói o esmalte dentário.)

O problema aqui é que a realização de uns poucos estudos não "prova" nem "mostra conclusivamente" *coisa nenhuma*. Uma boa ciência da nutrição depende de um longo e lento acúmulo de dados ao longo de muitos estudos, coisa que os cientistas sabem muito bem. Eles são altamente céticos — ou deveriam ser — a respeito de estudos únicos, em parte graças a um célebre artigo do professor de Stanford John P. A. Ioannidis: "Por que a maioria dos resultados das pesquisas publicadas são falsos".[46] A conclusão de Ioannidis, prestativamente resumida no título do artigo, explica o que realmente está acontecendo com o fluxo constante de reversões científicas sobre a manteiga, o vinho, ou qualquer alimento que apareça na manchete mais recente: *na verdade, não estão ocorrendo reversões, porque em primeiro lugar não há nada que já tenha sido estabelecido.*

Como você verá nos próximos capítulos, muitos pesquisadores prontamente admitem a incerteza sobre os efeitos do glúten, da gordura, do açúcar e do sal na saúde. Estes são os honestos. Gurus entusiastas que falam com confiança sobre a toxicidade do açúcar ou os perigos dos grãos estão exagerando as condições do terreno — e exagero em ciência não passa de mentira. O problema não é com o estudo científico da nutrição, o problema são as pessoas que deturpam a força das conclusões desses estudos.

Paradoxalmente, nossa fé na ciência dificulta a identificação e rejeição de mentiras sobre nutrição. Comida parece ser simples de estudar. Se podemos colocar um homem na lua, transplantar um coração e manipular o DNA, então com certeza podemos desvendar a relação entre comer legumes e viver mais tempo. Não há nenhuma dificuldade óbvia em descobrir se o vinho diminui o risco de doença cardíaca ou se a carne vermelha aumenta o risco de câncer de cólon. Basta olhar as pessoas que bebem vinho ou comem carne vermelha e em seguida compará-las com aquelas que não. Fácil, né?

Na verdade, provavelmente não existe ramo da medicina mais difícil ou complicado que a ciência da nutrição, complexidade que se manifesta em controvérsias intermináveis sobre o que — e quanto — devemos comer. Estudos de primeira linha sobre práticas alimentares são incrivelmente difíceis de conceber. Como se faz um placebo de bife para o grupo de controle? Estudos sobre o efeito da dieta e do estilo de vida em grandes populações não são menos difíceis. Eles dependem da lembrança e do autorrelato, dados notoriamente inconfiáveis. E, mesmo que os dados fossem acurados — bem, é só ajustar uma equação, excluir um conjunto de pontos de dados, isolar um fator diferente e, de repente, o vegetarianismo vai do aumento da longevidade para a diminuição da densidade óssea.

Ao lidar com esses problemas intratáveis de planejamento de estudo e análise, os cientistas da nutrição que estudam "dietas ideais" fizeram progressos surpreendentemente parcos desde os tempos bíblicos. De acordo com a Bíblia hebraica, o profeta Daniel e seus companheiros israelitas, certa vez, foram mantidos em cativeiro pelo rei da Babilônia. Leal às leis dietéticas de Moisés e com medo da impureza, Daniel solicitou o que quase certamente é o primeiro teste registrado de uma dieta de eliminação.

"Por favor, teste seus servos por dez dias", Daniel disse a seu guarda. "Dê-nos apenas vegetais para comer e água para beber. Então compare nossa aparência com a dos jovens que comem a comida real e trate seus servos em conformidade com o que você ver".

O guarda concordou. No final dos dez dias, Daniel e seus amigos "pareciam mais saudáveis e mais bem nutridos do que qualquer um dos jovens que comia a comida real". (Não fica especificado se a acne deles sumiu, mas podemos assumir que sim).

Vegetarianos pré-século XX citaram Daniel como evidência da superioridade de sua dieta. Hoje em dia, invocam pessoas como o Dr. Dean Ornish, famoso defensor do veganismo e da meditação. Ornish publicou estudos em prestigiosas revistas médicas sobre como seu regime previne câncer e doenças cardíacas. Meios de comunicação e programas de TV alardeiam sua abordagem como uma maneira cientificamente comprovada de "reverter o envelhecimento".[47] Eles confiam que a dieta funciona porque, ao contrário dos monges taoístas e profetas bíblicos, Ornish é um cientista e médico, mas os estudos de Ornish, apesar do pedigree do autor, sofrem dos mesmos problemas fundamentais que o estudo de Daniel: um investigador principal altamente envolvido com o sucesso de seu experimento; ausência de um placebo de controle e falta de replicação por outros pesquisadores. Em ambos os casos, é impossível distinguir entre o poder real dos vegetais e o efeito da *crença* no poder dos vegetais.

**Vezes e mais vezes, dietas cientificamente "comprovadas" revelaram-se falsas e tolas.**

Vezes e mais vezes, dietas cientificamente "comprovadas" revelaram-se falsas e tolas. Na virada do século XX, o guru da saúde Horace Fletcher popularizou a teoria da mastigação, argumentando que a boa saúde dependia de uma dieta de baixa proteína mastigada centenas de vezes antes de ser engolida.[48] Obeso aos quarenta anos de idade, "o grande mastigador" contou uma história convincente de sua drástica perda de peso por meio da mastigação. Além de emagrecer, ele também ficou incrivelmente em forma. Para provar, Fletcher submeteu-se a testes de força na Universidade de Yale, nos quais o cinquentão supostamente superou atletas da faculdade. Como se não bastasse, enviou amostras das próprias fezes para interessados a fim de melhor demonstrar a pureza de suas "cinzas digestivas", que "não eram mais ofensivas do que argila úmida" e não tinham "mais odor do que um biscoito quente".[49] *A natureza vai castigar aquele que não mastigar*, rimou o enfim milionário cuja merda não fedia.

Esse conselho parece ridículo hoje, mas entre aqueles que o seguiram estavam John D. Rockefeller, Franz Kafka e o pioneiro da psicologia empírica, William James.[50] Você poderia pensar que os adeptos da mais nova tendência dietética fossem aprender com a história e reconhecer que um dia poderiam acabar parecendo discípulos do grande mastigador. Mas não. Estudos continuam aparecendo, manchetes continuam hiperbolizando, livros de dieta encabeçam as listas de best-sellers, e nossa fé de que o mais novo modismo se revelará verdadeiro permanece inabalável.

O mesmo é válido para nossa crença em demônios alimentares como o MSG e o glúten. Estudos sobre saúde e estilo de vida em grandes populações têm tido alguns sucessos, mais notadamente a descoberta de que o cigarro causa câncer de pulmão. Porém a caçada da epidemiologia nutricional foi notavelmente mal depois do tabaco. Em seu livro *Riscos ambientais à saúde: mitos e verdades*, o epidemiologista de câncer Geoffrey Kabat coloca sem rodeios: a "parte fácil", como "tabagismo e câncer de pulmão", já foi identificada.[51] Na maioria dos outros fatores de risco, enfatiza Kabat, existe uma "imensa dificuldade [...] para se estabelecer vínculos credíveis".

Comer com moderação tem sido a monótona recomendação do senso comum há milhares de anos, e, a esse sábio conselho dietético, tanto religião quanto ciência não acrescentaram praticamente nada que resista a uma análise rigorosa. Pessoas que dizem o contrário estão, na melhor das hipóteses, exagerando evidências e lembre-se: na ciência, exagero é uma mentira deslavada.

Essas mentiras não são apenas enganosas. Elas são ruins para nossa cultura e nossa saúde. Na esperança de escapar da morte e da doença, bajulamos evangelistas de dietas com sorrisos brancos radiantes e abdômens tanquinho, cada um prometendo uma rota revolucionária diferente, "com base científica", para a saúde perfeita. Abraçamos um tabu alimentar após o outro, um hábito que psicólogos clínicos condenam como conducente a distúrbios alimentares. Com efeito, em 2004, muito antes de ficar famoso por dizer ao mundo para "comer comida, não muita, principalmente plantas", Michael Pollan meteu a boca no que chamou de "transtorno alimentar nacional" da América.[52] Citando o ridículo da dieta da mastigação de Horace Fletcher, Pollan refletiu sobre nossa vontade de abraçar modismos e fobias alimentares.

"O notável", escreveu Pollan, "é o quão pouco é preciso para deflagrar uma dessas viradas nutricionais desconcertantes na América: um estudo científico, uma nova diretriz do governo, um excêntrico solitário com diploma de médico pode alterar a dieta desta nação da noite para o dia". Ele lamentou a tendência crescente de escolher alimentos pelos números — calorias, carboidratos, gorduras, RDAs (dose diária recomendada) — ao invés de escolher com nossos sentidos e imaginou um futuro em que as pessoas julguem a comida pelo sabor, não pelo valor medicinal — em que a pessoa que come bem seja uma boa cozinheira em sua casa, não uma especialista em paleoantropologia e ciência da nutrição.

Esse futuro não pode acontecer se pensarmos que nossas despensas são abastecidas com demônios alimentares e assassinos silenciosos. Assim, tenho a esperança de que, depois de revelar os mitos e superstições por trás dos medos do glúten, da gordura, do açúcar e do sal, você tenha menos medo desses alimentos vilipendiados — e dos alimentos em geral.

Sem medo, comer não só vai ser mais agradável: também pode ser mais saudável. Como Paul Rozin gosta de lembrar às pessoas: "Preocupar-se com a comida não faz bem para você".[53] Ele sugere que a causa do alargamento das cinturas e explosão de corações na América não é necessariamente o que comemos, mas *como* comemos — de forma ansiosa, obcecados com a nutrição, contando calorias, esquadrinhando os rótulos dos alimentos, eliminando alimentos e então os comendo compulsivamente. Vigiamos o que entra em nossa boca à custa da vigilância sobre o que acontece em nossa mente, evitando comer porcarias enquanto consumimos má ciência de forma compulsiva.

Ficção, não comida, é o verdadeiro demônio. Como os vendedores ambulantes de nosso passado recente e os monges sem grãos da China antiga, o conjunto mais recente de gurus e de diretrizes do governo poluem nossa cultura com novas versões das mesmas falsidades atemporais. O glúten pertence ao presente decaído, não ao paraíso do passado. Se você come gordura, vai ficar gordo. Açúcar processado é "antinatural". As grandes corporações do setor alimentício assassinam criancinhas com comida para bebê cheia de sódio. Essas falsidades produzem uma ansiedade paralisante a respeito dos alimentos e um fluxo constante de afirmações contraditórias sobre o que devemos comer, que por sua vez corrói a fé pública na iniciativa da própria ciência.

Basta disso. A fim de curar nossa cultura, devemos combater os mitos alimentares sobre a dieta básica norte-americana com doses saudáveis de história e ceticismo. Esses ingredientes podem ter um gosto incomum no começo, mas não se preocupe — não vai demorar muito para você se sentir uma pessoa nova em folha, capaz de rir do mais recente absurdo da nutrição e comer seu jantar em paz.

CAPÍTULO DOIS

# A mentira do glúten

## Os mentirosos do glúten

As primeiras memórias de Kristin Voorhees são dela sentada na privada, dobrada de dor, segurando as mãos dos pais. Sua infância foi uma ladainha de problemas de saúde: cólica quando pequena, faringite recorrente, dor de estômago constante, síndrome do intestino irritável, refluxo ácido. Na sexta série, ela desenvolveu uma erupção cutânea grave nas pernas, e, no ensino médio, a tireoide inchou. Um exército de médicos prescreveu antibióticos para estreptococo, esomeprazol para o refluxo ácido e pediu uma bateria de exames para descobrir o que estava errado. Eles falharam.

"Me disseram: 'Você tem SII'. 'Você tem intolerância à lactose'", Kristin relatou para mim. "Ao ler um laudo do laboratório, um dos gastroenterologistas me disse que eu estava louca. Lembro claramente, foi no Dia de Ação de Graças do meu último ano, ele disse que eu era louca, eu era louca e deveria simplesmente superar isso".

Durante seu período na Universidade James Madison, Kristin viu um total de sete médicos diferentes, viajando constantemente da Virgínia para sua casa em Nova Jersey na esperança de que alguém fosse capaz de fazer cessar a dor e a distensão abdominal e devolver-lhe sua vida. Finalmente, logo após a formatura, ela foi acordada por um telefonema. Era o médico do laboratório mais recente.

"Ele disse: 'Temos certeza de que você tem algo chamado doença celíaca'", recorda Kristin. "Então ele disse: 'Entre na internet e procure'. Sem ajuda, sem instruções, nada. Decidi fazer compras e lembro de chorar no provador de roupas, pois queria ir comer e não sabia o que fazer".

Kristin é um dos muitos indivíduos geneticamente predispostos para quem o glúten e proteínas relacionadas causam uma perigosa reação autoimune. Os sintomas variam amplamente de dor gastrointestinal aguda e erupções na pele ao aumento do risco de certos tipos de câncer, infertilidade e doenças neurológicas. A pesquisa sugere que quase um em cada cem norte-americanos — três milhões — pode ser afetado pela doença celíaca (DC).[54] Destes, apenas 17% são diagnosticados, o que significa que 2,5 milhões de norte-americanos podem estar vivendo com DC não diagnosticada — um enorme número que a Fundação Nacional para a Consciência Celíaca está trabalhando incansavelmente para reduzir. (Kristin é atualmente diretora das iniciativas de cuidado de saúde da NFCA).

Além disso, um número ligeiramente maior de norte-americanos que não tem DC pode experimentar sintomas após a ingestão de glúten, geralmente dor nas articulações, fadiga, "mente nebulosa" ou dormência nas extremidades.[55] Isso é referido como sensibilidade ao glúten não celíaca (NCGS), condição que continua assunto de considerável debate. (Retornaremos à NCGS em seguida.)

Todavia a DC e a NCGS sozinhas não explicam a surpreendente prevalência do sentimento antiglúten. De acordo com analistas do setor, quase um terço dos norte-americanos querem reduzir o glúten ou evitá-lo totalmente. Isso significa manter-se longe de todos os alimentos feitos com trigo e grãos associados, o que exige um sério sacrifício. A Fundação da Doença Celíaca fornece uma lista parcial dos delinquentes comuns: raviólis, bolinhos, cuscuz, nhoque, macarrão, udon, macarrão soba, croissants, pita, nan, bagel, pão de milho, muffins, rosquinhas, pretzels, goldfish, bolachas tipo maisena, bolos, cookies, tortas, brownies, panquecas, waffles, rabanadas, crepes, croutons, molho de soja, molhos cremosos com farinha e manteiga, cerveja.

Além disso, quem não come glúten tem que cultivar cautela e vigilância sem fim: com frequência, fritas de pacote, salgadinhos de tortilla, molhos para salada, batatas fritas, substitutos da carne, cheesecake e praticamente qualquer prato de restaurante escondem glúten. (Devotos católicos precisam checar suas hóstias).

Visto que as pessoas sentem uma falta desesperadora dessas delícias culinárias, o mercado global para alternativas livres de glúten cresceu para cerca de US$ 4 bilhões e estima-se que chegue a quase US$ 7 bilhões em 2019.[56] Muitos Walmarts agora dedicam espaço precioso para produtos sem glúten. Você pode comprar até vários tipos de comida de cachorro sem glúten, embora os cientistas veterinários só tenham identificado sensibilidade ao glúten em setters irlandeses.[57] Toda essa vida sem glúten vem mediante uma taxa. De acordo com um estudo de 2008 de duas grandes redes de supermercados, os produtos sem glúten eram em média 242% mais caros do que suas contrapartes regulares.[58]

**Produtos sem glúten eram em média 242% mais caros do que suas contrapartes regulares.**

Então por que mais de 80 milhões de norte-americanos sem DC ou NCGS estão ávidos para abraçar um regime alimentar tão difícil e caro? A mais recente onda de interesse pode ser rastreada até a enorme influência do Dr. William Davis e do Dr. David Perlmutter, autores dos campeões best-sellers *Barriga de trigo* e *A dieta da mente* respectivamente. De acordo com Davis e Perlmutter, evitar o glúten não é apenas para pessoas com DC ou NCGS. Suas teorias chocantes afirmam que os grãos contendo glúten causam ou exacerbam uma longa lista de doenças: TDAH, Alzheimer, artrite, autismo, câncer, doenças cardíacas, obesidade, esquizofrenia e praticamente tudo mais com que você sempre se preocupou. Como Davis coloca em uma frase característica de *A dieta da mente*: “Aumento de estrogênio, câncer de mama, seios em homens... tudo do pacote de biscoito compartilhado no escritório”.[59]

*Barriga de trigo* e *A dieta da mente* argumentam que os médicos tradicionais e o Departamento de Agricultura dos Estados Unidos (USDA), há muito no bolso da indústria alimentar, foram cúmplices no maior escândalo de saúde desde o tabaco. Pão, o esteio da vida, é, na verdade, o esteio da *morte*. A ciência, dizem, é clara: toda vez que você bebe uma cerveja ou come uma tortilla de farinha está envenenando-se com uma toxina mais viciante e perigosa do que a cocaína. Ostentando um impressionante conjunto de citações e cheios de termos técnicos como *leptina* e *gliadina*, os livros transbordam de integridade científica assim como sua barriga de trigo transborda por cima do seu cinto. Não é de admirar que tantos norte-americanos estejam interessados em reduzir o glúten.

Deveríamos ser mais espertos. Por um lado, a recente demonização do glúten parece tão suspeita quanto a demonização equivocada de MSG. Dois médicos tornam-se os queridinhos do momento da mídia, apesar de não serem líderes em seus campos, muito menos especialistas em ciência da nutrição (Davis é cardiologista, Perlmutter é neurologista). Nas entrevistas de TV e rádio, não se faz nenhuma menção ao duvidoso trabalho anterior de Perlmutter — livros de ciência pop recheados de alarmismo e promessas ultrajantes. "Seu telefone celular está fritando seu cérebro?", ele pergunta em *The Better Brain Book* (*Livro para um cérebro melhor*, 2005).[60] (Quase certo que sim, bem como o seu rádio relógio. Cuidado!)[61] "Aumente seu QI em até 30 pontos e ative os genes inteligentes do seu filho", garante o subtítulo de *Raise a Smarter Child by Kindergarden* (*Crie uma criança mais inteligente no jardim de infância*, 2008).[62] Conte-nos sobre o glúten, doutor! Eliminá-lo ajudará a impulsionar o QI do meu filho?

E ainda existem os sites.[63] O site de Perlmutter chama-o de "neurologista empoderador", e os visitantes podem escolher entre uma seleção de suplementos nutricionais da marca de Perlmutter, como a Empowering Brain Formula (US$ 73,95). Para não ficar atrás, o site de William Davis anuncia-o como um "Cruzado da saúde". Lá os visitantes podem navegar por receitas, assistir a um clipe de Davis em *The Dr. Oz Show* e se inscrever em sua comunidade mensal de bem-estar chamada "Cureality" por US$ 9,95/mês. A seção de mercado do Cureality.com é, obviamente, uma obra em andamento, mas os membros ainda assim podem ganhar descontos em óleo de peixe e testes de sangue caseiros.

Não se engane: apesar de suas credenciais, esses homens são sensacionalistas, não cientistas. Não obstante as citações e o jargão, seus livros são preenchidos com hipérbole não científica superficial, manipuladora, projetada para te deixar cagado de medo e gerar dinheiro para seus autores. O chocante não são as teorias — é que tanta gente as leve a sério.

Ter conhecimento sobre o poder do mito ajuda a explicar a credulidade dos leitores. As primeiras frases das introduções de Davis e Perlmutter são estranhamente similares, como se tiradas de algum manual básico de criação pseudocientífica. Ambas reforçam a mentira de que o passado foi melhor — mais seguro, mais saudável — que o presente:

> *Barriga de trigo:* "Folheie os álbuns de família de seus pais ou avós e provavelmente você ficará impressionando com o quanto todo mundo parece *esguio*".

> *A dieta da mente:* "Se você pudesse perguntar a seus avós ou bisavós do que as pessoas morriam quando eles eram crianças, provavelmente ouviria a palavra 'velhice'".

Claro que, se passar por um cemitério, você ficará impressionado com as pequenas lápides da geração de seus bisavôs, quando bebês e crianças morriam com muito mais frequência do que hoje. Se folhear velhos álbuns de fotos, você eventualmente vai encontrar vítimas da pólio em pulmões de aço — um problema que não enfrentamos mais graças à vacina. Provavelmente, você nem lembra mais da febre tifoide, disenteria e cólera porque, em 1908, os agentes de saúde começaram a purificar nossa água potável com um assustador elemento químico chamado cloro.

Davis e Perlmutter deturpam a realidade do passado de forma escandalosa — e, como estamos prestes a ver, fazem o mesmo com o presente. Na melhor das conjeturas, *Barriga de trigo* e *A dieta da mente* são conjuntos de especulações infundadas, dados escolhidos a dedo e hipóteses excessivamente confiantes. Na pior, equivalem a negligência médica, poção mágica em forma literária, digna de censura aos autores por seus pares profissionais. Em vez disso, eles estão ganhando milhões de dólares e um público fiel de convertidos que acreditam em seus salvadores com a intensidade de fanáticos religiosos. Conforme um comentarista escreve com grande entusiasmo no site do Perlmutter: "Seu livro é agora como a minha Bíblia. Literalmente mudou minha vida. Nem sei como agradecer".[64]

Está na hora desses falsos profetas serem expostos como o que realmente são para que as pessoas possam os ignorar. Só então compreenderemos a verdade sobre o glúten e ficaremos livres para tomar decisões alimentares com base em dados científicos sólidos.

## O que os verdadeiros especialistas dizem sobre o glúten

Sei que ao criticar Perlmutter e Davis corro o risco de cometer sacrilégio. Milhares de pessoas sentem que devem a vida a esses homens. Você, meu leitor, pode estar entre eles. Talvez você tenha "se livrado do trigo" e "se livrado do peso" — ou descoberto que renunciar a pão e massas fez com que se sentisse mais saudável e mais feliz do que nunca. Talvez você não tenha lido esses livros, mas encontrado um alívio tremendo ao largar o glúten, mesmo que os médicos tenham lhe testado para DC e o teste tenha sido negativo. Você pode estar farto de ouvir dos especialistas que os problemas do seu intestino realmente são "da sua cabeça". Você pode estar certo de que, vezes e mais vezes, seu estômago revoltou-se contra o glúten oculto em alimentos como molho de soja quando você não fazia ideia de que ele estava lá.

Em caso afirmativo, por favor, me escute bem. Não estou dizendo que você é louco ou negando suas lutas de saúde. Sua diarreia não era coisa "da sua cabeça". E não estou aqui para declarar que a sensibilidade ao glúten não existe. Não acredito nas reportagens amplamente divulgadas na mídia social de que alguns estudos provaram que "a sensibilidade ao glúten não celíaca é falsa". De fato, conversei longamente com o Dr. Peter Gibson, coautor do estudo responsável por tais reportagens, e ele confirmou que sua obra não prova tal coisa.

Todavia, Gibson e inúmeros especialistas em DC e glúten rejeitam terminantemente as teses de Davis e Perlmutter. Gastroenterologistas são quase unânimes na relutância à recomendação de se "experimentar" uma dieta sem glúten. O Dr. Stefano Guandalini, diretor médico do Centro de

Doença Celíaca da Universidade de Chicago, disse categoricamente em 2013 que "essa não é uma dieta mais saudável para quem não precisa dela".[65] Milhões de pessoas que abandonaram o pão e caçam pasta de dentes sem glúten, opinou ele, "estão essencialmente seguindo um modismo".[66]

Não deveríamos confiar nele — um especialista dedicado ao tratamento da doença celíaca — no mínimo tanto quanto confiamos num autoproclamado "Cruzado da saúde" e num neurologista que ganha dinheiro vendendo uma fórmula para o empoderamento do cérebro?

E não é só Guandalini que exorta cautela quando se trata de largar o glúten. Os médicos que realmente enfocam o bem-estar dos pacientes não querem que eles desperdicem energia e dinheiro em uma dieta de eliminação desnecessária. Em um conjunto de ensaios de 2013 sobre estudos de campo, *A Clinical Guide to Gluten-Related Disorders* (*Um guia clínico para transtornos relacionados ao glúten*), os autores recomendam a confirmação do diagnóstico de DC antes de "embarcar em um tratamento" que pode ser "penoso de seguir e que aumenta significativamente o custo de vida".[67] O prefácio de *A Clinical Guide* descreve a teoria de que o glúten contribui para o Alzheimer e a esquizofrenia — dieta da mente! — como "particularmente controversa".[68] Também enfatiza que existem muitas "fantasias"[69] associadas à sensibilidade ao glúten não celíaca e exorta uma abordagem cautelosa, baseada na ciência, dessa condição.

Esses especialistas não são peões do *Big Food* ou médicos ingênuos paralisados por pensamento convencional (nem administram sites que alardeiam suplementos dietéticos e livros de receitas sem glúten). *A Clinical Guide* foi editada pelo Dr. Alessio Fasano, gastroenterologista e diretor do Centro de Pesquisas de Imunologia da Mucosa e Biologia e do Centro de Pesquisa e Tratamento de Doença Celíaca do Hospital Geral de Massachusetts. Fasano está entre os pesquisadores de DC mais influentes do mundo e é um defensor ferrenho da conscientização sobre a sensibilidade não celíaca ao glúten. Muitas citações no final de *Barriga de trigo* e *A dieta da mente* referem-se a estudos realizados por ele.

Quanto mais não seja, *A Clinical Guide* frisa as evidências sobre a NCGS. O livro inclui uma seção completa dedicada ao tema, na qual o Dr.

Carlo Catassi e a Dra. Anna Sapone escrevem que "o efeito positivo da retirada de glúten em pacientes [com NCGS] não pode ser completamente explicado por um efeito placebo".[70] Para justificar a conclusão, eles citam um estudo duplo-cego, randomizado, com controle de placebo — o "padrão ouro" de estudos dietéticos — que verificou que "sintomas semelhantes ao intestino irritável da sensibilidade ao glúten foram mais frequentes no grupo tratado com glúten (68%) do que nos indivíduos com placebo (40%)".[71] Realizado na Universidade de Monash, na Austrália, o estudo recebeu considerável atenção. Muitas pessoas, incluindo Catassi e Sapone, usaram-no para confirmar que a sensibilidade ao glúten não celíaca é, pelo menos em alguns casos, uma condição fisiológica. A ciência mostrou que, só porque você não tem DC, não significa que sua sensibilidade ao glúten seja coisa da sua cabeça.

Entretanto, após a publicação de *A Clinical Guide*, os mesmos pesquisadores da Monash conduziram outro estudo que chegou a uma conclusão notavelmente diferente. Usando um delineamento experimental ainda mais rigoroso, verificaram "não haver efeitos do glúten em pacientes com sensibilidade ao glúten não celíaca autorreportada".[72] Os autores levantaram a hipótese de que a sensibilidade ao glúten, na verdade, estivesse sendo confundida com sensibilidade a carboidratos especiais conhecidos como FODMAPs (abreviação de oligossacarídeos, dissacarídeos, monossacarídeos e polióis fermentáveis). Embora os FODMAPs sejam encontrados em grãos como trigo, centeio e cevada, também ocorrem em uma ampla variedade de alimentos "sem glúten" ou "saudáveis" como brócolis, alho, cebola, maçã e abacate. Em outras palavras: aqueles que pensam ter NCGS podem estar reagindo ao que está dentro do sanduíche tanto quanto ao pão propriamente dito.

Ambos os estudos de Monash foram de coautoria de Peter Gibson, diretor de gastroenterologia do Alfred Hospital e da Universidade de Monash, que tem tentado atravessar a hipérbole da mídia e esclarecer o que o vaivém realmente significa.

"As pessoas disseram que os pesquisadores na Austrália mudaram de ideia", Gibson reclamou para mim. "Não entendem o que é ciência. Não mudamos de ideia. Só produzimos mais dados. Você não entra em pesquisa como um evangelista — caso contrário, começa a interpretar mal os seus próprios dados. Só procuramos a verdade, e a verdade é que apenas arranhamos a superfície".

Gibson, que ajudou a desenvolver a dieta de baixo FODMAP, compreensivelmente ficou animado com os resultados do segundo estudo, que sugeriu que algumas pessoas que não consomem glúten podem se dar melhor com uma dieta de baixo FODMAP. Contudo, durante nossa conversa, ele repetiu enfaticamente que *nada havia sido provado*, e que ele tinha pouca paciência para livros como *A dieta da mente* e *Barriga de trigo*, que considerava terem distorcido evidências e refletido mal sobre uma comunidade científica genuinamente empenhada em descoberta, não em sensacionalismo.

"Estes livros geralmente são escritos em tom convincente", diz Gibson. "Mas usam a ciência de modo inadequado — chamamos simplesmente de pseudociência —, dizendo que 'isso' causa 'aquilo' porque 'isso' tem sido observado. A ligação pode ser muito tênue, mas rende uma grande história. A maior parte é só casos pitorescos e grandes ideias".

## Chegando à verdade

De acordo com cientistas como Gibson, que estão na vanguarda da pesquisa do glúten, as conclusões em *Barriga de trigo* e *A dieta da mente* são prematuras e irresponsáveis. São convincentes não por ter base em dados científicos sólidos, mas sim porque reforçam mitos poderosos e prometem soluções alimentares simples para uma variedade de problemas de saúde.

**A ansiedade quanto ao que você come pode produzir exatamente os mesmos sintomas ligados à sensibilidade ao glúten.**

É crucial desmascarar esses livros e o império a que deram origem — não apenas por uma questão de corrigir o registro científico, mas também porque a retórica alarmista pode deixar as pessoas física e mentalmente doentes. Uma minoria significativa beneficia-se de uma dieta livre de glúten, mas, para todos os outros, exagerar o perigo representado pelo glúten não é mera especulação — é ativamente prejudicial. Ironicamente, a ansiedade quanto ao que você come pode produzir exatamente os mesmos sintomas ligados à sensibilidade ao glúten. Demonizar alimentos pode contribuir para o desenvolvimento de transtornos alimentares.[73] E, talvez mais preocupante, a lógica de charlatães que abraçam "verdades revolucionárias" não testadas sobre a "sabedoria convencional" autoriza comportamento perigoso como se recusar a vacinar as crianças. Por que confiar nos fantoches do sistema, certo? São os mesmos que nos disseram para comer alimentos tóxicos, contendo glúten, para que as grandes corporações farmacêuticas pudessem continuar nos enchendo de remédio, insulina e vacinas.

Ninguém quer apoiar os mercadores do medo e das falsas esperanças. Temos o direito de saber o que realmente está acontecendo com nosso corpo e não devemos abandonar nossos alimentos favoritos se não há nada de errado com eles. Não há nenhuma razão para ver o pão de hambúrguer como assassino silencioso, especialmente se — como abordarei mais à frente neste capítulo — a ansiedade alimentar é uma possível ameaça à saúde. Na sequência, espero ajudá-lo a reconhecer mentiras sobre o glúten — mentiras que você pode dizer a si mesmo e mentiras ditas a você por amigos, familiares, pela mídia e até mesmo por profissionais médicos inescrupulosos.

Porque isto é história, não ficção, você não vai ler sobre um paraíso do passado em que os humanos esbeltos do paleolítico viviam livres do Alzheimer e da síndrome do intestino irritável comendo apenas o que a natureza fornecia. Não há conspiração do USDA ou da FDA. Não há curas milagrosas nem respostas fáceis. Há apenas a verdade sobre como passamos a temer o glúten, e por que, para a maioria de nós, o medo não tem de fato nenhum fundamento.

Quem dera eu pudesse oferecer um único bode expiatório nutricional para culpar por doenças como autismo e Alzheimer, câncer e artrite. *"Por que eu e meus entes queridos sofremos e morremos?"*, é a pergunta mais urgente que se pode fazer, e meras respostas alimentares — MSG, ou glúten, ou o que quer que venha a seguir — nos confortam. Infelizmente, essas respostas simples não são soluções reais. O subtítulo de *A dieta da mente* é "a surpreendente verdade sobre o glúten e os carboidratos — os assassinos silenciosos do seu cérebro". Mas a verdade concreta é que *A dieta da mente* é uma mentira, e nossa melhor ciência simplesmente não sabe o que causa muitas das nossas aflições mais graves.

Isso não significa que não haja esperança. O conhecimento médico está constantemente avançando graças à incansável pesquisa de cientistas genuinamente preocupados com a descoberta da verdade. Em dezembro de 2013, uma droga chamada sofosbuvir foi aprovada para tratar a hepatite C. O tratamento tem uma taxa de cura de mais de 90%, um avanço que transforma a vida dos 3,2 milhões de norte-americanos com a doença.[74] Em setembro de 2014, o filho do ator Christopher Reeve anunciou um enorme avanço no tratamento de lesões na coluna chamado estimulação epidural.[75] Quatro jovens a quem foi dito que nunca mais se moveriam do pescoço ou do peito para baixo recuperaram a capacidade de ficar em pé e mover o quadril, pernas e pés. Também recuperaram o controle do intestino, controle da bexiga e a função sexual.

Enquanto escrevo estas palavras, a fundação de Reeve está ocupada angariando US$ 15 milhões para testar o tratamento em mais 36 homens e mulheres paralisados. Se todos que compraram uma cópia de *Barriga de trigo* em vez disso tivessem doado o dinheiro, o estudo poderia ser financiado. O estudo de dietas sem glúten custa muito menos — o mesmo montante teria financiado pelo menos uma centena de estudos na Universidade de Monash, no Centro de Pesquisa e Tratamento de Doença Celíaca ou na Universidade James Cook, onde pesquisadores descobriram recentemente que infectar pacientes celíacos com ancilóstomo aumenta drasticamente sua capacidade de tolerar glúten.

Estou confiante que um dia saberemos muito mais sobre a NCGS e talvez até possamos tratar a doença celíaca de modo eficaz. Também estou confiante que faremos grandes progressos para tratar o Alzheimer, o autismo, o câncer e outras condições médicas intratáveis. Mas, neste ínterim, não há necessidade de as pessoas abrirem mão dos grãos. Confie nos pesquisadores, não em "Cruzados empoderadores da saúde". Não consumir glúten não vai encolher seios em homens, nem curar o autismo do seu filho, e, se você não confia nos pesquisadores, confie nas lições da história. Veja você, acontece que esta não é a primeira vez que um tratamento destinado à DC foi apresentado como uma panaceia infundada e um milagre para a perda de peso.

Essa honra pertence estranhamente às bananas.

## Uma breve história da doença celíaca

Em 1887, o Dr. Samuel Gee deu a primeira descrição detalhada do que chamou de "afecção celíaca" (*coeliac affection*) no Hospital para Crianças Doentes de Londres. *Coeliac* ou celíaco (*celiac*), como agora é comumente grafado, significa "doença da barriga" em grego.[76] Gee observou que certas pessoas sofriam de uma terrível doença degenerativa marcada pela produção de "fezes fedorentas esbranquiçadas". Os afligidos, principalmente crianças, sofriam horrivelmente: dores musculares, fraqueza, oscilações tremendas no apetite, crescimento atrofiado. "O curso da doença é sempre lento", escreveu Gee.[77] "Quer o paciente viva ou morra, ele permanece enfermo por meses e anos".

Quanto ao que causava a condição, Gee pôde apenas especular.[78] No entanto, concluiu que, "se o paciente pode ser de alguma maneira curado, deve ser por meio de dieta". A receita dele proibia leite, frutas e legumes, preferindo "leite de burra", "pão cortado fino e bem torrado em ambos os lados"[79] e até mesmo "um quilo dos melhores mexilhões holandeses diariamente" (esta última foi uma fórmula com que Gee teve sucesso em uma ocasião — mas nunca foi capaz de repetir).

Depois de Gee, o relato mais influente sobre DC foi o livro de 1908 *On Infantilism from Chronic Intestinal Infection* (*Sobre o infantilismo por infecção intestinal crônica*), escrito por Christian Herter, médico e professor na Universidade de Colúmbia. Contudo, apesar do trabalho desses dois pioneiros, a comunidade médica manteve-se aturdida pelo que ficou conhecido como "doença de Gee-Herter". As causas hipotéticas variavam de infecção viral e bacteriana a mau funcionamento do fígado ou pâncreas. Devido à presença de excesso de gordura nas fezes dos portadores de doença celíaca, pensou-se que uma dieta de baixo teor de gordura fosse ser útil, e uma análise britânica de 73 casos em 1939 proclamou a "dieta de baixo teor de gordura com suplemento de vitaminas" o melhor método de tratamento.[80]

O mistério acabou com o médico holandês Willem Dicke. Diretor médico do Hospital Infantil de Juliana em Haia, Dicke ficou interessado em DC após assistir uma reunião de pediatras em 1932.[81] Ali, um colega descreveu recaídas de diarreia em um paciente celíaco que consumiu pão. Dicke começou experimentos com dietas sem trigo, documentando cuidadosamente as reações de seus pacientes a alimentos individuais. Em 1941, publicou um relatório sobre seus sucessos. "Dou uma dieta simples",[82] escreveu Dicke, "... [que] não deve conter qualquer pão ou torradas. Uma refeição quente duas vezes por dia é igualmente bem tolerada. A terceira refeição pode ser mingau doce ou azedo (sem qualquer farinha de trigo)".

Ligar a farinha de trigo à DC foi uma tese revolucionária, e o fim da Segunda Guerra Mundial forneceu evidências adicionais para confirmá-la.[83] Devido a um embargo alemão e um inverno rigoroso, o oeste dos Países Baixos mergulhou na fome no final de 1944, um período conhecido como *Hongerwinter* (inverno da fome). Crianças morriam de fome por toda parte, mas, paradoxalmente, pacientes celíacos pareciam estar melhorando. Em 1945, o inverno da fome terminou com aviões bombardeiros lançando pão sobre a Holanda. Uma bênção para a maioria das crianças famintas, o pão produziu recidivas em pacientes celíacos, que até então não haviam tido acesso a qualquer alimento feito com farinha de trigo.

Após a Segunda Guerra Mundial, Dicke e colegas realizaram experimentos que identificaram o glúten como a causa da má absorção em celíacos. Esse, e não o excesso de gordura na dieta, era o responsável pela gordura normalmente encontrada nas fezes dos pacientes. Então, em 1956, a médica britânica Margot Shiner foi pioneira no uso de cápsulas de biópsia intestinal, o que levou à evidência conclusiva de que o glúten alterava a mucosa intestinal em pacientes celíacos.[84] Em pouco tempo, a comunidade médica internacional rapidamente adotou dietas sem glúten para tratar a doença celíaca.

Bem, a maioria da comunidade internacional. Na América, persistiram sérias dúvidas sobre a abordagem de Dicke devido à influência contínua de um proeminente pediatra e pesquisador de DC chamado Sidney V. Haas. Agora relegado a notas de rodapé, Haas foi pioneiro de um tratamento para DC conhecido como "a dieta da banana", que ele detalhou pela primeira vez em um artigo de 1924 para o *American Journal of Diseases of Children*.[85] As teorias de Haas sobre a banana hoje são obsoletas, mas a história de sua dieta é profética.

## Sem glúten... e com banana?

Na virada do século XX, a United Fruit Company montou uma campanha publicitária agressiva para combinar à sua capacidade ampliada de plantar e importar bananas.[86] Como a fruta já não era mais um luxo exótico, a United Fruit aproveitou-se de depoimentos de médicos e nutricionistas para reinventar as bananas como um superalimento — o açaí ou goji berry do início do século XX. Uma publicação de 1917 da indústria, *O valor alimentício da banana* (*Food Value of the Banana*), incluiu um endosso enaltecedor do *Journal of the American Medical Association*: "Esta fruta é selada pela natureza em invólucros praticamente livres de microorganismos e à prova de germes".[87] Numerosos dietistas testemunharam seus poderes curativos.[88] Era simplesmente lógico que Haas testasse em pacientes celíacos, e alguns deles começaram uma dieta estrita de bananas e leite, suplementada com caldo, gelatina e um pouco de carne.

Os resultados foram surpreendentes. De dez crianças tratadas, oito experimentaram remissão drástica de sintomas e aumento drástico de altura e peso.[89] (Segundo Haas, as duas que morreram não conseguiram cumprir o regime.) Um artigo de 1924 de Haas descreveu esses resultados em termos hiperbólicos, acompanhado de gráficos impressionantemente detalhados, pormenores nutricionais da dieta e fotografias antes-e-depois de crianças impressionantemente transformadas.[90]

Com toda a probabilidade, os jovens paciente de Haas tiveram uma experiência de transformação milagrosa pois não comeram mais glúten.

Mas Haas não sabia do papel do glúten na doença celíaca, então veio com uma teoria sem fundamento de que as bananas continham uma enzima especial "capaz de hidrolisar" amido e "de converter açúcar de cana em açúcar invertido".[91] Essa enzima, não a ausência de glúten, foi considerada a causa primária da recuperação das crianças.

Validadas pelo sucesso de Haas no tratamento de crianças com DC, as bananas e a dieta da banana tornaram-se cada vez mais populares. Na Universidade Johns Hopkins, o Dr. George Harrop tentou uma versão simplificada da dieta da banana em diabéticos e verificou que, embora a diabetes permanecesse sem solução, eles perderam muito peso.[92] Harrop publicou seus resultados em 1934.[93] O público, previsivelmente, foi à loucura com a banana.

Da noite para o dia, a dieta da "banana e leite desnatado" tornou-se a mania para a perda de peso. Como muitos entusiastas das dietas de baixo carboidrato e sem glúten de hoje, os fãs da dieta da banana exaltavam sua capacidade de mantê-los saciados. Um jornal de Milwaukee informou que as mulheres que a seguiam "não passam fome" e "nunca têm aquela sensação voraz de vazio".[94] Incrivelmente, ela ainda é recomendada em alguns sites de saúde convencional. O Livestrong.com conclui que a dieta "resultará em perda de peso drástica, mas também pode torná-lo irritável" e recomenda a quem faz a dieta "beber muita água, pois a banana pode causar constipação".[95]

Parte do fascínio da dieta deveu-se ao status de superalimento da banana na época. Após Haas ter desenvolvido a dieta da banana, a United Fruit extrapolou a capacidade da fruta em combater a DC para afirmações mais gerais sobre seus atributos saudáveis. Um professor emérito da Escola de Medicina de Harvard observou em 1932 que a literatura médica sobre a dieta da banana parecia-se menos com ciência e mais "com propaganda da United Fruit Company".[96] Mas a opinião da comunidade médica foi abafada por manchetes entusiásticas como "Bananas ajudam criança doente", de uma edição de 1932 do *New York Times*.[97] Tais reportagens confirmavam os incríveis poderes da banana para um público acrítico que alegremente generalizou as propriedades terapêuticas da banana por si mesmo.

A Segunda Guerra Mundial trouxe ainda mais oportunidades para a propaganda da banana. Navios norte-americanos de frutas foram convertidos em porta-aviões militares, o sistema ferroviário ficou sobrecarregado, e a banana tornou-se escassa. A *Newsweek* e o *New York Times* descreveram a odisseia de mães vasculhando as vizinhanças por horas, desesperadas atrás de bananas para alimentar filhos com doença celíaca.[98] Logo depois, uma carta escrita por Haas apareceu no *Times*, assegurando a todos que a United Fruit estava "fazendo todo o possível para fazer frente à situação".[99] Uma vez que se julgava que a DC fosse muito rara na época, a United Fruit Company certificou-se de complementar as histórias sobre o tratamento de doença celíaca com alegações mais gerais sobre o caráter saudável da banana, continuamente invocando a densidade nutricional e as altas concentrações de vitaminas e calorias.

A estratégia funcionou. A superioridade mítica da banana, baseada em parte na sua capacidade de tratar a DC, teve um incrível poder de permanência. Atuante na década de 1960, o pediatra William Brady escreveu artigos de jornal e um livro aconselhando as mães a "começar a alimentar o bebê com banana a partir das quatro ou cinco semanas de vida, em vez de quatro ou cinco meses",[100] um esquema garantido para fazer "criancinhas franzinas, doentes e mal nutridas crescerem". Casos pitorescos sobre os benefícios da banana eram abundantes. "Uma mãe de Minnesota", alardeou Brady, "começou a dar bananas para seus três bebês quando tinham cerca de duas semanas de vida".[101] O resultado? "Nenhum dos bebês teve uma 'cólica', um laxante, enema ou supositório, e com cinco ou seis semanas de vida todos eles dormiam a noite toda". As bananas tinham ido de uma receita para celíacos a um milagre que prevenia a cólica e fazia bebês dormir à noite toda.

Lamentavelmente para a United Fruit, a pesquisa de Dicke na Holanda revelou que as bananas não tinham poderes especiais. Os benefícios do tratamento de Haas deviam-se à proibição acidental do glúten. Haas, compreensivelmente, não quis desistir de seu status de salvador pioneiro e resistiu a esse desdobramento até o mais amargo fim. Ele afirmou que as dietas sem glúten eram propensas ao fracasso. Alegou que tratavam os sintomas em vez da causa subjacente — um mantra muito usado na condenação da medicina "convencional". Só a dieta da banana, dizia Haas, poderia conseguir uma "cura permanente sem recidiva".[102]

**Atualmente, a doença celíaca é incurável. O único tratamento conhecido é abster-se de glúten.**

Como pacientes celíacos agora sabem, ele estava errado. Atualmente, a doença celíaca é incurável. O único tratamento conhecido é abster-se de glúten. Bananas, infelizmente, são apenas bananas. Isso nós aprendemos. O que ainda não aprendemos, aparentemente, é a capacidade de sermos céticos. Eis o que aconteceu com a dieta da banana: um tratamento originalmente concebido para pacientes celíacos transformou-se em modismo para a perda de peso. As pessoas acabaram acreditando que, se algo pode ajudar na DC, também pode ajudar em todos os tipos de condições não relacionadas.

Soa familiar?

## De tratamento da doença celíaca a tratamento de tudo

Menos apegada à dieta da banana do que seu inventor, a comunidade médica deixou Haas para trás e endossou a retirada do glúten como tratamento adequado para a doença celíaca. Estranhamente, as consequências para quem sofre de doença celíaca na América foram desastrosas. A United Fruit parou de invocar a DC em seus anúncios, e as pessoas esqueceram-se quase que por completo da doença. Apenas 1% dos artigos de pesquisa sobre DC entre 1966 e 1995 foram de autoria de norte-americanos.[103] Não houve nenhuma menção à doença em jornais ou revistas entre 1964 (ocasião do obituário de Sidney Haas) e 1980.[104] Como resultado, milhões de norte-americanos não foram diagnosticados. Os pacientes tiveram a DC confundida com colite ulcerativa, doença de Crohn, síndrome do intestino irritável e outras intolerâncias alimentares, o que com frequência levou a complicações graves e cirurgias desnecessárias.

Um desses pacientes tinha quatro anos de idade e se chamava Judy, filha de Elaine Gottschall, uma dona de casa de Nova Jersey. Em 1955, Judy começou a sofrer de graves problemas intestinais crônicos e sangramento, que especialistas diagnosticaram como colite ulcerativa incurável.[105] Gottschall assistiu impotente a filha desenvolver problemas neurológicos e sofrer crescimento atrofiado. Três anos após o diagnóstico inicial, quando o tratamento com corticoides e outros medicamentos provou-se ineficaz, os médicos disseram à Gottschall que a única solução era remover o cólon de Judy cirurgicamente e equipá-la com uma bolsa de colostomia. Ninguém nunca pensou em diagnosticar Judy com DC. Ela nunca tentou ficar sem glúten.

Desesperada por uma alternativa, Gottschall acabou chegando a um médico de 92 anos de idade que clinicava em Nova York: Sidney V. Haas. Ao ver Judy, Haas prontamente prescreveu sua dieta da banana. Dentro de dez dias, Judy começou a se recuperar. Dois anos depois, estava livre de sintomas.

A dieta de Haas salvou a filha de Gottschall da cirurgia e possivelmente da morte. Não é, portanto, nenhuma surpresa que Gottschall tenha se tornado uma ardente defensora das teorias de Haas. Justificavelmente frustrada pelo sistema médico tradicional, que fracassou com ela repetidas vezes, Gottschall foi rápida em atribuir a aceitação generalizada da dieta sem glúten de Dicke a falhas de caráter, não a consenso científico. Ela acusou os médicos de serem atraídos pela abordagem de Dicke por causa da preguiça intelectual e rejeitou a ideia de que a doença celíaca devesse ser tratada pela retirada do glúten.[106]

Em 1968, quatro anos após a morte de Haas, Gottschall voltou a estudar por insistência de seu marido, obtendo diploma de bacharel em biologia e mestrado em biologia celular e bioquímica nutricional.[107] Com base em sua própria pesquisa, Gottschall por fim escreveu dois livros, *Food and the Gut Reaction* (*Comida e a reação do intestino*), publicado em 1992, e em seguida seu best-seller, *Como romper o círculo vicioso do seu intestino*, publicado em 1994. Inspirado em Haas, *Como romper o círculo vicioso do seu intestino* argumenta que apenas a "dieta do carboidrato específico" — um regime altamente restritivo que elimina a maioria dos amidos, incluindo batata e arroz — pode verdadeiramente "curar" a DC,[108] bem como uma variedade de outros transtornos cujas causas e tratamentos continuam a atormentar a maioria dos médicos "convencionais": Crohn, colite ulcerativa, síndrome do intestino irritável, doença inflamatória intestinal, diarreia crônica não específica, obesidade e distúrbios da função cerebral, como a epilepsia.[109] A edição mais recente de *Como romper o círculo vicioso do seu intestino* adiciona um capítulo sobre o autismo, afirmando em termos inequívocos que a dieta do carboidrato específico "tem sido eficaz no tratamento do autismo".[110]

O apelo do livro do Gottschall é fácil de entender, uma vez que invoca os mitos clássicos que caracterizam a má ciência da nutrição:

> A Dieta do Carboidrato Específico é biologicamente correta porque é adequada à espécie. Os alimentos permitidos são principalmente aqueles que o homem primitivo comia antes do início da agricultura. A dieta que comemos ao longo de milhões de anos era predominantemente de carne, peixe, ovos, legumes, nozes, frutas de baixo teor de açúcar. [...] Nos últimos cem anos, o aumento de açúcares complexos e de aditivos químicos na dieta levou a um enorme aumento dos problemas de saúde, desde distúrbios graves do intestino à obesidade e transtornos da função cerebral. Não nos adaptamos para comer essa dieta moderna, pois não houve tempo suficiente para a seleção natural agir.[111]

Aqui está, disposto de forma sucinta, o mito do paraíso do passado subjacente em cada dieta de tremendo sucesso da última década, desde a dieta paleolítica, que literalmente retira o nome do imperativo de "comer como o homem primitivo", às dietas de eliminação de trigo e grãos defendidas por Davis e Perlmutter. A modernidade é perigosa e antinatural, e a solução de numerosas e temíveis doenças reside em retornar ao estilo de vida do paraíso do passado. É este mito que racionaliza a transformação de uma dieta para doença celíaca em panaceia dietética — e as pessoas simplesmente engolem isso.

Com efeito, o mesmo mito alimenta o primeiro argumento em formato de livro contra o consumo de grãos contendo glúten. Em 2002, o Dr. James Braly e Ron Hoggan publicaram *O perigo do glúten* — não mencionado em *A dieta da mente* e *Barriga de trigo* —, contendo as sementes de todos os argumentos modernos antiglúten.[112] O primeiro capítulo é intitulado "Grãos e pessoas: uma incompatibilidade evolutiva". Outro capítulo, "Distúrbios cerebrais e glúten", esboça o que Perlmutter mais tarde transformaria em um livro inteiro. Os autores mencionam "opioide-peptídeos" que "parecem e atuam exatamente como... morfina"[113] — posteriormente destacados por William Davis em *Barriga de trigo* como causa da suposta dependência do moderno "Frankentrigo".

À luz desses "fatos científicos", Hoggan e Braly asseguram que uma grande parcela da população, se não toda, se beneficiaria com uma dieta livre de glúten. Está tudo bem ali — a mesma linha de pensamento, as mesmas evidências. Então, quem eram esses pensadores revolucionários que antecederam Davis e Perlmutter em uma década? Eram pesquisadores bem estabelecidos com décadas de experiência?

Embora coautor de um tratado inovador sobre *a* ameaça de saúde de nosso tempo, não consegui localizar o Dr. Braly em nenhuma instituição de pesquisa. (Seu perfil no LinkedIn em setembro de 2014[114] lista-o como diretor do agora extinto Centro de Pesquisa de Célula Tronco da América do Norte — outrora localizado em Tijuana, México.)[115]Mas consegui rastrear o coautor de Braly, Ron Hoggan, que ainda escreve colunas on-line e fala em eventos comunitários de DC.

"Essencialmente escrevi o livro, e o Dr. Braly seria apenas o cara promocional", Hoggan me disse. "Eu redigia, enviava para o Dr. Braly, e ele examinava. Ele acrescentou um monte de adjetivos em sua edição".

Como Gottschall, as motivações de Hoggan para escrever o livro foram intensamente pessoais. Rotulado de "emotivo, impertinente, inquieto, carente de atenção e hipocondríaco", foi transferido de um diagnóstico errado para outro, sofrendo o tempo todo de dor crônica nas costas e nas pernas, tremores nas mãos e azia. Finalmente, em 1994, Hoggan foi diagnosticado com doença celíaca e depois de adotar uma dieta livre de glúten os sintomas desapareceram.[116]

Hoggan sabia que seu irmão, Jack, sofria de sintomas relacionados à DC e o encorajou a fazer o teste. Jack recusou-se a ouvir (reação comum em famílias onde um membro é diagnosticado com doença celíaca).[117] Por fim, o irmão de Hoggan morreu de linfoma não Hodgkin, uma forma de câncer cujo risco relativo é quatro vezes maior em portadores de DC não tratados do que na população em geral.

Devastado pela morte do irmão, Hoggan dedicou sua vida à divulgação dos riscos associados à DC e consumo de grãos. Seguindo o mesmo ciclo de Elaine Gottschall, ele voltou a estudar, obteve um mestrado e também desenvolveu desconfiança da instituição médica. A desconfiança agravou-se quando um patologista se recusou a diagnosticar sua filha com doença celíaca, levando-a a "meses de depressão, letargia e dor abdominal" antes de uma segunda opinião confirmar a condição.[118] *O perigo do glúten* foi a maneira de Hoggan de cuidar do assunto pessoalmente e redimir o sofrimento e morte de membros de sua família.

É extremamente provável que outros tenham passado por experiência semelhante à de Hoggan. As pesquisas estão começando a demonstrar uma elevada prevalência de DC não diagnosticada em portadores de fibromialgia,[119] síndrome do intestino irritável,[120] diabetes,[121] eczema atópico e outras condições relacionadas.[122] Se as estimativas de prevalência de doença celíaca são precisas e apenas 17% dos portadores são diagnosticados, isso significa que um grande número de indivíduos cujas vidas "milagrosamente" melhoram com dieta sem glúten estão apenas tratando sua doença de forma adequada. Nesses casos, o poder transformador de uma dieta sem glúten não é uma mentira: é uma verdade científica que salva vidas.

Mas o poder transformador de não consumir glúten para por aí. Tanto quanto sabemos, o glúten não é tóxico para a população em geral. Não causa autismo, ou Alzheimer ou TDAH; não lhe dá barriga de trigo ou cérebro de grão, porque tais coisas não existem. Hoggan e Gottschall eram leigos com contas a acertar, então faz sentido que demonizassem o que causou seu sofrimento. Mas como 100 milhões de norte-americanos acabaram fazendo a mesma coisa?

## Por que nós engolimos a mentira do glúten?

No início dos anos de 2000, começou a se espalhar a informação sobre os malefícios dos grãos contendo glúten, particularmente entre quem sofre de problemas de saúde crônica.[123] A lógica era simples e completamente irracional, nascida do desespero: se uma cura opera milagres em um caso, então poderia fazê-lo em outros. Pessoas tentando tratar suas próprias condições de saúde crônicas — e de seus entes queridos — depararam com teorias como a de Hoggan, que exaltava as dietas sem glúten como a solução para todo problema de saúde imaginável. As histórias pessoais de Gottschall e Hoggan ressoaram assim como sua desconfiança em médicos arrogantes e tacanhos que não ofereciam nenhuma ajuda real. Circulavam episódios de esperança sobre crianças cujo autismo e dificuldades de aprendizagem tinham sido resolvidas com dietas sem glúten — uma ocorrência não improvável, visto que DC não diagnosticada pode apresentar sintomas que incluem dores de cabeça, entorpecimento, convulsões, desânimo e distúrbios comportamentais.

Uma dessas passagens mais famosas veio da ex-coelhinha da *Playboy*, Jenny McCarthy. Em 2004, o filho mais novo de McCarthy, Evan, sofreu uma série de convulsões e foi diagnosticado com autismo. Após uma odisseia de consultas com vários médicos e horas gastas na "Universidade do Google",[124] McCarthy implementou uma dieta sem glúten e sem caseína (a caseína é uma proteína normalmente encontrada no leite), e Evan ficou muito, muito melhor. McCarthy escreveu sobre suas experiências em um livro, *Louder than Words: A Mother's Journey in Healing Autism* (*Mais alto do que palavras: a jornada de uma mãe na cura do autismo*), e a dieta alcançou um público mais amplo.

Enquanto isso, os gurus das dietas viram uma oportunidade de reempacotar a dieta de baixo carboidrato de Atkins, há tempos popular, usando novos mitos e um novo vilão. Em 2003, Joseph Mercola, médico naturopata e sensação da internet, publicou *The No-Grain Diet: Conquer Carbohydrate Addiction and Stay Slim for Life* (*Dieta sem grãos: supere o vício em carboidratos e mantenha-se magro a vida inteira*). Mercola —

que se opõe à vacinação e recebeu inúmeras cartas de advertência da FDA — abarrotou seu livro com especulações sobre os perigos dos grãos e do glúten, especialmente para a sua cintura. Ainda em circulação, o livro desinforma gravemente o público sobre a doença celíaca e a sensibilidade ao glúten. ("Formas mais brandas da doença celíaca, referidas como 'sensibilidade ao glúten', afetam cerca de 15% da população".[125] Falso!) O mito do paraíso do passado aparece novamente, até a mesma frase sobre avós que vimos em *Barriga de trigo* e *A dieta da mente*: "Ao contrário de nossos avós, já não podemos contar com coisas como uma boa noite de sono ou água potável limpa, não contaminada, como certezas".[126]

Tudo isso foi o suficiente para fazer a bola rolar, mas a popularidade da dieta sem glúten realmente explodiu quando figuras sagradas começaram a adotá-la. Não, não médicos famosos: celebridades. Uma delas foi a celíaca Elisabeth Hasselbeck, antiga coapresentadora de *The View*, cujo livro de 2008, *The G-Free Diet: A Gluten-Free Survival Guide* (*A dieta G--free: um guia de sobrevivência sem glúten*), encorajou pessoas sem DC a cortar o glúten. No capítulo "Sem glúten e o mais magro possível!", Hasselbeck afirma que uma dieta livre de glúten é "benéfica para a maioria (das pessoas)" e que, se não tivesse DC,[127] ela, ainda assim, escolheria não consumir glúten.[128] (O capítulo seguinte do livro é "A conexão do autismo".) Jennifer Aniston cortou o glúten em 2010,[129] como parte de uma "dieta de comida de bebê"[130] que prescreve catorze porções de alimentos em forma de purê por dia, seguidas de um jantar normal. A lista de entusiastas não celíacos da dieta sem glúten prossegue: Oprah, Gwyneth Paltrow, Victoria Beckham, Miley Cyrus — todas sugerindo que a dieta sem glúten pode ser boa para todos. Como Miley Cyrus twittou: "Todos deveriam experimentar ficar sem glúten por uma semana! A mudança em sua pele, saúde física e mental é incrível! Você não voltará!".[131]

Para os cientistas e médicos, no entanto, contos de dietas milagrosas são motivo de cinismo, não de celebração. Quando perguntei a Peter Gibson, coautor dos estudos sobre NCGS de Monash, a respeito da relação entre as dietas sem glúten, perda de peso e bem-estar geral, ele deu uma explicação diferente — que não envolve a eliminação de um vilão alimentar.

“É muito mais provável que seja algo que notei muitas vezes, inclusive em membros da família”, diz ele. “As pessoas concluem que comem muita comida para levar, lanches rápidos, que não comem nada bem. Leem essa coisa sobre não consumir glúten e, então, compram legumes frescos, cozinham direito e comem muito melhor. Culpar o glúten é fácil, mas você poderia apontar para cerca de uma centena de coisas que elas passam a fazer melhor”.

**Porém, quando a perda de peso em si não é motivação suficiente, pensar que suas comidas favoritas causam autismo, névoa no cérebro e Alzheimer pode fornecer o impulso de que você precisa para cumprir sua dieta.**

Simplificando: em alguns casos, eliminar o glúten é só uma deixa para cozinhar em casa e cortar a *junk food*. Ninguém quer cortar as comidas de que gosta. Porém, quando a perda de peso em si não é motivação suficiente, pensar que suas comidas favoritas causam autismo, névoa no cérebro e Alzheimer pode fornecer o impulso de que você precisa cumprir sua dieta.

Especialistas como Gibson também estão alertas para o poder do efeito placebo e do efeito nocebo. O efeito placebo ocorre quando a expectativa de benefício — não o valor terapêutico — produz resultados positivos em um tratamento particular. Acupuntura, analgésicos, antidepressivos, até mesmo alguns tipos de cirurgia: os estudos têm mostrado que as pessoas respondem bem a versões falsas destas intervenções,[132] relatando alívio de sintomas quando as agulhas de acupuntura não perfuram a pele, as pílulas são de açúcar, e a cirurgia é uma farsa.

O efeito nocebo é o efeito placebo em sentido inverso.[133] Foi documentado pela primeira vez quando pacientes que receberam comprimidos falsos acabaram sofrendo efeitos colaterais negativos — porque esperavam que os comprimidos os fizessem se sentir mal. Agora os cientistas reconhecem que o efeito nocebo deve ser levado em conta quando as pessoas relatam alergias alimentares fisiológicas. Isso se aplica até mesmo a pessoas com alergias documentadas. Um estudo de 2009 sobre a lactose verificou que 14 de 54 pacientes com intolerância documentada à lactose *relataram sintomas após a ingestão de comprimidos de açúcar.*[134] Eles eram intolerantes à lactose, mas foi a expectativa dos sintomas que os deixou doentes. Forte efeito nocebo também foi observado nos estudos de sensibilidade ao glúten da Universidade de Monash.[135]

Qualquer análise de intolerância ao glúten e de dietas sem glúten deve reconhecer a presença substancial de efeitos placebo e nocebo. Com o medo do glúten constantemente reforçado nas mídias tradicional e social, devemos esperar uma significativa reação nocebo ao glúten. Os pesquisadores esperam: em uma revisão de campo de 2013, quatro especialistas em glúten escreveram que, embora a sensibilidade fisiológica não celíaca ao glúten provavelmente exista em 0,63% a 6% da população geral, "em muitas circunstâncias a sensibilidade não celíaca ao glúten é uma doença imaginária causada pelo efeito nocebo da ingestão de glúten".[136] Também enfatizaram a probabilidade de que as dietas de eliminação produzam um efeito placebo. A pesquisa sugere que o efeito placebo aumenta quando o tratamento é de marca, caro e altamente ritualizado.[137] Dietas sem glúten — e a maioria das dietas de eliminação — geralmente se encaixam em todos esses critérios.

Já vimos o poder dos efeitos placebo e nocebo na sensibilidade ao MSG, o que deveria servir de alerta. Como no MSG, a expectativa do público de dano pelo glúten é alimentada pela difusão do medo, altamente rentável e não científica, validada por médicos credenciados. Estes médicos penetram nas preocupações profundamente enraizadas sobre modernidade e tecnologia, identificam a causa única de todos os nossos problemas e oferecem uma solução fácil. Engendram histórias de assassinos ocultos e milagres dietéticos, e então se tornam comerciantes de falsa esperança, curando problemas que eles mesmos criaram.

MSG e glúten não são a mesma coisa. Eu disse isso antes, mas é bom repetir sempre: ao contrário do MSG, o glúten ameaça a saúde e a vida de milhões de pessoas que têm DC. Enquanto a sensibilidade ao MSG é quase que inteiramente psicossomática, ainda não há veredito sobre a sensibilidade não celíaca ao glúten. Qualquer um que diga que não existe NCGS é tão mentiroso quanto os autores de *Barriga de trigo* e *A dieta da mente*. E, embora não haja nenhuma dúvida (pode-se dizer que há um *consenso científico*) de que Davis, Perlmutter e seus antepassados que atacaram o MSG são desgraças irresponsáveis para a profissão médica, Gottschall e Hoggan merecem nossa simpatia por seu sofrimento e por seus esforços extraordinários em nome de outros como eles.[138]

Contudo, não podemos ir longe demais em nossa simpatia. Visto que o glúten é realmente perigoso para algumas pessoas, você pode ficar tentado a dar um salvo-conduto ao alarmismo da dieta sem glúten. Celebridades do momento e livros hiperbólicos ajudaram a causar uma reviravolta na vida das pessoas e aumentaram a consciência sobre a intolerância ao glúten. Claro, eles distorcem evidências e exageram os perigos do glúten. Mas existe algum mal nisso?

Pode apostar que sim.

## Quando mentiras se tornam realidade

"O incidente da Coca-Cola", como é agora referido na literatura científica, começou em 8 de junho de 1999, em uma pequena escola de Bornem, na Bélgica.[139] Dez crianças adoeceram misteriosamente, e uma investigação dos funcionários determinou que a única característica em comum era o consumo de Coca-Cola naquele dia. Assessorados apenas por uma enfermeira da escola, os administradores enviaram as crianças para um hospital local e disseram ter então percorrido as salas de aula perguntando se as outras crianças que tinham bebido Coca-Cola estavam se sentindo doentes. Às primeiras dez crianças somaram-se mais 23 naquele final de tarde e mais quatro na manhã seguinte. Os sintomas incluíam "desconforto abdominal, dor de cabeça, náuseas, mal-estar, problemas respiratórios, tremores e tonturas". Uma vez informada do problema, a Coca-Cola da Bélgica recolheu imediatamente todas as garrafas do lote que as crianças tinham consumido e emitiu um comunicado avisando que a Coca-Cola poderia produzir dores de cabeça, náusea e cólicas abdominais.

Na época, a Bélgica ainda estava no turbilhão de outro pânico na saúde conhecido como "a crise da dioxina". Em fevereiro do mesmo ano, rações de animais tinham sido contaminadas por dioxina, bifenilos policlorados e dibenzofuranos — todos suspeitos de serem agentes cancerígenos.[140] A contaminação permaneceu em segredo até o final de maio quando vazou para os jornalistas, resultando no recolhimento maciço de ovos, frangos, laticínios e carnes. Consumidores, jornalistas e ativistas indignados engajaram-se em um estridente debate público sobre a segurança dos alimentos e produtos químicos modernos.

Esse antecedente serviu de cenário para uma reação exagerada a novas reportagens sobre contaminação de alimentos. Conforme o relato retrospectivo redigido por um conjunto de pesquisadores belgas intimamente envolvidos com o incidente da Cola-Coca, "a crise da dioxina, portanto, combinou uma série de fatores conhecidos por influenciar enormemente a percepção de risco,[141] incluindo ultraje (contra as autoridades falhas e contra as práticas de produção de alimentos modernos), temor (mesmo quantidades mínimas de produtos químicos podem prejudicar a saúde) e falta de controle (o agente perigoso não pode ser percebido)".

Mídia impressa, rádio e televisão instantaneamente traçaram paralelos entre o "envenenamento" da Coca-Cola e a crise da dioxina. Imagens de galinhas mortas foram colocadas lado a lado com imagens de refrigerantes sendo destruídos. Em 11 de junho, a Coca-Cola ampliou o recolhimento do produto, e, em 14 de junho, a venda de todos os produtos da Coca-Cola cessou em toda a Bélgica. Em 12 dias de funcionamento, uma linha telefônica de ajuda atendeu 943 chamadas de pessoas sintomáticas.

Mas não houve contaminação. Embora a investigação interna da Coca-Cola tenha incluído dados toxicológicos sugerindo contaminação via "dióxido de carbono ruim" e fungicidas utilizados em engradados de madeira do transporte, um comitê independente, indicado pelo governo, concluiu o contrário, não encontrando absolutamente nenhuma evidência de qualquer tipo de reação fisiológica para produtos da Coca-Cola. Em 3 de julho, o comitê escreveu uma carta ao editor da revista médica *The Lancet*: "A notável consistência das queixas relatadas, bem como o contexto de ansiedade e agitação quanto à segurança dos alimentos modernos, apontam para um diagnóstico de doença sociogênica em massa".[142]

Doença sociogênica em massa combina dois tipos de mentiras: desinformação sobre perigos externos (a Coca-Cola está envenenada) e autoengano sobre os efeitos desses perigos (a Coca-Cola está me deixando nauseado). É um fenômeno bem documentado, remontando pelo menos ao século XV, quando grupos de freiras que acreditavam estar possuídas por demônios imitavam animais, desnudavam a genitália, gritavam palavrões e moviam os quadris como se mantendo relações sexuais.[143] Demônios já não figuram entre as preocupações de saúde da maioria das pessoas, de modo que seu papel foi tomado pelos produtos químicos, bactérias, vírus e outros antagonistas invisíveis da modernidade. Em 1985, relatos de exposição a um "gás tóxico" inexistente produziram calafrios, dores de cabeça, náuseas e falta de ar entre os estudantes de uma escola de Singapura;[144] o mesmo ocorreu em 1998, em uma escola secundária em Tennessee,[145] e variações continuam a acontecer regularmente. Esse é o poder da desinformação: mesmo que você esteja tomando uma Coca segura ou respirando ar puro, rumores de doença podem deixá-lo enfermo.

Outro exemplo clássico da doença sociogênica em massa é a "síndrome da turbina eólica", que remete à teoria desacreditada de que o som inaudível de turbinas eólicas provoca dores de cabeça e outros efeitos adversos à saúde. (A síndrome é amplamente divulgada em países de língua inglesa, onde muitas pessoas que vivem perto de parques eólicos relatam sintomas. Em países com poucos habitantes de fala inglesa, praticamente não há reclamações.)[146] Para estudar o mecanismo da síndrome da turbina eólica, um grupo de pesquisadores da Universidade de Auckland instruiu um conjunto de participantes do teste com literatura que provocou grandes expectativas sobre os sintomas da exposição a infrassons e instruiu outro conjunto de indivíduos com literatura que provocou baixas expectativas.[147] A seguir expuseram ambos os grupos a infrassons e infrassons falsos usando um esquema de teste de duplo-cego em que nem os participantes nem os pesquisadores sabiam quem estava sendo exposto à coisa real. Os participantes instruídos com altas expectativas relataram um número significativo de sintomas intensos, independente da autenticidade dos infrassons. O grupo de baixa expectativa não relatou nenhum.

"As expectativas podem causar sintomas", diz Keith Petrie, um dos coautores. Ele compara a síndrome da turbina eólica à doença dos estudantes de medicina, em que os alunos são acometidos de sintomas relacionados às condições que estão estudando.

"Até o nome que você dá a uma doença tem efeitos", diz Petrie. "Se você disser a alguém que ela tem encefalomielite miálgica, a pessoa sente-se pior do que se disser que ela tem a síndrome da fadiga crônica. Parece mais médico, mais real".

Os efeitos descritos por Petrie são efeitos nocebo, e uma maneira de pensar sobre a doença sociogênica em massa é como um efeito nocebo de larga escala. Lógico que o alarmismo sobre o MSG, validado por artigos de jornal e pelo *60 Minutes*, conseguiu criar uma epidemia de sensibilidade ao MSG semelhante à doença sociogênica em massa — e que o mesmo pode ocorrer com outros gêneros alimentícios suspeitos. De fato, o médico e professor de sociologia médica de Harvard Nicholas Christakis apresentou este mesmíssimo argumento sobre alergias ao amendoim. Vale a pena citar detalhadamente seu artigo de opinião de 2008 para o *British Medical Journal*:[148]

> [Provoca] ansiedade imaginar um perigo mortal escondido em uma coisa tão inocente como fazer um lanche no jardim de infância. E estar perto de outras pessoas que estão ansiosas aumenta a própria ansiedade. Ver a preocupação com alergias a nozes nas escolas como um tipo de MPI [doença psicogênica/sociogênica em massa] é útil em duas maneiras. Em primeiro lugar, a evitação indiscriminada de nozes contribui para o problema, resultando em crianças que, carecendo de exposição a nozes, na verdade ficam sensibilizadas a elas. Por um circuito de retorno, a política de prevenção acaba criando a epidemia que está tentando deter. Um estudo recente no Reino Unido com mais de dez mil crianças documentou que a exposição precoce ao amendoim reduz, não aumenta, o risco de alergia. Em segundo lugar, esforços bem-intencionados para reduzir a exposição

a nozes na verdade atiça as chamas, uma vez que sinaliza aos pais que amendoins são um perigo claro e presente. Isso incentiva os pais a se preocupar mais, o que alimenta a epidemia. Além disso, incentiva mais pais a testar seus filhos, detectando, assim, "alergias" a nozes brandas e inexpressivas.

Doença sociogênica em massa é real. Ansiedade e expectativas negativas deixam as pessoas doentes. Estes fatos têm profundas implicações em como deveríamos ver os relatos exagerados dos perigos do glúten e outros alimentos. Lembre-se das condições sociológicas de fundo que levaram ao incidente da Coca-Cola: indignação, pavor e falta de controle. Estes são ingredientes-chave em relatos alarmistas sobre o glúten, seja em livros, artigos de jornal ou mídias sociais. Dizem-nos que os cientistas e o governo recusam-se a divulgar a verdade porque são contaminados por laços financeiros com a indústria. Glúten, até mesmo em quantidades mínimas, pode causar dependência, aumento de peso, lesões cerebrais, câncer, Alzheimer e autismo. Você não pode ver, mas isso lhe destruirá.

Nada disso nega a existência da doença celíaca ou a possibilidade de sensibilidade não celíaca ao glúten. A disseminação hiperbólica do medo, no entanto, dificulta distinguir os que sofrem reações fisiológicas daqueles cujos sintomas são causados por expectativas de problemas de saúde, reforçada pela indignação com as grandes corporações alimentícias e farmacêuticas e pelo pavor da modernidade.

Além disso, é tolice não considerar a possibilidade de que algumas reações mais leves ao glúten sejam criadas ou agravadas pela exposição repetida a distorções e mentiras deslavadas do tipo encontrado em *Dangerous Grains*, *Barriga de trigo* e *A dieta da mente*, amplificadas na câmara de eco histérico dos meios de comunicação e das mídias sociais. Náuseas, dores de cabeça e tonturas não são menos preocupantes se induzidas por livros e artigos em vez de pílulas — e devemos nos proteger contra os efeitos colaterais de mentiras e deturpações perigosas como fazemos contra os efeitos colaterais de medicamentos perigosos.

## "Dieta" virou palavrão

Incentivar o público em geral a eliminar o glúten de sua dieta, especialmente por associação com o aumento de peso, tem outro efeito colateral potencialmente letal: transtornos alimentares. A estimativa de ocorrência de anorexia, bulimia e transtorno da compulsão alimentar ao longo de toda a vida de norte-americanos é de 0,9%, 1,5% e 3,5% entre as mulheres e 0,3%, 0,5% e 2% entre os homens.[149] Todos os que sofrem de distúrbios alimentares têm um risco significativamente aumentado de morte, e anorexia e bulimia são particularmente mortais, com uma taxa de mortalidade de cerca de 4%.[150] Ocorrem facilmente dez vezes mais mortes anuais por transtornos alimentares nos Estados Unidos do que por todas as alergias alimentares somadas.[151]

Bombardeados com manchetes dizendo "Confirmado que o glúten causa severo aumento de peso"[152] e "Três maneiras ocultas pelas quais o trigo deixa você gordo",[153] o indivíduo comum que faz dieta certamente ficará tentado a uma abordagem sem glúten para perder peso. Perguntei a especialistas se essas abordagens lhes causavam preocupações.

"Qualquer dieta restritiva coloca uma pessoa vulnerável em risco", diz o Dr. Edward Tyson, cujo consultório particular em Austin, Texas, enfoca especificamente os distúrbios alimentares. "Noventa e cinco por cento dos meus pacientes começam com algum tipo de alimento tabu. Há trinta anos era basicamente a gordura. Depois Atkins com os carboidratos. Agora são o açúcar, os alimentos processados e o glúten".

Indivíduos com distúrbios alimentares geralmente começam restringindo apenas um alimento, preocupados com a saúde ou o peso. Mas a lógica da restrição alimentar é escorregadia. Se não evoluímos para comer glúten, então, como *Barriga de trigo* e *A dieta da mente* nos dizem, também não evoluímos para comer grãos. Nem devemos, aliás, comer nada processado, artificial ou não natural, palavras tão vagas que uma pessoa propensa a qualquer tipo de desordem alimentar não saberá como encontrar qualquer alimento seguro.

"Quando elas vêm a mim, eliminaram tudo", diz Tyson. "Carboidratos, lactose, glúten, minha nossa, quase todos os tipos de alimentos possíveis. E, visto que as pessoas têm medo de perder o controle, apenas tentar comer um desses alimentos é algo assustador, é um fracasso".

Jennifer J. Thomas, professora assistente de psicologia na Escola de Medicina de Harvard e codiretora do Programa Clínico e de Pesquisa de Distúrbios Alimentares do Hospital Geral de Massachusetts, confirma que encontra o mesmo padrão.

"Não existem estudos, mas, curiosamente, vemos isso o tempo todo", diz ela. "Claro, a maioria de meus pacientes lê esse tipo de livro, e isso definitivamente me preocupa. As pessoas normalmente não conseguem manter essas dietas rígidas. Começam a ansiar por alimentos que eliminaram, e depois o transtorno alimentar fica pior porque começam a comer compulsivamente os alimentos dos quais estão tentando se livrar".

Thomas também salienta como fatores psicológicos podem produzir os mesmos sintomas que reações fisiológicas a alimentos.

"Veja os critérios para ataques de pânico ou outros distúrbios de ansiedade", diz ela. "O pânico faz você sentir que vai ter diarreia ou vai vomitar. Medo de alimentos demonizados podem causar essas reações".

A ansiedade a respeito de alimentos produz sintomas físicos. E, ainda que uma maneira de controlar esses sintomas seja eliminando a fonte de ansiedade — glúten, gordura, açúcar, MSG —, outra abordagem é eliminar os mitos e mentiras responsáveis por, antes de tudo, tornarem esses alimentos um motivo de ansiedade.

Isso é uma tarefa difícil quando os alarmistas estão por toda parte. Antes de chegar a Thomas, muitos de seus pacientes visitam médicos tradicionais para fazer testes de suspeita de alergia, e um dos mais comuns é o de sensibilidade ao glúten. Se os resultados do teste para doença celíaca são negativos, pode ser o início de um pesadelo de transtorno alimentar.

"Eles vão a outra pessoa, um alergista não formado em medicina, e obtêm uma cópia impressa de literalmente dezenas, se não centenas, de alimentos que não podem comer", diz Thomas. "Não sobra quase nada".

De acordo com Tyson e Thomas, indivíduos em dieta frequentemente racionalizam seus medos alimentares com as chamadas dietas de estilo de vida. Quando a gordura era tabu, vegetarianismo ou veganismo proporcionavam a estrutura de apoio para a eliminação. Agora as pessoas estão mais voltadas para a dieta paleolítica, com seus argumentos evolutivos contra o consumo de trigo contendo glúten, bem como outros grãos "perigosos".

Tanto Tyson quanto Thomas têm o cuidado de salientar que a maioria dos adeptos das dietas de estilo de vida, seja vegana, paleolítica ou sem glúten, *não* desenvolvem transtornos alimentares.

"Os transtornos alimentares sempre existiram, com ou sem esses modismos", diz Thomas. "Mas ainda assim acredito que essas dietas possam ser a porta de entrada para um distúrbio alimentar e que possam contribuir para sua permanência. Costumava ser socialmente aceitável dizer que se está de dieta, mas não é mais. Dieta virou palavrão. Hoje em dia as pessoas vão temer que você tenha um distúrbio alimentar caso diga: 'Estou com medo de engordar', mas não vão nem pestanejar se você disser que segue a dieta paleolítica ou sem glúten".

**"Hoje em dia as pessoas vão temer que você tenha um distúrbio alimentar caso diga: 'Estou com medo de engordar', mas não vão nem pestanejar se você disser que segue a dieta paleolítica ou sem glúten."**

A sugestão de que as dietas de eliminação podem funcionar, *em alguns casos*, como uma desculpa para alimentação restrita é ofensiva para muitos adeptos das dietas de estilo de vida, mas há um crescente reconhecimento do problema. Uma pessoa corajosa na conscientização disso é Amy Kubal, "a nutricionista paleolítica", nutricionista licenciada que atuou na comunidade paleolítica por mais de uma década. Em fevereiro de 2014, Amy revelou estar anoréxica em um destacado site de dieta paleolítica.

"No meu caso", ela escreveu, "a dieta paleolítica foi uma maneira conveniente de *justificar* a restrição. Entrei no mundo do transtorno alimentar com um medo intenso da gordura, medo que não foi embora com a dieta paleolítica — diminuiu um pouco, mas também rebaixou muitos alimentos antes 'seguros' para mim. Assim, carboidratos, laticínios, feijões, grãos e gordura eram maus, e minha lista foi ficando mais comprida".[154]

Amy falou comigo de modo sincero sobre sua experiência pessoal e sua impressão da comunidade paleolítica em geral.

"Sabe, funciona para algumas pessoas", disse ela. "Mas para 60% a 70% transforma-se em uma religião. Por conseguinte, é como um mandamento — isso tem glúten? E isso? Suas vidas giram em torno daquilo, pensando constantemente em que alimentos haverá nos lugares em que irão. Tenho mais e mais clientes que levam sua própria comida para restaurantes e reuniões de família".

Quanto mais falamos, mais frustrada fica Amy — pela relutância das pessoas em reconhecer o problema e o efeito deste sobre sua própria vida e a vida das pessoas com quem ela se importava.

"É um segredo. É o elefante na sala", ela diz. "Há um ano eu pesava provavelmente 32 quilos. Ninguém disse nada. Ninguém! Fui a uma naturopata que supostamente deveria me ajudar, e ela me colocou em uma limpeza. Uma porra de uma limpeza! Fiquei botando merda para fora quando precisava estar colocando coisas para dentro".

Parte do problema é que pessoas como ela começam a pensar que têm reações aos alimentos, o que torna impossível "colocar coisas para dentro". Ela também foi a um alergista não tradicional e foi diagnosticada com doença celíaca — sem nem mesmo um exame de sangue.

"Sem glúten depois disso. E então me convenci de que era sensível a nozes. E depois me convenci de que não conseguia lidar com laticínios. E, quando você diz essas coisas para si mesma, é uma profecia que se cumpre por si".

Amy já não é sensível a laticínios ou nozes. Trabalhando com um especialista em distúrbios alimentares, ela chegou à conclusão de que laticínios na verdade não vão prejudicá-la.

"Ele me disse para ir lá e experimentar", ela conta. "E caramba — não me fez mal. Sinceramente, espero que com o glúten aconteça o mesmo. Espero ter apenas me enrolado sozinha com isso e que fique tudo bem".

## Teste primeiro, teste direito

O risco de um diagnóstico errado — ou de um autodiagnóstico — transformar-se em transtorno físico não se limita a alergias a alimentos e sensibilidade ao glúten. Nortin Hadler, reumatologista e professor da Escola de Medicina da Universidade da Carolina do Norte, passou grande parte de sua carreira criticando a forma como sintomas cotidianos — acne, dores de cabeça, fadiga, rugas, dores nas articulações — transformavam-se em condições médicas.[155] Esta medicalização leva à ansiedade, aumento da dor, dietas inúteis e procedimentos desnecessários. Hadler penetra no dogma tradicional de que os médicos "convencionais" só querem encher você de remédios e realizar uma cirurgia. Em *Worried Sick: A Prescription for Health in an Overtreated America* (*Doente de preocupação: uma receita para a saúde em uma América tratada em excesso*), ele argumenta contra *todos os diagnósticos excessivos*, seja por gurus das dietas ou seu médico clínico geral.

"Avaliação diagnóstica e rotulagem são muito perigosas", avisa Hadler. "Elas mudam sua autoimagem, e isso é verdade quer você consulte comigo ou com um naturopata. Essas consultas não são eventos triviais. Quando experimenta um tratamento, você não está apenas aceitando a poção, você está aceitando a noção da poção".

Para Hadler, a história de Amy Kubal representaria uma vitória tremenda, um exemplo onde a coragem de questionar o diagnóstico levou à cura. Mas essas histórias são escassas. A mudança na autoimagem que ocorre em um diagnóstico é muito difícil de reverter. Especialistas em transtorno alimentar como Edward Tyson e Jennifer Thomas trabalham individualmente com seus pacientes por horas, cultivando confiança e abertura. Não há nenhuma outra maneira de mostrar a alguém que sua identidade, sua fé em si mesmo e seu dispendioso ritual dietético saíram do rumo.

"Pedir a alguém para questionar sua relação com um alimento que ele eliminou é como pedir a alguém para mudar de religião", diz Tyson. "Tenho que ter muito cuidado, e leva muito tempo".

Tyson tem razão em ser cauteloso. Mesmo no caso da doença sociogênica em massa, chegar chegando e bradar: "Não se preocupe, foi tudo coisa da sua cabeça!", não é uma estratégia particularmente eficaz. Simon Wessely, psiquiatra e especialista em doença sociogênica em massa exorta a reflexão nas respostas a situações como o incidente da Coca-Cola.

**"Pedir a alguém para questionar sua relação com um alimento que ele eliminou é como pedir a alguém para mudar de religião."**

"Uma mensagem pública firme de que certos sintomas provavelmente são de origem psicológica provavelmente ajudará a impedir sua propagação",[156] ele escreveu para o *New England Journal of Medicine*, "mas possivelmente à custa de alienar pessoas já afetadas e suas famílias. O desafio é transmitir a realidade científica sem culpar ou rebaixar as vítimas".

Escusado dizer que este é também o meu desafio.

Veja, a ciência não tem todas as respostas. O que parece psicossomático pode realmente ser fisiológico — a triste verdade para milhões de celíacos não diagnosticados. Tragicamente, a história da medicina está repleta de exemplos de condições fisiológicas que receberam diagnósticos psicológicos equivocados. A esclerose múltipla, que por muito tempo se acreditou ser extremamente rara, rotineiramente foi identificada como histeria em toda a primeira metade do século XX.[157] Sem dúvida o futuro renderá mais exemplos do mesmo.

No entanto, a existência de condições fisiológicas diagnosticadas não significa que devemos descartar a possibilidade de sensibilidade sociogênica em massa ao glúten. Não significa que os efeitos placebo e nocebo não existem. E não significa que devemos confiar em charlatães e alarmistas, cuja atitude típica é manusear o ressentimento contra o sistema — usando estudos produzidos por esse mesmo sistema! — e depois lucrar com o pânico que criam.

Na verdade, Perlmutter e Davis são os que fazem de conta que a ciência tem todas as respostas. Os especialistas abalizados em DC, por outro lado, estão dispostos a admitir a incerteza. São eles, não os gurus "dissidentes" das dietas, que exemplificam a atenção, rigor e humildade que resultaram na descoberta de Dicke de um tratamento sem glúten para DC, e são eles que produzem os avanços médicos genuínos.

A maioria das pessoas não tem tempo para ler centenas de estudos revisados ou entrevistar especialistas. Quando pessoas como Perlmutter e Davis enchem seus livros de citações científicas, efetivamente camuflam suas verdadeiras identidades. Felizmente, há outra maneira de identificar falsos profetas: basta comparar a forma como eles falam com a dos vendilhões de curas milagrosas do passado. Quando faz isso, você verifica que a coisa não mudou muito. Como curandeiros da fé, os defensores de regimes dietéticos do início do século XX testemunharam em favor do poder quase instantâneo de mudar a vida, muitas vezes começando com sua história de conversão pessoal. Nas palavras do historiador da alimentação Harvey Levenstein: "[Eles] contavam sobre os próprios problemas devastadores de saúde, milagrosamente curados pela dieta proposta — doenças misteriosas ou comuns, físicas ou psicológicas, que desafiavam as maiores mentes médicas modernas, tinham desaparecido assim que certos alimentos foram adicionados ou excluídos da dieta".[158]

O Dr. William Davis, autor de *Barriga de trigo*, fez exatamente esse tipo de declaração, no estilo despertar da fé, sobre seu próprio regime alimentar em um recente debate de rádio:[159]

> Você tem queda no peso, alívio da artrite reumatoide, diminuição de várias doenças autoimunes, redução na asma, decréscimo em doenças psiquiátricas. Sim, dá para usar como uma dieta, dá para usar como uma ferramenta para a perda de peso [...], mas também se vê transformações na saúde. Já vi [...] gente recuar da beira da morte e não estou exagerando quando digo isso. Pessoas que jogam fora suas cadeiras de rodas, muletas e andadores. Pessoas que jogam fora a insulina e três drogas diabéticas, jogam fora três drogas para artrite reumatoide, seus dois inaladores para asma.

Isto é marketing predatório no seu pior, a promessa de milagres para os que estão doentes e vulneráveis. Não só isso: quando as pessoas "experimentam" dietas sem glúten, como Davis e outros entusiastas da alimentação sem glúten sugerem que deveriam, elas deslegitimam a doença muito real com que tantos celíacos lidam. Ficar sem glúten não é divertido. Não é uma nova maneira de perder peso. Não é o que a evolução nos diz para fazer. Não há provas conclusivas de que previne câncer, Alzheimer, autismo, ou seja, o que for que você mais tema. Pode levar a distúrbios alimentares, e isso pode fazer com que você comece a manifestar sintomas que não existiam antes.

É por isso que você deve ouvir os especialistas, aqueles que não espalham ansiedade sobre a modernidade nem prometem milagres. O Dr. Peter Green, diretor do Centro de Doença Celíaca no Centro Médico da Universidade de Colúmbia, conclama todas as pessoas que suspeitam de sensibilidade ao glúten para ir a um médico e fazer o teste.[160] A doença celíaca é genética, ele ressalta. Se você tem, então os membros da família precisam saber. Outros especialistas concordam.

Assim como Priyanka Chugh, defensora da saúde, aspirante a médica e criadora do blog *The Adventures of Anti-Wheat Girl* (*As aventuras da garota antitrigo*). Dez anos atrás, o irmão de Priyanka, Pranav, então com seis anos de idade, apresentou os sintomas clássicos de DC: estatura anormalmente baixa, perda de peso e problemas gastrointestinais. Ele teve sorte — a mãe de Priyanka é gastroenterologista pediátrica e imediatamente reconheceu os sintomas como vinculados a dificuldades alimentares. Após uma bateria de testes, o garotinho foi diagnosticado com doença celíaca e melhorou rapidamente com uma dieta sem glúten.

Na época, Priyanka, com doze anos de idade, não parecia portadora de doença celíaca. Ela era alta e ligeiramente acima do peso, sem quaisquer problemas comportamentais ou digestivos. Mas, como o irmão dela tinha DC, toda a família fez o teste. Ainda que nem sua irmã, Prajnika, nem os pais tenham dado positivo, Priyanka sim. (A família continua a fazer o teste uma vez por ano, visto que a DC se desenvolve quando fatores ambientais ainda desconhecidos "disparam" a predisposição genética.)

"Se meu irmão não tivesse sido diagnosticado, eu nunca teria sido diagnosticada", ela diz. "Você definitivamente tem uma responsabilidade para com sua família".

Priyanka preocupa-se também com o fato de que pessoas que cortam o glúten sem perceber que têm DC podem subestimar a gravidade da sua condição.

"Se você não tem este motivo estrito para ficar sem glúten, então pode se enganar", ela diz. "Isso é extremamente perigoso. E você também pode não fazer os testes para outras condições, como diabetes ou osteoporose, que frequentemente ocorrem junto com a doença celíaca".

Então, se você suspeita de sensibilidade ao glúten, faça o teste para doença celíaca: por si mesmo, por sua família e pelo bem da comunidade mais ampla dos celíacos, que não querem a gravidade de sua condição diminuída. E "teste direito", como o Dr. Joseph Murray, da Clínica Mayo, colocou em uma entrevista.[161] Não dependa de uma ferramenta de diagnóstico não aprovada, como a opinião de um médico naturopata ou os populares testes Cyrex recomendados pelo Dr. Perlmutter. Por que não? Pergunte ao Dr. Alessio Fasano:[162]

> Quando se desenvolve uma nova droga ou teste, existem regras criadas pela Associação Médica Americana [que somos solicitados] a obedecer. Não levamos isso na brincadeira, uma vez que estamos lidando com a saúde e, portanto, o bem-estar de seres humanos, de modo que queremos ter certeza de que fizemos direito. Se alguém desenvolver uma nova ferramenta, um novo biomarcador, um novo teste — antes de mais nada ele precisa ser validado. Os testes oferecidos para a sensibilidade de glúten não passam por esse processo de validação vigorosa.

Teste primeiro, teste direito. E, se você não tem doença celíaca, não presuma que a medicina tradicional fracassou com você. Em vez disso, considere a possibilidade de que seu medo de glúten seja apenas o mais recente de uma longa sucessão de paranoias alimentares infundadas, baseadas em nada mais do que mito e superstição, estragando suas comidas favoritas e o colocando em risco de transtornos alimentares.

Afinal de contas, é exatamente isso que o medo da gordura acabou se revelando.

CAPÍTULO TRÊS

# A magia da gordura

## Por que a Dinamarca taxou os dinamarqueses?

Durante décadas, "baixo teor de gordura" tem sido sinônimo de perda de peso e saúde do coração. A fim de viver mais tempo e baixar uns quilos, milhões de consumidores ignoram as comidas que mais amam. Iogurte com zero de gordura. Café com leite "desnatado". Bacon de peru. Os corredores do supermercado ficam abarrotados de versões alternativas das gordices preferidas e nos entupimos com elas, mesmo que não sejam tão gostosas. Empresas de alimentos gastam milhões todos os anos tentando (e fracassando em) reduzir a diferença de qualidade entre as versões com baixo teor de gordura e as regulares das gostosuras, usando "proteínas anticongelantes" clonadas do peixe do Ártico para melhorar "a sensação na boca" do sorvete com menos gordura (Unilever),[163] ou massas especiais que impedem a absorção de óleo pelas batatas fritas (Burger King).[164]

Se você fez sua lição de casa e consultou as autoridades, sacrificar o prazer do alto teor de gordura pela saúde do baixo teor de gordura parece fazer sentido. A Associação Americana do Coração (AHA) aconselha-nos a consumir apenas leite desnatado ou semidesnatado, vegetais "sem gordura adicionada", cortes magros de lombo de porco e peito de frango sem pele.[165] Os cozinheiros devem usar manteiga de amendoim de baixo teor de gordura e trocar a manteiga regular por spray de cozinhar (com "sabor manteiga").

Fazer isso, eles dizem, ajudará a prevenir doenças cardíacas e a tirar o peso extra.[166]

Embora a AHA feche a carranca para qualquer gordura em excesso, as gorduras saturadas — assim chamadas porque as moléculas de gordura são "saturadas" com átomos de hidrogênio — são identificadas como assassinas condenadas. "Décadas de ciência sólida", lê-se no site da AHA, "provaram que gorduras saturadas podem elevar seu colesterol 'ruim' e aumentar o risco de doença cardíaca".[167] Simplesmente não há espaço para dúvida: para a Associação Americana do Coração, a ciência sobre a gordura saturada é sólida como rocha, assim como suas artérias após um ano comendo bacon em demasia.

**O mais próximo que chegamos de um consenso verdadeiramente unânime sobre a gordura é que, se comer uma quantidade excessiva de calorias, você vai ganhar peso, e a gordura tem muitas calorias.**

A AHA está errada. Isso *não é* o que décadas de ciência sólida provaram. É o que décadas de planejadores de políticas públicas barulhentos disseram — e, infelizmente, as políticas públicas nem sempre procedem de ciência sólida. O mais próximo que chegamos de um consenso verdadeiramente unânime sobre a gordura é que, se comer uma quantidade excessiva de calorias, você vai ganhar peso, e a gordura tem muitas calorias. Mas não estamos nem perto desse tipo de certeza quando se trata de identificar os efeitos da gordura saturada na doença cardíaca, ou até mesmo os efeitos de uma dieta de alto teor de gordura nos índices de obesidade. A AHA, por exemplo, não menciona um estudo de 2012 publicado pelo *American Journal of Clinical Nutrition* que sugere que a gordura saturada dos laticínios pode reduzir o risco de doença cardiovascular, enquanto a gordura saturada da carne vermelha parece aumentá-lo.[168] Nem faz menção a um estudo de 2013 publicado nos *Annals of Intern Medicine* que colocou em questão a sabedoria de reduzir a gordura saturada.[169] "Evidências atuais", escreveram os autores do estudo, "não sustentam claramente as diretrizes cardiovasculares que incentivam o consumo elevado de ácidos graxos poli-insaturados e o baixo consumo de gorduras totais saturadas". Evidentemente a Associação Americana do Coração acha que ciência sólida envolve ignorar controvérsia legítima sobre as diretrizes dietéticas que escolheu.

Apesar da incerteza científica, a retórica dogmática antigordura é tão convincente que uma nação recentemente aplicou um "imposto do pecado" sobre gorduras saturadas, o mesmo tipo de imposto pago sobre cigarros e álcool. Os dinamarqueses são comparativamente saudáveis e esbeltos — apenas 13,4% do país é obeso, em comparação com 35,9% dos Estados Unidos.[170] Não obstante, os planejadores políticos dinamarqueses sentiram que medidas de precaução eram necessárias, e, em 2011, cobraram o primeiro imposto do mundo sobre gordura saturada.[171] Os cidadãos tinham que desembolsar dinheiro extra para a maioria dos produtos que contivessem mais de 2,3% de gordura saturada, incluindo vários óleos, manteiga, queijo, bacon, salsicha e banha. Os preços também subiram para alimentos preparados que continham esses ingredientes, tais como pizzas, biscoitos de manteiga e, claro, bolos dinamarqueses.

Em vez de denunciar o imposto como um movimento prematuro, com base em ciência especulativa, defensores de alto nível da saúde pública na América aplaudiram-no como um passo corajoso no refreamento das taxas de obesidade e doenças crônicas associadas. "Vamos parabenizar a Dinamarca pelo que poderia ser visto como uma experiência revolucionária", escreveu Marion Nestle, professora de nutrição, estudo de alimentos e saúde pública da Universidade de Nova York. "Mal posso esperar para ver os resultados".[172]

Os resultados foram certamente decepcionantes. Dinamarqueses enfurecidos começaram a cruzar a fronteira para comprar gorduras proibidas na Alemanha e na Suécia, e apenas um ano mais tarde o ministério fiscal dinamarquês anunciou que revogaria o imposto sobre gordura.

Os funcionários do governo dinamarquês estariam justificados na tentativa do imposto sobre gordura se a gordura saturada realmente representasse um risco tremendo à saúde pública, como o tabaco. Com efeito, Nestle e outros defensores do imposto explicaram seus benefícios potenciais com analogias ao tabaco. A lógica era direta e reta: cigarros estão sujeitos a bem-sucedidos impostos do pecado por todo o planeta. A fumaça de cigarro entope nossos pulmões e provoca câncer; a gordura saturada entope nosso corpo com excesso de volume e causa doenças crônicas. Ambos são inegáveis ameaças à saúde pública e exigem ação preventiva extrema. A sabedoria política do imposto sobre gordura poderia ser duvidosa, mas, para o governo dinamarquês e os defensores da saúde pública internacional, a ciência por trás disso era clara.[173]

Só que a ciência não era clara, nem de longe, e nunca foi.

## É tudo uma grande e gorda mentira

Desde a década de 1960, cientistas e jornalistas têm questionado a sabedoria convencional de que o consumo de gorduras saturadas — banido para a ponta da pirâmide alimentar nos Estados Unidos cada vez mais obeso — vai deixá-lo gordo e matá-lo. Mas, por um longo tempo, essas vozes discordantes permaneceram amplamente ignoradas. A intensa difamação pública e política das gorduras saturadas obscureceu a incerteza da comunidade científica. A disseminação do medo era desenfreada. Em 1965, os jornais citaram a nutricionista de Harvard Jean Mayer detonando as dietas de baixo carboidrato, que, por levar ao aumento do consumo de gordura, eram "em certo sentido, equivalentes a assassinato em massa".[174] Em poucas décadas, os norte-americanos, e eventualmente grande parte do mundo, passaram a temer a manteiga e as carnes gordas tanto quanto temiam o cigarro.

Lenta, mas continuamente, o ridículo de comparar dietas de baixo carboidrato com assassinato em massa e gordura saturada com tabaco inspirou os céticos a falarem mais. O mais proeminente entre eles foi o jornalista de ciência americano Gary Taubes, que documentou e divulgou a história da controvérsia. Em dois artigos, "A ciência mole da gordura dietética" e "E se foi tudo uma grande mentira?", Taubes elaborou um argumento convincente de que ninguém realmente sabia as causas dietéticas das doenças cardiovasculares e da obesidade.[175] A gordura saturada, ele argumentou, não passava de um bode expiatório convincente — e moderno, além do mais.

Taubes deu seguimento a seus artigos com um livro influente, *Good Calories, Bad Calories* (*Calorias do bem, calorias do mal*), em que pôs a culpa pela obesidade e doença cardíaca nos carboidratos, não nas gorduras. Embora sua tese sobre o que causa aumento de peso permaneça altamente controversa — o próprio Taubes admite que ela requer mais provas —, seu argumento contra a demonização das gorduras saturadas foi bem no alvo. Substituir gorduras saturadas por carboidratos não fez nada para melhorar os índices de doenças cardiovasculares, e estudos confirmaram que o Dr. Atkins e seus seguidores não eram loucos: dietas de alto teor de gordura não foram piores que dietas de baixo teor de gordura para a perda de peso a longo prazo e podem ser mais eficazes na fase inicial da dieta.[176] As gorduras saturadas já não podiam ser pintadas como um vilão alimentar perfeito.

Seria de se pensar que todos os cientistas e planejadores de políticas iriam admitir a incerteza sobre o perigo da gordura saturada em vez de redobrar essa crença. Mas ainda existe evidência de um preconceito profundamente arraigado, um preconceito que parece insensível a evidências e relutante em reconhecer a controvérsia. Estrelando uma capa da revista *Time* de junho de 2014 que apresentou o simples e sensacionalista imperativo "Coma manteiga", muitos cientistas da nutrição explicaram que, embora a gordura saturada possa ter sido excessivamente demonizada, ainda assim ela se qualifica como um demônio menor. Walter Willett, médico e pesquisador de nutrição de Harvard disse à CNN que óleos vegetais do "coração-saudável", como o azeite, com certeza são melhores do que manteiga.[177] E, em uma série de artigos de opinião inflamados para o Huffington Post, o Dr. David Katz, de Yale, argumentou que os defensores de uma dieta de baixo teor de gordura com muitos vegetais nunca estiveram *realmente* errados. Só que, em vez de aderir a azeitonas e couve, os norte-americanos trocaram a gordura saturada por lixo, no que Katz chama de uma guinada coletiva gigante para os biscoitos SnackWell's.[178] Foi um erro difamar as gorduras saturadas? Provavelmente — "é quase certo que fomos tolos ao fazê-lo", diz Katz —, mas, então de novo, provavelmente não.[179]

"Temos evidências muito convincentes", escreve Katz, geralmente um oponente equilibrado do aconselhamento dietético dogmático, "sobre os tipos de alimentos e dietas associados a risco reduzido de morte prematura e doenças crônicas — e eles não são as dietas ricas em gordura saturada!".[180] Com confiança semelhante, o Instituto Americano de Pesquisa do Câncer (AICR) declara em seu site que "muitos estudos importantes mostram que as pessoas que seguem dietas de base vegetal [...] são mais magras, levam uma vida mais saudável, têm menores taxas de mortalidade e menor risco para muitos cânceres e outras doenças crônicas".[181]

Todavia, os estudos preferenciais do AICR estão longe de ser a última palavra. A certeza científica sobre o que leva a uma vida mais magra e saudável é injustificada. Vamos começar com "mais magra". Legiões de adeptos das dietas de Atkins e paleolítica — além de especialistas em obesidade — contestam ferozmente a superioridade de uma dieta de base vegetal para deixá-lo "mais magro". Como toda ciência da nutrição, a ciência da perda de peso é complicada e incerta. A eficácia relativa de exercício moderado, por muito tempo considerada um componente-chave na redução das taxas de obesidade, agora está sob escrutínio. (Um recente editorial do *International Journal of Epidemiology* é intitulado "Atividade física não influencia o risco de obesidade: hora de esclarecer a mensagem de saúde pública"). Até mesmo o conhecimento sobre a perda de peso gradual é questionável à luz de um novo estudo que sugere que quem faz dieta radical não readquire peso em índice maior do que quem reduz os quilos gradualmente. Embora quase todo mundo concorde que a redução de calorias é essencial para a perda de peso, a melhor maneira de fazê-lo permanece em acalorado debate, e é por isso que médicos bariátricos bem conceituados, como Yoni Freedhoff, do Canadá, autor de *The Diet Fix* (*O ajuste da dieta*), argumentam que a "melhor maneira" de ficar magro é simplesmente a maneira que funciona para você de forma sustentável a longo prazo.[182]

Era isso sobre dietas de baixo teor de gordura deixarem você "mais magro". E quanto a "mais saudável"? Aqui também a ciência é incerta: simplesmente não sabemos que papel as gorduras saturadas desempenham na doença cardíaca. Embora o Dr. Dean Ornish tenha produzido estudos sugerindo a eficácia de uma dieta vegana de baixo teor de gordura para reverter doenças do coração, seu regime também implica modificações radicais no estilo de vida, incluindo uma hora diária de técnicas de gestão do estresse. Sem controle sobre os benefícios da meditação e das sessões de aconselhamento em grupo semanais, não há maneira de provar que as recomendações dietéticas de Ornish sozinhas levam à melhor saúde do coração.

Sem uma evidência decisiva, é um erro condenar a gordura saturada. No *British Medical Journal* de outubro de 2013, o cardiologista Aseem Malhotra afirmou sem rodeios que os médicos devem parar de ligar a saúde do coração a dietas pobres em gordura animal. "Estudos de corte recentes", escreveu Malhotra, "não apoiaram nenhuma associação significativa entre a ingestão de gordura saturada e doenças cardiovasculares".[183]

O editorial de Malhotra suscitou fortes objeções de planejadores de políticas britânicos. Alison Tedstone, diretora de dieta e obesidade do Departamento de Saúde Pública na Inglaterra, disse que "o conselho do governo é baseado em uma riqueza de evidências. ... O artigo do *BMJ* é baseado em opinião, e não em uma revisão completa da pesquisa".[184] Malhotra discorda. "A partir da análise feita por mim de evidências independentes", disse ele, "a gordura saturada dos alimentos não processados não é nociva e, provavelmente, é benéfica. Manteiga, queijo, iogurte e ovos geralmente são saudáveis e não prejudiciais".[185]

Em resumo, não há consenso sobre a quantidade ideal de consumo de gordura — e sobre o tipo de gordura — para a perda de peso e a saúde do coração. Era de se esperar. Incerteza e ceticismo deveriam ser a posição padrão em ciência da nutrição. Estudar a relação entre dieta, peso e doença é extremamente difícil, e estudos representativos verdadeiramente controlados são impossíveis. (*Ok, metade deste país vai comer muita manteiga durante trinta anos, e a outra metade vai ser vegana. E o estudo será cego. Nenhuma das metades vai saber o que está comendo!*) A Dinamarca não tinha uma base sólida para seu imposto sobre a gordura, e os nutricionistas de Harvard não têm evidências suficientes para justificar a instrução de "limitar a manteiga", como fazem em seu novo "prato da alimentação saudável". Comer manteiga pode levar a doenças cardiovasculares — ou talvez não. Simplesmente não sabemos. O mesmo é válido para a perda de peso. Atualmente, a única maneira comprovada de controlar o peso é comer com moderação. Baixo carboidrato, baixo teor de gordura, baixa *qualquer coisa que seja*: para a dieta bem-sucedida, o denominador comum é o consumo *mais baixo* em todos os itens. As pesquisas ainda têm que fundamentar os limites de gordura ou carboidratos. Ponto, fim da história. Qualquer um que diga o contrário provavelmente está tentando empurrar para você a dieta que funcionou para ele — ou o aconselhamento dietético em cima do qual ele construiu um meio de ganhar a vida.

Está bem. Comer gordura não necessariamente deixa você gordo ou doente. Ainda assim, os agentes de saúde pública continuam a pregar uma dieta de baixo teor de gorduras saturadas sem nem mesmo um aviso sobre a natureza altamente especulativa da recomendação. Consumidores preocupados com a saúde ainda optam por sorvete com baixo teor de gordura e fingem que preferem bacon de peru. Esse preconceito antigordura persistente é um produto de má ciência ou tem algo mais acontecendo?

## O bode expiatório

Em *Good Calories, Bad Calories*, de Taubes, e *The Big Fat Surprise* (*A grande e gorda surpresa*), da jornalista Nina Teicholz, a história de como passamos a temer a gordura começa em meados do século XX com um cientista da nutrição chamado Ancel Keys. Teicholz pinta um retrato condenatório de Keys como ávido por poder, arrogante e implacável, o tipo de pesquisador que desenvolve uma teoria e então aferra-se a ela, não importando o que as evidências digam. "Todas as doenças atribuídas a comer gordura ao longo dos anos", escreve Teichholz, "não só doença cardíaca, mas também obesidade, câncer, diabetes e muito mais — decorrem da implantação dessa ideia no mundo da nutrição por Ancel Keys e de sua perseverança em promovê-la".[186]

Taubes concorda. Ele sustenta que, antes da década de 1950, quase todo mundo sabia que a obesidade resultava do consumo de carboidratos em excesso. Para provar a afirmação, seu livro abre com uma discussão de William Banting, um agente funerário britânico cuja *Letter on Corpulence* (*Carta sobre a corpulência*), de 1863, tornou-se um manual de dieta best-

-seller. Segundo Taubes, a estratégia de Banting era quase idêntica à do Dr. Atkins e outros defensores atuais da dieta de baixo carboidrato. "[Banting] comia três refeições por dia de carne, peixe ou caça, em geral 140 a 180 gramas, com 30 ou 60 gramas de torradas ou fruta cozida como acompanhamento. Ele tomava seu chá da noite com um pouco mais de frutas ou torradas. Evitava escrupulosamente qualquer outro alimento que pudesse conter açúcar ou amido, em especial pão, leite, doces, cerveja e batatas".[187]

Mas, na ânsia de demonstrar a onipresença histórica das dietas de baixo carboidrato, Taubes omite uma característica central da abordagem de Banting: ela também era de baixo teor de gordura. Um livro de dieta do início do século XX, *How to Get Thin and How to Acquire Plumpness* (*Como ficar magro e como adquirir carnes*), observa que a dieta de Banting requeria "a remoção, tanto quanto possível, de todos os *alimentos ricos em gordura*, em amido e em sacarina" (o grifo é meu).[188] Banting proibia manteiga e nata e, em seu apêndice, escreve que os adeptos da dieta fariam bem em omitir a carne de porco "por seu caráter engordativo", e salmão, arenque e enguia "devido à natureza oleosa".[189]

Sem dúvida há mais coisa no preconceito antigordura do que Ancel Keys. Taubes e Teicholz escrevem como se o medo contemporâneo da gordura resultasse de um triunfo da má ciência sobre a sabedoria dietética convencional no século XX. Mas a pesquisa de Keys não pode explicar por que Banting e seus contemporâneos também pensavam que comer gordura deixava você gordo.

A realidade é que Banting, Keys, o governo dinamarquês, a Associação Americana do Coração e a maioria dos norte-americanos ficaram sob a influência do pensamento mágico de eras antigas. Quando as pessoas compram sorvete desagradável, iogurte aguado e carne magra de bisão na esperança de perder peso, na verdade, estão comprando um mito antigo, potente, consagrado em um clichê familiar: *você é o que você come.*

Ignoramos a influência histórica deste mito por nossa própria conta e risco. Como textos sagrados, a literatura da ciência da nutrição é vasta, vaga e altamente contestada, facilitando a escolha seletiva de quaisquer dados que confirmem seus preconceitos. Se quisermos superar nosso medo da gordura e começar a fazer escolhas alimentares racionais, a solução não é realizar mais estudos. É reconhecer o - *você é o que você come* - pelo que isso é — e então parar de acreditar na magia da gordura.

## Por que a magia faz sentido

No início de 2014, um caso criminal chinês bizarro capturou brevemente a atenção dos meios de comunicação ocidentais. Autoridades na cidade de Qinzhou haviam detido um Sr. Xu, empreendedor imobiliário, e vários cúmplices pela compra e abate de três tigres. De acordo com o promotor, o Sr. Xu tinha "um apetite peculiar por comer pênis de tigre e beber sangue de tigre".[190] Ele foi julgado junto com catorze outros acusados e um contrabandista de tigres, todos culpados confessos de matar mais de dez tigres ao longo de vários anos.

Para pessoas não familiarizadas com a medicina tradicional chinesa, um apetite por pênis de tigre pode parecer peculiar. Mas o promotor deveria ter mais conhecimento. As escolhas culinárias do Sr. Xu refletem uma tradição de longa duração que continua a afligir os ambientalistas e ativistas dos direitos dos animais. Dez anos antes, o *New York Times* havia publicado um artigo sobre a diminuição das populações de tigre e rinoceronte na África e no Vietnã que explica perfeitamente os motivos do Sr. Xu.[191] As populações estavam encolhendo porque caçadores estavam matando os animais para vender seus ossos, carne, chifres e sangue para Taiwan, Hong Kong, China e Singapura. A procura devia-se a um poderoso mito: "Na visão reducionista dos praticantes médicos chineses, você é o que você come. Dizem que olhos de tigre melhoram a visão; um pênis de tigre fervido em sopa traz virilidade. ... Dizem que a carne suculenta da pata de um urso dá força".[192]

A crença de que você absorve as qualidades físicas — e morais — do seu alimento é uma superstição quase universal. Em *O ramo de ouro* (*The Golden Bough*), o grande teórico da magia James Frazer famosamente cataloga infindáveis regras dietéticas baseadas em "magia simpática", ou a ideia de que um efeito se assemelha a sua causa. Os nativos norte-americanos acreditavam que comer carne de veado tornava-o veloz, ao passo que comer ursos desajeitados, galinhas indefesas de cativeiro e "suínos pesados que chafurdam" deixavam você mais lento, física e mentalmente. Na Turquia, crianças que custavam a falar eram alimentadas com língua de pássaros. Médicos zulus tradicionais prescreviam ossos moídos de vacas velhas para que seus pacientes pudessem absorver a longevidade. Para saltar mais alto, os aborígines do norte australiano comiam cangurus e emas. O povo mishing, da Índia, alimentava os homens com tigre como forma de fortalecer seu vigor, mas não as mulheres, por medo de que isso "as tornasse demasiado determinadas".[193]

**A crença de que você absorve as qualidades físicas — e morais — do seu alimento é uma superstição quase universal.**

De certa forma, o pensamento mágico é mais parecido com ciência do que com fé religiosa. A magia é regida por leis simples e intuitivamente plausíveis que explicam o mundo natural sem forças sobrenaturais: suco de beterraba é vermelho, o sangue é vermelho; portanto, beber suco de beterraba deve repor o sangue. Faz muito sentido — mas é totalmente incorreto. Acreditar que suco de beterraba se transforma em sangue é simplesmente má ciência, da mesma forma que acreditar em um paraíso passado é má história.

Evidentemente, há raros exemplos em que - o *você é o que você come* é verdade. Comer cenoura em excesso realmente pode deixar sua pele amarelada, uma condição conhecida como carotenemia. Mas também há casos em que as previsões dos videntes se realizam. *Você é o que você come* é superstição, não é ciência, não importa o quanto pareça plausível. O mercado chinês para pênis de tigre está diminuindo agora que o Viagra foi introduzido.[194] Mas, visto que não foi inventado um Viagra para a perda de peso, o mercado para produtos de baixo teor de gordura ainda é forte.

Precisamos reconhecer o nosso medo da gordura pelo que realmente é. Caso contrário, o *você é o que você come* vai continuar a descarrilar a ciência da nutrição, inspirar más políticas públicas e, pior de tudo, forçar as pessoas a continuar comendo bacon de peru, café com leite desnatado e sorvete com baixo teor de gordura.

## Coma gordura, fique gordo

Traduzido em uma teoria sobre o que deixa as pessoas gordas, - o *você é que o que você come* - torna-se: *se você comer gordura animal, você vai ficar gordo*. E, de fato, desde o início dos registros da medicina, é exatamente o que nós vemos. Escrevendo no século II, o médico grego Galeno distinguiu três tipos de pessoas gordas: gordinha, gorda e obesa.[195] Visto que a obesidade limitava a capacidade de caminhar, movimentar-se, respirar, banhar-se e dar à luz, ele sentiu que necessitava de intervenção médica. Para emagrecer pacientes obesos, Galeno prescrevia uma combinação de exercício (incluindo corrida), massagem e dieta especial. Pessoas obesas, dizia Galeno, só deveriam comer a carne de animais selvagens, de preferência das montanhas. Leite e queijo eram proibidos, juntamente com "miolos, intestinos, fígado, baço e rins de animais". Bulbos e caracóis eram igualmente proscritos.

*Você é o que você come* - claramente atua com força nas recomendações dietéticas de Galeno. Animais selvagens são mais magros do que os domesticados e os que vivem nas montanhas são ainda mais magros. Coma coisas magras, fique magro. Coma gordura, fique gordo. Bulbos são bulbosos, então, se comê-los, você mesmo ficará bulboso. Caracóis assemelham-se a tecido adiposo — melhor não os adicionar ao seu próprio tecido adiposo. Claro que Galeno não reconhece essas recomendações como supersticiosas. Em vez disso, ele usou a ciência médica da época — que envolvia quatro fluidos corporais chamados "humores" — para racionalizar seu pensamento mágico. (Por exemplo, ele teorizou que a obesidade era causada por "excesso de sangue", e animais dos vales engordavam por causa de seu "temperamento molhado".)

O mito do - *você é que o que você come* - continuou a influenciar a ciência da nutrição muito tempo depois de Galeno. No início da Renascença, os médicos alegavam que uvas vermelhas eram "boas para o sangue".[196] O gastrônomo italiano Platina afirmou que a carne de porco causava gula e justificou sua conclusão usando a linguagem da medicina humoral: carne de porco era "excessivamente úmida". Mas a magia simpática fornecia a lógica — porcos são gulosos, então você vai absorver sua natureza gulosa se comê-los.[197]

Naquele tempo, o *você é o que você come* também fazia as pessoas pensarem que a gordura dentro do corpo se comportava da mesma forma que a gordura fora do corpo. O médico Erastus, por exemplo, argumentou em 1580 que temperaturas frias facilitavam a formação de gordura humana. Conforme o historiador de alimentos Ken Albala aponta, Erastus pressupõe a continuidade entre as propriedades do tecido adiposo e "as propriedades da manteiga e outras gorduras fora do corpo, que são líquidas no calor, mas sólidas em temperaturas mais frias".[198] Assustadoramente, não avançamos muito desde Erastus. A metáfora de "derreter" gordura corporal é ainda comum na retórica de programas de dieta e exercício. Embora completamente imprecisa, a sensibilidade intuitiva desta metáfora é tão poderosa que versões literais persistem até hoje. Livros de dieta alardeiam alimentos como queimadores de gordura e apregoam lasers que vão "literalmente derreter a gordura". Os lasers para derreter gordura são uma versão atualizada de um tratamento do século XX do consultor médico francês Dr. Laissus, que trancafiava pacientes gordos em uma caixa forrada com lâmpadas elétricas e os submetia ao intenso calor de até 60 graus Celsius (140 graus Fahrenheit).[199]

Enquanto cientistas e médicos do século XVII desenvolviam novas abordagens criativas para a obesidade, o *você é o que você come* permaneceu tão poderoso como sempre. Johann Friedrich Held, a primeira pessoa a definir obesidade de acordo com o tamanho do cinto (36 polegadas, ou 91,5 centímetros), prescreveu uma singular bateria de purgantes, eméticos, e sudoríferos (ervas estimulantes de suor) que sentiu que acelerariam a comida e os fluidos através do corpo.[200] Ele também acreditava que o sal era útil para "secar" a gordura e recomendava que as pessoas obesas consumissem carnes curadas. Mas, em conformidade com *o você é o que você come*, Held investiu contra a carne gordurosa. A medicina humoral não estava mais em voga, então Held teorizou que alimentos gordurosos são difíceis de digerir e, por conseguinte, se acumulam mais rapidamente no corpo. A linguagem científica que ele usou para racionalizar o mito mudou, mas o mito em si permaneceu o mesmo.

Apesar da obesidade mórbida ter sido tratada como causa de preocupação médica desde pelo menos o tempo de Galeno, a Inglaterra do século XVIII testemunhou uma explosão do interesse pela condição. A historiadora Lucia Dacome narra como a sociedade britânica de consumo encarou as crescentes taxas de obesidade, que se refletiram no alarmismo popular que pressagiou as queixas de hoje em dia.[201] Thomas Short, em seu tratado de 1727, *A Discourse Concerning the Causes and Effects of Corpulency* (*Um discurso a respeito das causas e efeitos da corpulência*), lamentou que "nenhuma era jamais arcou com mais casos de corpulência que a nossa".[202] Para conter a tendência desastrosa, Short recomendou remédios incomuns, como vestir camisas de flanela e se mudar de zonas pantanosas.[203] Todavia, nunca abandonou a lógica intuitiva plausível do *você é o que você come*. Além de recomendar que se mudassem de pântanos, Short disse às pessoas obesas para evitar carnes gordas, particularmente vitela, porco, bacon, cordeiro e carneiro, e optar por peixes e aves.[204]

A abordagem de Short para perda de peso pode ter funcionado para alguns, mas não foi por evitarem pântanos e carnes gordas. Não foi por beberem "água levemente acidulada com vinagre ou suco de limão",[205] um hábito que pessoas de dieta adotam hoje em dia, talvez sem saber nada sobre sua origem na crença de que líquidos ácidos ajudam a desgastar a gordura do corpo. Não, qualquer sucesso deveu-se ao conselho de Short de uma dieta "moderada, frugal",[206] conselho consagrado pelo tempo — e a mesma fórmula corriqueira que hoje em dia leva à perda de peso sustentada.

À medida que a obesidade se tornava mais prevalente ao longo do século XVIII, assim também se tornavam os relatos de lutas pessoais com o peso, juntamente com a inevitável receita revolucionária para a recuperação. As prescrições variavam drasticamente nos detalhes, mas sempre concordavam que carnes gordurosas deixam você gordo. O médico inglês George Cheyne descreveu a obesidade como uma nova "moléstia inglesa", conhecida "apenas pelos ricos, pelos preguiçosos, pelos voluptuosos", "supridos com as mais raras iguarias, os alimentos mais ricos e os vinhos mais generosos".[207] Ele próprio foi afligido e só conseguiu recuperar-se com uma dieta rigorosa de "sementes, pão, raízes farinhentas e frutas",[208] junto com leite e legumes. Casos semelhantes abundam na literatura médica da época, e todos eles colocam a culpa nas carnes gordurosas e nos laticínios com alto teor de gordura.

Para todos esses médicos, uma dieta no estilo de Atkins, permitindo o consumo quase ilimitado de carne e gordura láctea, pareceria um absurdo. Em suas *Cursory Remarks on Corpulence; or Obesity Considered as a Disease* (*Observações rápidas sobre a corpulência; ou a obesidade considerada como doença*), obra abalizada e amplamente reeditada de 1813, William Wadd descreve como a maioria de seus pacientes, e seus pacientes mais avantajados, eram "pessoas que se entregavam aos alimentos gordos de origem animal".[209] Quando as pessoas eliminavam alimentos de origem animal, observou ele, muitas vezes perdiam peso, fornecendo "fortes evidências da eficácia da dieta vegetal".[210] A maioria das autoridades que ele cita também recomendavam uma dieta vegetariana, acompanhada, talvez, de uma pequena quantidade de carne magra.

Mas, ao contrário daqueles que vieram antes dele, Wadd reconheceu que, em última análise, o tipo de alimento que você consome é uma questão secundária. Ele teve que, porque a fórmula do *você é o que você come* não se encaixava com a evidência disponível para ele. Seu livro relata inúmeros casos de pessoas ficando gordas sem consumir qualquer tipo de carne: os "ricos e opulentos" da Itália, cujo "principal alimento consiste de produção vegetal"[211]; escravos chineses na temporada do açúcar, que engordavam "sem qualquer outro sustento além da cana madura".[212] Não havia como negar que os vegetarianos ganhavam peso a despeito de evitar produtos de origem animal.

Depois de avaliar cuidadosamente as evidências, Wadd separou-se dos gurus das dietas anteriores, recusando-se a favorecer um tipo de alimento em relação a outro como forma de perder peso. "Quanto à eficácia de alimentos de origem animal ou vegetal na redução da corpulência, não pode ser dada preferência a nenhum", ele concluiu, "sendo *quantidade*, e não *qualidade*, o único ponto a se considerar".[213]

Devia ser isso aí. *Você é o que você come* não é verdade; *você é o quanto você come* é a equação real. A preferência não está relacionada a baixo teor de gordura ou baixo índice de carboidrato. A quantidade é a questão. A voz de Wadd era a voz do senso comum, e sua conclusão é a única sustentada pela ciência atual. Então por que as pessoas continuam a demonizar a carne gordurosa?

## Vegetarianos virtuosos e carnívoros cruéis

O livro de Wadd apareceu em um momento-chave na história da alimentação, coincidente com o início do vegetarianismo moderno. O diagnóstico da obesidade como doença da modernidade havia ganho aceitação generalizada. Revoltadas com sua sociedade pecaminosa e as enfermidades concomitantes, as pessoas buscavam respostas, como sempre fazem, em visões míticas de um paraíso passado, quando os seres humanos viviam na inocência e livres de todas as doenças físicas. Os efeitos perniciosos da carne gordurosa foram explicados de forma sofisticada por nosso trágico abandono dos hábitos vegetarianos naturais e virtuosos de tempos melhores.

Para vegetarianos do século XIX, a obesidade era apenas o castigo mais recente e mais severo para nosso consumo de alimentos errados, sendo a carne o destaque entre eles. Sua versão de paraíso do passado — em que só comíamos vegetais — ganhou força a partir da lógica do *você é o que você come*. Comer *mal,* ou seja, de forma *imoral,* vai fazer você se sentir mal. Seguindo essa lógica, em 1813 o poeta vegetariano Percy Bysshe Shelley compôs *A Vindication of Natural Diet* (*Uma justificativa da dieta natural*), na qual sustentou que os defeitos físicos e morais do homem se deviam a hábitos alimentares antinaturais e viciosos. "O homem", argumentou Shelley, "e os animais que ele infectou com sua sociedade [estão] doentes".[214] No seu mundo de fantasia, porcos selvagens, bisões e lobos morriam apenas de violência externa ou idade avançada, mas os porcos domésticos, ovelhas, vacas e cães sofriam de "uma variedade incrível de enfermidades e, assim como os corruptores de sua natureza, dispõem de médicos que prosperam com sua miséria".[215] O homem que comia carne era um "cafetão para a gula da morte".[216] Deveríamos emular os primeiros cristãos, escreveu Shelley, que viviam muito tempo porque praticavam a abstinência de carne animal.[217]

Dois anos depois da publicação de *A Vindication of Natural Diet*, um médico e amigo íntimo de Shelley chamado William Lambe usou a suposta ligação entre obesidade e gordura animal para generalizar sobre os perigos de comer carne.[218] Em seu livro *Water and Vegetable Diet in Consumption, Scrofula, Cancer, Asthma, and Other Chronic Diseases* (Água e dieta vegetal em tísica, escrófula, câncer, asma e outras doenças crônicas), Lambe recontou o famoso caso de um moleiro chamado Thomas Wood, que tinha ficado extremamente gordo com uma dieta de cerveja forte, "alimento de origem animal" e "grandes quantidades de manteiga e queijo".[219] Wood recuperou-se com uma dieta vegetariana de biscoitos de bordo e pudim de farinha com leite desnatado ou água — uma evidência para Lambe de que um regime vegetal faz com que você viva por mais tempo. "Isso proporciona motivos de suspeita nada insignificantes contra alimentos de origem animal" advertiu Lambe, "que tão obviamente inclinam à corpulência".[220] O vegetarianismo não era apenas virtuoso — ele curava o câncer, a asma e derretia os quilos.

Entre os vegetarianos influenciados por Lambe e Shelley o mais influente foi provavelmente Sylvester Graham, inventor do biscoito de maisena e da dieta Graham. Na década de 1830, Graham alardeou seu regime alimentar vegetariano como uma cura para tudo, desde doenças crônicas a tendências violentas e desejo sexual excessivo: assim como comer gordura deixa você gordo, comer animais exacerba seus instintos animais, que por sua vez aumentam seu apetite por comida e sexo.[221] Para apoiar suas afirmações, Graham zelosamente coletou casos de saúde perfeita e longevidade de vegetarianos.[222] Para justificar seus argumentos contra comer carne, apelou à biologia evolutiva: "o homem não é provido de caninos afiados".[223] Mas a força real da mensagem não reside na ciência ou na evidência empírica, e sim no poder persuasivo do pensamento mágico simpático — e, como hoje, as pessoas estavam dispostas a acreditar em magia.

## Dietas mutáveis, mitos imutáveis

A regra de que quem faz dieta deve evitar carne gordurosa permaneceu mais ou menos constante na América do final do século XIX e a do início do século XX. Produtores de cítricos da Califórnia popularizaram a dieta de 18 dias de Hollywood, composta de toranja, torrada, café preto e vegetais crus para o jantar.[224] Quem fazia dieta e priorizava a simplicidade podia escolher entre uma variedade de dietas populares de dois alimentos:[225] café e rosquinhas, batatas cozidas e creme de leite, tomate cru e ovo duro e, claro, banana e leite desnatado, uma vez utilizada pelo Dr. Sidney Haas para tratar celíacos. Havia a dieta do suco de toranja,[226] o pão *Wonder Bread*, que ajudava "a fazer dieta com um sorriso", e o suco de uva Welch's, que "queimava a gordura ruim". Norte-americanos obcecados com a magreza estavam dispostos a acreditar em quase qualquer absurdo, todavia apenas uma dieta popular permitia carnes gordurosas. Era a dieta do abacaxi e costeleta de cordeiro — e só porque o abacaxi ácido iria "digerir" o cordeiro, neutralizando sua capacidade de deixar você gordo.[227] (Foi um sucesso estrondoso na Universidade de Michigan e no Smith College nos anos de 1920.)[228]

Sem levar em conta a longa tradição de conectar carne gordurosa à obesidade e aos problemas de saúde, não podemos compreender plenamente o mito central que garante a continuidade da proibição da manteiga por Harvard e o medo dos norte-americanos da gordura. Quando Taubes descreve esse mito central como a "história da mudança da dieta norte-americana", ele está certo apenas em parte:

> A história da mudança da dieta norte-americana concebe a virada do século como uma era idílica livre de doenças crônicas e, a seguir, retrata os americanos rebaixados pela propagação inexorável da carne e da gordura na dieta norte-americana. Isso foi repetido com tanta frequência que assumiu o aspecto de verdade indiscutível — mas essa conclusão é baseada em evidência notavelmente insubstancial e contraditória.[229]

É verdade que essa história constitui uma parte importante da mais recente cruzada contra a gordura alimentar, liderada por pesquisadores como Ancel Keys. Mas Keys não inventou a história. Como muitos antes dele, ao tratar do consumo de carne gordurosa, ele simplesmente revestiu a poderosa fórmula do *você é o que você come* com uma nova ciência chamativa. Médicos como Dean Ornish e Caldwell Esselstyn, que louvam as dietas vegetarianas como a melhor maneira de perder peso e ficar saudável, deveriam ouvir William Wadd. *Não pode ser dada preferência ao alimento de origem vegetal.* Estudos que "provam" o contrário não são nada mais do que a racionalização mais recente de um mito não verificado empiricamente: comer gordura, em especial carne gordurosa, deixa você gordo e doente.

**Não pense por um momento que a ciência nos torna imunes ao pensamento mágico.**

Não pense por um momento que a ciência nos torna imunes ao pensamento mágico. Norte-americanos modernos e cultos podem não comer carne de tigre para aumentar sua força, mas o *você é o que você come* ainda desempenha um papel significativo em nossas intuições sobre os efeitos de certos alimentos — mesmo quando não temos consciência disso. Para demonstrar a influência subconsciente deste mito em estudantes universitários norte-americanos, o psicólogo Paul Rozin concebeu um teste engenhoso. Ele e seus colegas escreveram duas descrições de uma sociedade tribal chamada "*chandorans*", incluindo informações sobre caça, dieta e família.[230] As descrições eram idênticas em quase todos os aspectos, inclusive no que os chandorans caçavam: javalis e tartarugas marinhas. Mas, em uma descrição, os chandorans caçavam tartarugas marinhas exclusivamente pelo casco e comiam apenas javalis. Na outra descrição, os chandorans caçavam javalis exclusivamente pelas suas presas e comiam apenas tartarugas marinhas.

Quando solicitados a classificar os chandorans em categorias como longevidade e velocidade, os estudantes associaram significativamente o consumo de tartaruga com longevidade e lentidão. Por outro lado, o consumo de javali foi associado com compleição atarracada e agressiva. Os resultados, afirmou Rozin, "são claramente consistentes com a hipótese de que, em algum nível, os participantes 'acreditam' que '*você é o que você come*'".

Em outro estudo, o psicólogo Michael Oakes examinou se o teor de gordura ou se o valor calórico era mais importante para as pessoas ao julgar a suposta capacidade de um alimento em promover aumento de peso.[231] Para sua grande surpresa, Oakes descobriu que um único *Snickers* miniatura — 47 calorias — era percebido como um agente que promovia mais aumento de peso do que um *bufê de 569 calorias de queijo cottage, cenouras e peras*. Não só isso: a percepção errônea foi mediada quase que inteiramente pelo teor de gordura. O alto teor de açúcar não produziu o mesmo efeito. "Os efeitos dos alimentos no aumento de peso", relatou Oakes, "parecem girar em torno do teor de gordura mais do que de qualquer outra característica dos alimentos (incluindo a quantidade de calorias)".

O termo para este fenômeno é "halo de saúde", inventado em 2006 pelos professores de marketing Pierre Chandon e Brian Wansink, este último diretor do Laboratório de Alimentos e Marcas de Cornell e autor de *Por que comemos tanto?* e *Slim by Design* (*Magro por meio do design*). Para testar os efeitos dos rótulos de baixo teor de gordura no consumo alimentar, Wansink e Chandon apresentaram duas tigelas de M&M's dourado, azul-petróleo, roxo e branco.[232] Cada tigela tinha um rótulo projetado profissionalmente — um dizia "novas cores do M&M's tradicional", o outro dizia "novo M&M's com baixo teor de gordura". Os participantes do estudo que se serviram da tigela de baixo teor de gordura comeram 28,4% mais M&M's, número que subiu para 47% entre os participantes do estudo acima do peso. "Halos de saúde", sugeriram os pesquisadores, "levam os consumidores a acreditar que o alimento contém menos calorias e que a quantidade aceitável ou apropriada para o consumo é maior quando o alimento é descrito como tendo menor teor de gordura". Dada a influência histórica do *você é o que você come*, é provável que há duzentos anos o estudo deles produzisse resultados semelhantes.

## Os perigos da magia da gordura

Podemos não saber qual dieta é a melhor para perder peso, mas uma coisa é clara: a incapacidade de reconhecer o poder do pensamento mágico na ciência dietética tem consequências negativas no mundo real. Mitos sedutores continuam a inspirar medo irracional de gordura — em cientistas, governos e público em geral. O resultado é uma cacofonia de conselhos dietéticos conflitantes, nenhum dos quais na verdade nos ajuda a ficar mais saudável, uma verdade desagradável corroborada pela falha persistente destes conselhos em efetuar uma mudança nos hábitos alimentares do público.

Os mitos também garantem instâncias menos óbvias de irracionalidade, muitas vezes com consequências devastadoras. Veja o senso comum no entendimento da obesidade. Mesmo entre aqueles que rejeitam a ideia de que comer gordura deixa você gordo, a causa da obesidade é normalmente conceitualizada como alguma combinação de autocontrole falho e más escolhas nutricionais. O *você é o que você come* coloca a ênfase no *você* (autocontrole falho) e no que *você* escolhe comer.

Isso realmente faz sentido? A socióloga da UCLA Abigail Saguy argumentou que não.[233] Para destacar a irracionalidade de atribuir a obesidade a responsabilidade pessoal, Saguy comparou o tratamento da obesidade e da anorexia pela mídia. Sem surpresa, ela descobriu que um quadro de "responsabilidade pessoal" dominava a cobertura da obesidade.[234] Pessoas gordas, explica Saguy, são predominantemente retratadas como preguiçosas e/ou ignorantes. Ela cita um artigo de opinião característico de George F. Will, "Sexo, gordura e responsabilidade", em que Will afirma que "os norte-americanos estão se tornando mais gordos porque são cada vez mais preguiçosos e autoindulgentes".[235] Há algo de errado com *você*.

Saguy enfatiza que os profissionais médicos são igualmente tendenciosos. Em um estudo com 620 clínicos gerais nos Estados Unidos, um terço sentia que seus pacientes obesos tinham "pouca força de vontade", eram "desleixados e preguiçosos" e mais de 50% caracterizou-os como "estranhos, pouco atraentes, feios ou incompatíveis".[236] Como George Will e todos os outros que culpam as pessoas gordas por serem gordas, os médicos têm sido hipnotizados pelo "*você*" no *você é o que você come*. Se você está comendo demais, então a culpa deve se situar em *você*.

O mesmo não é válido para a anorexia, observa Saguy. Como anoréxicos são definidos pelo que não comem, o *você é o que você come* não mais se aplica, e, no tratamento da anorexia pela mídia, fatores genéticos e ambientais têm precedência sobre narrativas de responsabilidade pessoal. Anoréxicos raramente são ridicularizados como fracos de vontade que seguem padrões irreais de imagem corporal. Ninguém jamais diria "Apenas comece a comer, seu preguiçoso fracote!" para um anoréxico. Quando alguém não está comendo, não há um *você* para culpar. ("Ninguém para culpar" é o subtítulo de um artigo da *Newsweek* de 2005 sobre anorexia).[237] O oposto é verdadeiro para os obesos, retratados como submetendo-se debilmente a impulsos de glutonaria. E o resultado é atribuição de culpa e vergonha injustificáveis — mesmo da parte de profissionais médicos que confiamos estarem livres da influência do pensamento mágico.

Não é só um foco míope no *você* que pode ser problemático. Na busca para entender a obesidade, o mito do *você é o que você come* resulta em intermináveis estudos e debates sobre o que há de errado com o que *comemos*. Contudo uma minoria cada vez mais ativa de pesquisadores está rejeitando essa ênfase liderada pelo bioestatístico e professor de saúde pública David B. Allison. Em 2011, Allison e coautores publicaram os resultados de pesquisas sobre populações de animais vivendo com ou próximos de seres humanos nas sociedades industrializadas — ratos selvagens, animais domésticos e animais de laboratório.[238] O estudo, intitulado "Canários na mina de carvão: uma análise trans-espécies da pluralidade das epidemias de obesidade", mostrou que o peso corporal de todas as populações animais tinha aumentado durante as últimas três décadas. Este resultado foi particularmente inesperado no caso de animais de laboratório, cujas condições de vida e dietas permaneceram quase constantes. Os animais estavam conseguindo ficar mais gordos, "mesmo na ausência de fatores normalmente concebidos como os determinantes primários da epidemia de obesidade humana por meio de sua influência na dieta (por exemplo, o acesso a máquinas automáticas de venda)".

Sem questionar a relevância da dieta para o aumento de peso, Allison e outros estão conclamando os pesquisadores da obesidade a abandonar o modelo exclusivo do *você é o que você come* a respeito do que nos deixa gordos. Eles citam uma série de possíveis fatores contribuintes não estudados, todos eles amparados por evidências empíricas e plausibilidade prévia. Entre esses, estão o aumento do débito de sono, a redução na variabilidade da temperatura ambiente (condicionadores de ar e aquecedores), diminuição do fumo, estabilizadores de humor, estresse crônico, idade materna média mais elevada e obesógenos — compostos químicos comumente usados na fabricação de recipientes de alimento que podem estar perturbando o metabolismo lipídico.

A lição a ser aprendida de tudo isso não é que comer gordura saturada não deixa você gordo ou que força de vontade não tem relação com perda de peso. É, isto sim, que determinar e medir adequadamente os efeitos da dieta sobre a saúde é extremamente difícil. Muitas vezes, "fatos estabelecidos", como os perigos da gordura saturada, não são fatos, mas conjeturas intuitivamente plausíveis que atraem quantidade desproporcional de atenção e investigação. E sua plausibilidade, em grande parte, vem de um apelo não reconhecido aos mitos e ao pensamento mágico.

Os defensores da saúde pública devem aprender a serem humildes sobre o que sabem e ter cuidado com o que dizem. Se apresentar um conjunto de recomendações dietéticas depois do outro não tem nenhum efeito discernível sobre os norte-americanos a não ser torná-los paranoicos e irracionais, por que emitir recomendações a menos que estejamos *absolutamente certos* de que fazem sentido? Ninguém acha que uma dieta moderada com alto teor de gordura saturada seja a principal causa de obesidade e doença cardíaca na América. E já temos um objetivo básico com o qual todos podem concordar: fazer as pessoas comerem menos e serem mais ativas. Os defensores devem focar seus esforços nisso antes de passar para os controversos detalhes de quotas de alimento adequadas e formas ideais de exercício. Quando não fazem isso, sua autoridade sofre. Uma vez que as regras sobre a quantidade certa de gordura não são baseadas em dados científicos sólidos, elas variam de uma fonte para a próxima. A AHA defende a manutenção da gordura alimentícia total *de qualquer tipo* entre 25% e 35% das calorias diárias.[239] Entretanto, a Escola de Saúde Pública de Harvard afirma que não há nenhum "máximo na porcentagem de calorias que as pessoas deveriam obter todos os dias de fontes saudáveis de gordura... o oposto da mensagem de baixo teor de gordura promovida há décadas pelo USDA".[240] Este tipo de conflito abre as portas para os gurus das dietas antissistema, que exploram a aparente inconsistência das principais autoridades para promover suas próprias teorias malucas. É melhor, em vez disso, apresentar uma frente unida, pelo menos até o objetivo básico de **levar as pessoas a comer com moderação** ser alcançado. Insistir na divulgação de diretrizes nutricionais altamente específicas evidentemente não é do interesse do público; é do interesse de quem, desde o tempo de Galeno, faz carreira científica e política a partir da emissão de diretrizes mais complicadas do que simplesmente comer com moderação.

Então, da próxima vez que você se sentir culpado por comer manteiga ou pele de frango torradinha, tente lembrar-se da fonte de culpa. Lembre-se do pênis de tigre. Lembre-se de Galeno e seus caracóis. Mas não fique desapontado se toda essa recordação não superar por completo a força do mito. Afinal, não aconteceu nem com Steven Shapin, historiador de ciência de Harvard especializado na história da dietética, que tem escrito extensivamente sobre a história do *você é o que você come*.

"Academicamente, entendo a história destas regras, sua incerteza", Shapin me disse em uma entrevista por telefone. "Ensino meus alunos a ficarem cientes da história. Mas, no mundo real, acho que Hume tem razão. O ceticismo do filósofo desaparece como fumaça fora de seu estudo".

Ele faz uma pausa por um momento e, quando fala, quase posso ouvir um sorriso triste.

"Por isso minha geladeira ainda tem um pote de *I Can't Believe It's Not Butter*".

CAPÍTULO QUATRO

# A loucura do açúcar

## Vamos culpar o açúcar, isso sim!

Parece que não podemos viver sem guerras nutricionais. Sim, profissionais da área médica admitiram que exageraram os perigos da gordura saturada. E sim, a revista *Time* publicou uma reportagem de capa em junho de 2014 chamada “Acabando com a guerra à gordura”. Mas não significa que você possa relaxar — longe disso. Menos de dois meses depois, a *Time* publicou outro artigo: “Como o doce pode se tornar tóxico”.[241]

Para muitos norte-americanos preocupados com a saúde, o artigo confirmou o conhecimento comum: a guerra contra o açúcar já havia começado. Dê uma olhada em algumas das manchetes aterrorizantes dos últimos anos:

“Bebidas Açucaradas Ligadas
A 180.000 Mortes em Todo o Mundo”
— *Time.com*, Março de 2013

“O Açúcar Está Nos Matando, e não é Preciso Muito”
— *Salon.com*, Fevereiro de 2014

“Doce Veneno: Como o Açúcar, e não a Cocaína,
É uma das Substâncias Mais Perigosas e Viciantes”
— *New York Daily News*, 10 de Fevereiro de 2014

O documentário *Fed Up*, de 2014, narrado pela jornalista de televisão Katie Couric, apresentou uma enorme quantidade de especialistas chamando o açúcar de tóxico, venenoso e maligno. Os cineastas fornecem uma ladainha de estatísticas preocupantes no site do documentário:[242]

- Em 2012, os norte-americanos consumiram em média 765 gramas de açúcar a cada cinco dias, ou 59 quilos por ano.

- Um refrigerante por dia aumenta a chance de obesidade de uma criança em 60%.

- Indivíduos que bebem uma ou duas bebidas adoçadas com açúcar por dia têm um risco 26% maior de desenvolver diabetes do tipo 2.

O site incentivava os visitantes a se inscreverem em um "desafio" desintoxicante de dez dias sem açúcar, desenvolvido em estreita colaboração com o Dr. Mark Hyman, um convidado frequente de *The Dr. Oz Show*, médico pessoal dos Clintons e autor de *The Blood Sugar Solution 10-Day Detox Diet: Activate Your Body's Natural Ability to Burn Fat and Lose Weight Fast* (*A dieta detox de dez dias: 'A solução do açúcar no sangue' - ative a capacidade natural de seu corpo de queimar gordura e perder peso rápido*).

Os participantes do desafio de desintoxicação recebiam e-mails diários resumindo revelações recentes sobre o açúcar. Um alertava para os muitos disfarces do açúcar — ele tem 56 nomes![243] (Para você fã de religião, isso são 15 a mais do que Satanás.)[244] Como uma versão secular da lei kosher, o desafio conclamava as pessoas a vasculhar a cozinha e a se livrar de todos os itens com adição de açúcar, incluindo geleias e gelatinas, molho de soja, ketchup e até mesmo sucos de fruta apenas com açúcar natural. Uma dica representativa: "Açúcar sob qualquer nome prejudica seu corpo!".

Viciante! Venenoso! Perigoso! Mortal! Pode soar como uma hipérbole, mas todos os veículos de comunicação citam estudos científicos e profissionais da medicina que nos garantem que desta vez identificamos um super vilão genuíno. Promessa. No início de 2014, a Organização Mundial de Saúde revisou a ciência e emitiu suas novas diretrizes para o consumo de açúcar:[245] idealmente, não mais de 5% de suas calorias diárias devem vir do açúcar adicionado. Em uma dieta de 2.000 calorias, isso equivale a 100 calorias. Uma Coca de 350ml tem 140 calorias, o que significa que apenas um refrigerante deixa-o acima da recomendação da OMS. Para quem bebe café e chá, as colheres de chá podem ser uma medida mais útil: a OMS permite seis por dia.

Mas é o seguinte: se o açúcar é uma toxina viciante, então a OMS não vai longe o bastante. Não é apenas o pessoal mexendo suas Cocas com *Twizzlers* que precisa reduzir o consumo de açúcar. Reduzir nem mesmo é uma abordagem razoável. Açúcar, dizem-nos, é como cigarro e cocaína — e não existe um nível "seguro" de consumo de cocaína ou tabaco. Você não daria bourbon e cigarros para crianças de aniversário, de modo que provavelmente é sábio não as alimentar com aquela fatia tóxica de bolo. E você não as deixaria dar apenas uma baforada num cigarro todos os dias, que é o que a OMS parece permitir. Precisamos repensar *tudo* em nossa cultura culinária à luz desses novos desdobramentos científicos chocantes.

**Açúcar, dizem-nos, é como cigarro e cocaína — e não existe um nível "seguro" de consumo de cocaína ou tabaco.**

## Alice Waters é o diabo?

Na verdade, se o açúcar é maligno, até a *chef* celebridade e ativista da alimentação Alice Waters, uma pioneira da agricultura orgânica local, poderia ser uma vilã disfarçada. Uma das muitas realizações de Waters é um programa chamado Pátio Escolar Comestível (ESY), que incentiva alunos de escolas públicas de ensino médio a cultivar e colher sua própria produção em uma horta orgânica e depois cozinhá-la numa aula de culinária.[246]

Waters vê o ESY como um primeiro passo na luta contra o que chama de cultura "insidiosa" e "desonesta" da fast-food.[247]

"Estamos no meio de uma epidemia de saúde", diz Waters.[248] "Se pudermos de alguma forma introduzir um currículo em torno da refeição escolar, podemos mudar o modo de pensar das crianças sobre o comer".

Mas que tal o fato de que "o açúcar está nos matando, e não é preciso muito"? Caso se acredite nos alarmistas do açúcar, os professores do Pátio Escolar Comestível em Berkeley, Califórnia, também estão incentivando os alunos a se tornarem viciados. Ao que parece, Waters nunca avisou os supervisores do currículo sobre a mais potente toxina culinária não regulamentada no mercado. O parágrafo de abertura de uma apresentação do ESY 2004 soa como propaganda das grandes corporações do açúcar: "A torta crocante de maçã está assando no forno, e o cheiro de canela, açúcar e maçãs borbulhantes enche o ar e deixa a cozinha calorosa e aconchegante".[249] O site do Pátio Escolar Comestível apresenta até mesmo uma receita de "torta crocante de maçã comemorativa".[250]

O que estão comemorando? O diabetes tipo 2? A epidemia de obesidade? O pior vício enfrentado pela juventude de hoje? Apenas uma porção de uma receita típica de torta crocante contém 11 colossais colheres de açúcar, quase o dobro da quantidade diária máxima permitida para crianças pela OMS. E nem pense em jogar sorvete de baunilha por cima, caseiro ou não — são outras cinco colheres de açúcar. Desse jeito, poderiam igualmente ensinar as crianças a prepararem crack em uma colher.

Felizmente, Alice Waters não é uma vilã. A ciência *não* demonstrou que o açúcar é viciante. As estatísticas citadas em *Fed Up* e as manchetes alarmistas deturpam pesquisas e assustam o público desnecessariamente. A recém-declarada guerra ao açúcar, como a guerra à gordura, é o trabalho equivocado de cientistas por demais confiantes e de uma mídia que prospera no medo. Não caia nessa. Depois de ver a história e ouvir os especialistas que não estão tão obcecados com publicidade, você vai querer assar uma sobremesa deliciosa e comemorar sua libertação de uma cultura de paranoia alimentar.

## As doces mentiras do Big Sugar

A atual batalha contra o açúcar pode ser rastreada até chegarmos ao trabalho de um perito vociferante, o Dr. Robert Lustig, endocrinologista e especialista em obesidade infantil na prestigiosa Escola de Medicina de San Francisco na Universidade da Califórnia.

A ascensão de Lustig ao estrelato começou em 2009, quando sua apresentação de PowerPoint "Açúcar: a amarga verdade", viralizou no YouTube.[251] No vídeo, Lustig pronuncia a evidência científica decisiva. O açúcar é "maligno", "tóxico", "venenoso" e "viciante". Armado com um arsenal de citações e ensinamentos abalizados sobre função metabólica, ele afirma que o açúcar, não o excesso de calorias, é o principal fator na obesidade, em parte porque é viciante. Tabaco, álcool, cocaína, heroína e morfina figuram como analogias proeminentes ao longo do livro best-seller que veio na sequência, *Fat Chance* (*Sem chance*).[252] (Não há nenhuma receita de "torta crocante de maçã comemorativa" em *The Fat Chance Cookbook* (Sem chance — *Livro de receitas*), embora no final existam algumas poucas receitas de sobremesas com baixo teor de açúcar, como uma dança obrigatória para os convidados de um casamento puritano: "Esta torta [de maçã] é tão 'segura' quanto fazer uma torta pode ser". Aproveite!)

Os argumentos de Lustig e sua retórica apocalíptica conquistaram planejadores de políticas e jornalistas proeminentes. Entre eles o escritor de ciência Gary Taubes, o mesmo cético que fez seu nome solapando as afirmações exageradas sobre os perigos da gordura saturada. Em 2011, Taubes escreveu um artigo para o *New York Times* intitulado "O açúcar é tóxico?", uma pergunta de retórica que ele respondeu afirmativamente. Lustig é "persuasivo", conclui Taubes. Não apenas o açúcar é "o principal motivo pelo qual o número de norte-americanos obesos e diabéticos disparou nos últimos trinta anos", como o açúcar "é também a provável causa alimentar de várias outras doenças crônicas amplamente consideradas doenças do estilo de vida ocidental — entre essas, as doenças cardíacas, hipertensão e muitos cânceres comuns".[253] O fato de um cético como Taubes ficar convencido da toxicidade do açúcar concedeu credibilidade à noção de que a ciência finalmente havia descoberto o equivalente dietético de Hitler — puro, branco e mortal.

O açúcar em si não é o único problema: somos informados de que as pessoas que o produzem e vendem também são malignas. Lustig e outros ressaltam a forma como o açúcar beneficia-se de uma máquina de propaganda da pesada, sob a forma de lobistas corporativos e cientistas das grandes indústrias da produção de açúcar (*Big Sugar*) e de alimentos (*Big Food*). Esses interesses corporativos corruptos, eles argumentam, mantiveram-nos alheios à terrível verdade sobre seus produtos.

A evidência a esse respeito é condenável. Uma revisão sistemática de 2013, por exemplo, examinou estudos sobre a correlação entre bebidas adoçadas com açúcar e obesidade, prestando grande atenção nos conflitos de interesses financeiros de corporações e grupos de especial interesse, tais como Coca-Cola, Pepsi, Associação de Refinadores de Milho, Associação do Açúcar, Archer Daniels Midland, Cargill e a gigante britânica do açúcar Tate & Lyle.[254] Quando conflitos de interesses financeiros estavam presentes, havia probabilidade de 83% de que o estudo não mostrasse a correlação entre obesidade e consumo de bebidas adoçadas com açúcar. Estudos sem conflitos de interesses financeiros, por outro lado, sustentavam a associação de forma impressionante. Sem dúvida, o financiamento da indústria enviesava os resultados em favor do açúcar.

Esses conflitos de interesse com frequência escondem-se do público atrás de publicações acadêmicas com acesso pago, e, às vezes, inteiramente inacessíveis. Em uma reportagem de 2014, o *Washington Post* denunciou como a Associação de Refinadores de Milho deu a James Rippe, cardiologista graduado em Harvard e professor da Universidade Tufts, mais de US$ 10 milhões em fundos de pesquisa, bem como um adiantamento mensal de US$ 41.000 para atuar como consultor especialista.[255] Sem surpresa, os resultados da pesquisa de Rippe absolvem o xarope de milho de alta frutose. Todavia Rippe conseguiu tornar-se editor do livro de referência da Springer Books' de 2014, *Fructose, High Fructose Corn Syrup, Sucrose, and Health* (*Frutose, xarope de milho de alta frutose, sacarose e saúde*). A seção on-line "Sobre o autor" cataloga as extensas credenciais e realizações profissionais do Dr. Rippe — mas suas ligações com a Associação de Refinadores de Milho não são encontradas em parte alguma.[256]

Os mesmos grupos que financiam estudos e pagam honorários de consultoria também agiram furiosamente para influenciar a política. Na revista *Mother Jones*, Taubes e a coautora Cristin Kearns Couzens documentaram como o *Big Sugar* "usou táticas no estilo do *Big Tobacco* (grandes indústrias do tabaco) para garantir que as agências de governo rejeitassem alegações de saúde inquietantes contra seus produtos" a partir da década de 1970.[257] Eles citam a pesquisa de Lustig que diz que "sacarose e xarope de milho de alta frutose são viciantes de forma muito parecida com o cigarro e o álcool". Por que o público não sabe desses fatos alarmantes, perguntam os autores? Porque a Associação do Açúcar continua a usar estudos ilegítimos de investigadores pagos como James Rippe para garantir que a evidência de Lustig contra o açúcar seja inconclusiva. E então pagam lobistas para envenenar os políticos com essa ciência corrupta.

À luz dessa manipulação corporativa desmedida, a recente reação contra o *Big Sugar* parece uma vitória da verdade sobre a fraude. A história é apelativamente simples: o açúcar e seus produtores são maus e são responsáveis pelo aumento das taxas mundiais de obesidade, diabetes tipo 2 e outras doenças crônicas. Os consumidores estão no meio de uma luta épica. Nossas cinturas em expansão não se devem à falta de força de vontade, pois o açúcar é viciante. O melhor de tudo é que a solução para este problema simples é igualmente simples: regular o açúcar como a droga perigosa que é.

Seria isso mesmo?

## A amarga verdade: a ciência é complicada

Corporações do mal envenenando criancinhas inocentes. Grandes produtores corruptos de açúcar contra cientistas virtuosos. Esses emparelhamentos em preto-e-branco rendem grandes histórias com apelo de alta indignação. Mas lendas descomplicadas do bem e do mal pertencem aos mitos e contos de fadas, não à ciência. Quando entrei em contato com endocrinologistas especializados em diabetes, eles se recusaram de modo consistente a confirmar a ideia do açúcar como um vilão tóxico. Um referiu-se a Lustig como radical e opinativo. Outros deixaram claro que a ciência sobre o açúcar está longe da conclusão, e extremismo neste momento é irresponsável. Falar com eles reforçou um fato importante: *só porque as grandes corporações do açúcar dizem que a ciência não está estabelecida, isso* não prova automaticamente o contrário.

Confrontadas com má ciência genuína que ataca um produto — o ativismo antivacina, por exemplo —, as indústrias naturalmente vão fazer pressão no debate e pagar cientistas para avaliar a verdade das acusações contra elas. Enquanto Taubes estava ocupado desmistificando o alarmismo sobre a gordura saturada, as indústrias de produtos lácteos e carne estavam ocupadas patrocinando estudos e lobbies políticos para moderar a retórica antigordura. (Ainda estão.)[258] Isso significa que Taubes estava alinhado *com* a indústria, o que dificultou que ele fosse ouvido. Na época, qualquer sugestão de que a gordura saturada pudesse não ser assim *tão* ruim foi desacreditada pela associação com interesses corporativos. Isso acabou sendo um erro. A mesma coisa poderia estar acontecendo com o açúcar? Estamos permitindo que o ódio das grandes corporações alimentícias atrapalhe a boa ciência?

Conversei longamente sobre essa possibilidade com o Dr. Philip Zeitler, chefe de endocrinologia do Hospital Infantil do Colorado e um dos principais especialistas mundiais em diabetes tipo 2 em crianças. Zeitler não é nenhum fantoche da indústria do açúcar. Não tem conflitos de interesse a divulgar: nenhum vídeo viral no YouTube, nada de pacientes célebres, nenhum livro best-seller — apenas pacientes e artigos publicados após revisão por pares. Ele fala com paixão sobre o trabalho de ajudar as crianças a perder peso, evitar o diabetes tipo 2 e comer mais saudavelmente. Também fala apaixonadamente contra a retórica sensacionalista antiaçúcar.

"Infelizmente, existem muitos pesquisadores que ficam felizes em se inflamar para a mídia", diz ele. "Algumas pessoas acreditam que a frutose é particularmente venenosa. Acho que a evidência para isso é interessante, mas nem de longe tão convincente quanto algumas pessoas barulhentas sugerem".

Zeitler discorre sobre várias teorias de por que o açúcar, e particularmente a frutose, pode ser especialmente ruim para nossa saúde e cintura. Mas, como o pesquisador do glúten Peter Gibson, Zeitler enfatiza que cientistas responsáveis não devem tirar conclusões precipitadas.

"As pessoas aproximam-se dos dados com preconceitos substanciais", diz Zeitler. "A frutose não é a arma do crime. E tem havido muita escolha de armas em torno dos alimentos, algo que as pessoas levam muito a sério. Isso é um desserviço ao público, à ciência e à compreensão de como a ciência funciona. As pessoas querem ouvir sobre algo simples e mágico, não uma situação complexa. O diabetes é incrivelmente complexo. A maior parte do que sabemos agora foi descoberta nos últimos cinco anos, e não sabemos muita coisa".

Então, quando se trata de diabetes, a frutose não é a arma do crime. Mas e quanto à teoria de que o açúcar é viciante? Lustig dedica um capítulo inteiro de *Fat Chance* ao tema: "Dependência alimentar — fato ou falácia". A resposta é clara. "Embora o sistema de recompensa do cérebro seja complexo", escreve Lustig, "pode ser reduzido ao 'percurso hedonista'".[259] O açúcar estimula este caminho, assim como "drogas de abuso como nicotina, cocaína, morfina e álcool". Os leitores são instruídos a pensar nos refrigerantes como "veículo de fornecimento de frutose, semelhante ao cigarro".[260]

Os especialistas em dependência discordam. Contra o título por demais simplificado do capítulo de Lustig, existe uma área cinzenta gigante de incerteza entre fatos científicos" e "falácias", e é nela que as teorias da dependência alimentar, incluindo o vício em açúcar, atualmente situam-se. Entre os céticos estão dois estudiosos de Cambridge, o psiquiatra e especialista em comportamento alimentar Hisham Ziauddeen e o neurocientista Paul Fletcher; ambos pensam que o modelo de dependência alimentar tem graves deficiências.[261]

"A literatura sobre dependência nem de longe é tão simples como fazem parecer", explica Ziauddeen. "Uma dificuldade é que toda a nossa conceitualização de dependência foi originalmente construída em torno de substâncias que não se precisa usar. Uma vez que se começa a falar sobre vício em comida, é difícil saber o que vício significa. Você pode ser viciado em esquiar? Em sexo? Não existem respostas exatas para estas perguntas, nem maneiras aprovadas de testá-las".

Perguntei a Ziauddeen sobre o foco da mídia nos estudos que mostram como comer açúcar ativa partes do cérebro associadas ao uso de drogas.

**"Você pode mostrar qualquer recompensa para o cérebro — açúcar, álcool, sexo, um filme — e ele ficará iluminado. Isso não diz nada sobre as coisas serem viciantes."**

"Essa tecnologia e seus recursos foram comunicados de forma incorreta", diz Ziauddeen, claramente exasperado. "Você pode mostrar qualquer recompensa para o cérebro — açúcar, álcool, sexo, um filme — e ele ficará iluminado. Isso não diz nada sobre as coisas serem viciantes, ainda que se apresente dessa forma. Tudo o que isso demonstra é que o cérebro está fazendo o que se espera que faça. Em neuroimagem não há um sinal nítido de dependência".

É simplesmente falso afirmar que o papel do açúcar no diabetes, na dependência e na obesidade foi estabelecido. Um artigo de três endocrinologistas de Harvard sobre estudos de campo no jornal *Metabolism* no final de 2013 analisou as evidências até aquele momento dos efeitos do açúcar na saúde.[262] A conclusão? "Muito mais pesquisa é [...] necessário".

Isso, sim, é ciência de verdade.

## Se é gostoso, deve ser ruim

Se a ciência não está estabelecida, por que as pessoas — e as organizações de formulação de políticas como a OMS — estão tão dispostas a condenar o açúcar? Muito antes de Lustig e de *Fed Up*, o psicólogo Paul Rozin começou a responder esta pergunta em seu ensaio de 1987, "Doçura, sensualidade, pecado, segurança e socialização: algumas especulações". Nele, Rozin lança a hipótese de que, para os norte-americanos, o medo do açúcar é uma manifestação de valores puritanos subconscientes, a crença de que "qualquer coisa que seja extremamente agradável, e isso inclui sexo e doces, deve ser ruim".[263] Duas décadas depois, Rozin acredita que pouquíssima coisa mudou, e uma forma de puritanismo secular continua a influir em nossos tabus alimentares. Ciência rigorosa não tem nada a ver com isso.

"Como a religião, a atitude das pessoas em relação à comida é muito insensível à evidência", diz ele. "E então a ciência pode ser levada de roldão e ficar religiosa a respeito de algo, especialmente em países protestantes como os EUA". Quanto à nossa atitude em relação ao açúcar, Rozin relata um experimento que executou, no qual pediu a pessoas dos EUA e da França para associar uma palavra a "bolo de chocolate". "Os norte-americanos escolheram 'culpa', e os franceses escolheram 'celebração'", contou Rozin. "Existe uma séria diferença entre nossas culturas alimentares, que mostramos vez após vez, e não se trata de nós termos evidências científica e eles não".

Um fator importante no extremismo do açúcar é algo que Rozin chama de "mente monotônica". Uma pessoa que pensa de modo monotônico tem dificuldade em aceitar que baixas e altas doses de uma determinada substância podem ter efeitos opostos. Este tipo de pensamento está associado às categorizações religiosas de alimentos como puros ou impuros, morais ou imorais. Para um judeu ortodoxo, um pedacinho minúsculo de bacon e uma costeleta são ambos proibidos — a impureza do porco é monotônica.

Mas a nutrição não é monotônica. Uma taça de vinho por dia não vai lhe matar, e teorias sobre o que é bom para você entram e saem de moda. Todavia, quarenta taças de vinho com certeza vão lhe matar: altas e baixas doses podem ter efeitos opostos. Este fenômeno, conhecido como sensibilidade à dosagem, é um princípio básico da toxicologia, colocado da forma mais famosa pelo cientista renascentista Paracelso: "A dose faz o veneno". Embora isso não seja uma verdade universal — exposição ao HIV é monotônica —, certamente é válido para o açúcar.

Apesar da óbvia sensibilidade à dosagem dos alimentos, a evidência sugere que um grande número de pessoas pensa de forma monotônica sobre o açúcar. Em um estudo de 1996, quase um terço dos norte-americanos concordaram que uma dieta livre de açúcar era mais saudável do que uma dieta com uma simples pitada de açúcar.[264] Este preconceito irracional monotônico é intrigante, a menos que você combine duas crenças: (1) açúcar é mortal em doses moderadas e (2) é viciante. Essas, claro, são crenças válidas para drogas de abuso. Ainda que uma carreira de cocaína não vá matá-lo, o risco de dependência significa que mesmo um pouco de cocaína é potencialmente muito perigoso. Assim, se o açúcar é viciante, faz sentido tratá-lo de modo monotônico — um pouco poderia facilmente tornar-se muito, e muito poderia ter consequências devastadoras.

Acontece que em 1996 o público já tinha bons motivos para ver o açúcar como uma droga mortal. O historiador de alimentos Harvey Levenstein descreve como os anos de 1960 e 1970 viram a explosão da "sucrofobia" na Grã-Bretanha e nos EUA.[265] Na época, Ancel Keys estava ocupado em difamar a gordura saturada, para a grande consternação de produtores de ovos, carne e laticínios norte-americanos. Porém, do outro lado do Atlântico, o cientista britânico John Yudkin tinha desenvolvido uma teoria diferente. De acordo com Yudkin, Keys tinha entendido tudo errado. O açúcar, e não a gordura saturada, era o verdadeiro vilão alimentar.

Yudkin fez experimentos com ratos, alimentando alguns com açúcar e outros com amido e gordura saturada. Os alimentados com açúcar eram um desastre: colesterol mais elevado, pressão sanguínea mais alta, níveis de glicose em jejum mais altos e muito mais gordos que as contrapartes alimentadas com amido e gordura. Estes resultados dramáticos confirmaram o que Yudkin encontrou ao analisar a saúde de várias populações de acordo com a ingestão de açúcar. Seu argumento poderoso recebeu uma grande atenção da imprensa na Inglaterra, e em 1972 ele escreveu um livro muito lido, intitulado *Pure, Sweet, and Dangerous: The New Facts about the Sugar You Eat as a Cause of Heart Disease, Diabetes, and Other Killers* (*Puro, doce e perigoso: os novos fatos sobre o açúcar que você come como causador de doenças do coração, diabetes e outras doenças mortais*). Encantada com esta teoria alternativa, a Comissão Nacional sobre o Valor Nutricional dos Ovos da América (ciência da indústria!) convidou Yudkin para uma turnê de divulgação, durante a qual ele aconselhou as pessoas a comer menos açúcar e continuar a comer ovos, para desespero da Associação Americana do Coração.[266] (O livro de Yudkin foi republicado pela Penguim em 2012 como *Pure, White, and Deadly* [*Puro, branco e mortal*], com prefácio de Lustig, que se refere a Yudkin como um "profeta" e a si mesmo como "discípulo" e "acólito".)[267]

Enquanto Yudkin era um tanto circunspecto quanto à dependência do açúcar — ele se denominou um "viciado" em açúcar, entre aspas, e disse que o açúcar era "fracamente" viciante —, seus contemporâneos não eram. Em 1968, o influente ativista da alimentação Jerome Irving Rodale escreveu *Natural Health, Sugar, and the Criminal Mind* (*Saúde natural, açúcar e a mente criminosa*), no qual culpou o açúcar por tudo, desde estupro até a ascensão do nazismo.[268] (Três anos depois, Rodale foi ao *Dick Cavett Show* e disse que havia decidido "viver até os cem" antes de cair morto de ataque cardíaco no palco. Sua empresa, a editora Rodale Inc. segue no mercado, e entre seus muitos, muitos best-sellers está *Barriga de trigo*. Também é responsável pelo programa de TV *The Biggest Loser*). E, em 1975, o nutricionista norte-americano William Dufty publicou *Sugar Blues: o gosto amargo do açúcar*, best-seller que descreveu o vício em açúcar como "a peste branca", produtos alimentícios como "misturados com açúcar" e o vício dele próprio como "a estrada para a perdição".[269]

Não eram só adultos como Dufty que sucumbiam ao vício: as crianças estavam comendo açúcar e enlouquecendo. Um ano antes de *Sugar Blues* sair, a Academia Americana de Pediatria publicou uma carta ao editor de um Dr. William Crook que originou a conexão entre o açúcar e a hiperatividade em crianças. "Somente nos últimos três anos", escreveu Crook, "fiquei ciente de que o açúcar... mais especificamente o açúcar da cana, é das principais causas da hiperatividade".[270] Assim como a sensibilidade ao MSG — que também começou com uma carta —, o mito da hiperatividade do açúcar *ainda* comanda a crença popular, apesar de ter sido completamente desmascarado. Os pesquisadores fracassaram repetidamente em demonstrar que crianças que comem açúcar tornam-se hiperativas, conforme documentado pelo Instituto Nacional de Saúde Mental, mas os pais ainda vivem com medo.[271] (A Old Navy vende uma camiseta para bebês dizendo "Vamos culpar o açúcar"). Uma vez introduzido, um mito alimentar é muito, muito difícil de erradicar.

Seria uma coisa se toda esta preocupação com o açúcar fosse resultado de investigação científica legítima, que sempre produz alguns alarmes falsos. Mas a demonização do açúcar retrocede muito além dos desafortunados ratos de John Yudkin. O açúcar foi rotulado de viciante e tóxico antes dos exames cerebrais e da epidemia de obesidade infantil, antes das preocupações com o diabetes tipo 2, antes da paradisíaca década de 1960 de Lustig, quando "refrigerante era uma gulodice eventual e disponível apenas em latas de 350ml".

A hipótese de Rozin está totalmente exata. As razões para a sucrofobia sempre tiveram pouco a ver com ciência e tudo a ver com moralismo, superstição e medo puritano de prazeres pecaminosos. Esse é apenas mais um caso de mito disfarçado de ciência, e, depois de viajar algumas centenas de anos para o passado e ver as raízes do mito por si mesmo, acho que você vai ficar tão farto quanto eu.

## A invasão do açúcar

A sacarose granular, resultado do processamento do líquido da cana-de-açúcar, permaneceu uma raridade na Europa até o século XVI. Introduzido a partir do Oriente Médio durante as Cruzadas, o açúcar foi por séculos considerado uma especiaria e um medicamento, consumido, conforme o frade Tomás de Aquino escreveu no século XIII, não "com o objetivo da nutrição em mente, mas sim de facilitar a digestão".[272]

De acordo com o historiador do açúcar Sidney Mintz, o uso do açúcar na Europa como "condimento" realmente decolou no século XVII devido à popularidade crescente de três novas bebidas "estimulantes amargas": café, chá e chocolate.[273] Mintz rastreia a preocupação médica mais antiga a respeito do açúcar neste mesmo período, começando com a publicação de *The Diet of the Diseased* (*A dieta dos doentes*) em 1633 pelo médico puritano britânico James Hart. Tradicionalista, Hart desaprovou o modo como o estrangeiro "açúcar agora sucedeu o mel".[274] Ele confirmou observações curiosas — agora bem estabelecidas como fato científico — de que o consumo "imoderado" de açúcar "apodrece os dentes, deixando-os pretos e, além disso, muitas vezes causa um mau hálito repugnante". Isso era verdade — mas, por causa de sua inclinação em favor do mel, Hart esqueceu de mencionar, ou talvez nunca tenha notado, que este também pode apodrecer os dentes.[275]

Foi só uma questão de tempo antes de perigos sem fundamento e especulativos juntarem-se às cáries na lista dos males associados ao açúcar processado. De início, essas especulações nasceram da associação do açúcar com o chá e o café, que os tradicionalistas viam como modismos exóticos, antinaturais. Jonas Hanway, reformador do século XVIII, descreveu o chá como "causa de muitos destemperos".[276] De acordo com Hanway, a nova bebida era responsável por criar "desejos fantásticos e maus hábitos nos quais a natureza não tem participação",[277] auxiliado por um igualmente "estrangeiro pernicioso chamado açúcar".[278] As crianças, avisou Hanway, eram particularmente suscetíveis aos efeitos prejudiciais do açúcar, que incluíam "escorbuto [e] nervos fracos".[279]

O açúcar era uma comida estranha, moderna e se encaixava no mito sempre recorrente da modernidade como maléfica e do passado como bom. Este novo invasor estrangeiro rendia um bode expiatório perfeito para culpar pelas doenças intratáveis da época. Em vez de obesidade e diabetes, o público do século XVIII estava preocupado com escorbuto, nervos fracos e sexualidade ("maus hábitos nos quais a natureza não tem participação"). Não havia, é claro, nenhuma evidência de que o açúcar produzisse escorbuto, assim como não havia nenhuma evidência de que o chá poderia criar "desejos fantásticos". Mas não importava — o argumento contra o açúcar recorria à sua origem, não a evidência empírica.

O açúcar também parecia insalubre por causa de um tipo diferente de origem: métodos de produção imorais. Tabus alimentares religiosos há muito sustentavam que, se você come algo de uma origem *moralmente* ruim — carne ímpia, por exemplo — haverá consequências *fisicamente* ruins. Vimos essa superstição em ação quando vegetarianos que eram contra o abate de animais por razões morais converteram a origem imoral em perigos à saúde percebidos na carne. No tempo em que Hart e Hanway escreveram, os consumidores britânicos de açúcar tinham que lidar com um tipo diferente de origem maligna: a escravidão. Na época, o açúcar era fruto do trabalho escravo nas Índias Ocidentais. Abolicionistas conclamavam todos os cristãos a boicotar "produtos contaminados com sangue".[280] Partidários antiaçúcar exortavam os adultos a beber chá e café sem adoçar, e pediam às crianças que abrissem mão dos doces para impedir "a venda de seus irmãozinhos negros para a escravidão".[281]

O açúcar já não é produzido por escravos, mas partidários antiaçúcar modernos continuam a invocar suas origens imorais. *Em Sal, açúcar, gordura: como a indústria alimentícia nos fisgou*, de Michael Moss, a desumanidade das gigantes da indústria alimentícia é o grande destaque. Seguindo os passos de Hanway e Hart, a primeira seção sobre o açúcar é intitulada "Explorando a biologia das crianças". Moss enfatiza até mesmo os efeitos extremos (e improváveis) do açúcar sobre as minorias, dizendo nas primeiras páginas que pesquisadores de alimentos verificaram que "afro-americanos escolheram as soluções mais doces e mais salgadas" em testes de preferência de sabor.[282] Da mesma forma, *Fed Up* cita a estatística de que "uma em cada cinco crianças negras de 2 a 19 anos de idade é obesa, em comparação com aproximadamente uma em cada sete crianças brancas". Os paralelos são inconfundíveis. A origem do açúcar é moralmente ruim, então faz sentido que cause dano físico. Como se isso não fosse ruim o suficiente, pense no quanto prejudica as minorias indefesas.

Essas narrativas são poderosas, mas desviam a atenção de uma realidade mais complexa. Por mais difícil que seja, a boa ciência nos obriga a distinguir entre mal moral e mal físico. Quando fracassamos em fazer essa distinção, o resultado são mitos simplistas e fatos escolhidos a dedo. Nem *Fed Up*, nem *Sal, açúcar, gordura* mencionam que crianças brancas consomem uma proporção maior de suas calorias na forma de adição de açúcar do que crianças negras.[283] Também não mencionam que a renda familiar é irrelevante para o consumo de açúcar.[284] Estes fatos, embora essenciais para se entender a complicada relação entre consumo de açúcar e demografia populacional, desviam-se de um conto interessante no qual o açúcar faz mal desproporcional às minorias pobres.

Uma vez que as pessoas acreditem no conto, torna-se muito difícil defender o açúcar das acusações de que é fisicamente prejudicial. No tempo de Hart e Hanway, os céticos sobre a nocividade do açúcar pareceriam defender a escravidão. Hoje em dia, os mesmos céticos — eu incluído — parecem defensores das grandes corporações alimentícias e da exploração de crianças e minorias. Isso é uma boa notícia para alarmistas antiaçúcar, mas não para pessoas que querem saber a verdade sobre o que comemos.

## A natureza realmente não sabe mais que todos

Passou-se mais um século antes do açúcar tornar-se um problema na América, onde marmeladas, geleias, balas e outros "confeitos" eram importações caras pelo menos até os anos de 1800. Lojistas como Nicholas Bayard — que abriu sua "Refining House" em Nova York, em 1730 — vendia seus produtos apenas para as elites que podiam bancar tais iguarias extravagantes.[285] Os norte-americanos estavam menos preocupados que os britânicos com os males da escravidão, então não havia muita razão para verem o açúcar refinado como prejudicial — afinal, como algo destinado a paladares "refinados" poderia ser ruim?

Tudo mudou quando o açúcar mais barato colocou os doces ao alcance das classes baixa e média. Um novo tipo de comércio, a loja de doces, apareceu ao lado das confeitarias finas. Com vitrines cheias de guloseimas coloridas, estas lojas ofereciam um produto novo, balas que custavam centavos, para uma clientela muito diferente. Como Wendy Woloson escreve em sua história de açúcar: "Balas de centavos, mais acessíveis a grupos maiores de gente jovem, representavam liberdade e prazer para as crianças... [elas] tiraram o açúcar refinado da boca da elite, e se incluem entre as maneiras pelas quais o açúcar, a doçura e os doces ficaram associados com os fracos ao invés dos poderosos".[286]

De repente os reformadores morais partiram para a ação, condenando este novo vício com qualquer retórica científica que pudessem arrebanhar. Uma condenação norte-americana precoce das balas, escrita em 1834, fornece um modelo incrivelmente detalhado de argumentação antiaçúcar que permanece em uso ainda hoje, até no uso da palavra "veneno":

> Nós sempre consideramos um mau agouro quando encontramos jovens muito afeiçoados a confeitos. Uma predileção por frutas é uma coisa muito diferente. Estas são geralmente de na-

> tureza refrescante e vêm em uma época do ano em que alimentos refrescantes são especialmente exigidos... Ingeridos entre as refeições, [confeitos] interferem com a digestão; ingeridos com nosso alimento, embora possam acelerar o processo por um tempo, no fim enfraquecem o estômago, e alguns deles são de fato venenosos.[287]

Observe a distinção entre frutas e doces, diferença observada por quase todos os partidários antiaçúcar ao longo da história, incluindo a Organização Mundial da Saúde e o Dr. Robert Lustig. Quem ouviria se alguém começasse a falar mal das maçãs? Mas a distinção, embora intuitiva, é difícil defender cientificamente. O escritor de 1834 apela à medicina humoral — "uma natureza refrescante" —, junto com a sazonalidade das frutas, que, conforme ditado pela Natureza em sua infinita sabedoria benevolente, as fornece para nós quando "alimentos refrescantes são especialmente exigidos".

Agora a medicina humoral não está mais na moda, e as frutas estão disponíveis o ano inteiro. Então, como um homem moderno da ciência, como Lustig, explica a diferença entre frutas e outros açúcares? Emparelhando a ciência com uma Natureza deliberada que tem em mente nossos melhores interesses, é claro:

> A fruta contém frutose, mas também tem fibra inerente. E não é por acaso. A razão pela qual a frutose nas frutas não causa problemas de saúde significativos é que é equilibrada pela fibra endógena, que compõe a parte sólida da fruta. Se você consumir os dois juntos, como a Natureza pretendia, isso reduz a taxa de fluxo para o fígado; o fígado consegue dar conta, o que atenua a maioria dos efeitos negativos do açúcar.[288]

Fica-se pensando por que você não poderia simplesmente comer bolinhos ricos em fibras com açúcar adicionado, se é a fibra que reduz os efeitos negativos do açúcar. E, se o açúcar é tão viciante, então por que as frutas não são viciantes? Conforme o Dr. David Katz, nutricionista de Yale, ressalta, simplesmente não existe lógica por trás da ideia de que *"a frutose é tóxica, exceto no único lugar onde você realmente vai encontrá-la na forma pura, ou seja, nas frutas"*.[289]

**Simplesmente não existe lógica por trás da ideia de que *"a frutose é tóxica, exceto no único lugar onde você realmente vai encontrá-la na forma pura, ou seja, nas frutas."***

O vocabulário científico de Lustig pode ser muito convincente, então tente ter em mente o que Philip Zeitler me disse: *a maioria do que sabemos sobre a relação entre açúcar, metabolismo do fígado, obesidade e diabetes tipo 2 permanece teórica.* A única diferença metabólica certa entre frutas e doces, ele assegurou, é que é muito mais fácil comer toneladas de doces do que toneladas de maçãs. As intenções da Natureza, seja a respeito das fibras ou da sazonalidade de frutas, são uma marca de hipérbole supersticiosa, não de ciência.

O apelo à Natureza, com *N* maiúsculo, continuamente causa estragos em nossa capacidade de avaliar evidências de forma objetiva. Veja o mel e o xarope de milho de alta frutose, dois adoçantes líquidos comuns. Seduzidos pela magia das origens "naturais", incontáveis artigos de saúde e postagens de blogs encontram motivos para distinguir o mel de seu concorrente "artificial" maléfico. Em *The Healing Powers of Honey* (*Os poderes de cura do mel*), lemos que "o mel contém dezenas de substâncias diferentes, o que o torna mais parecido com fruta do que com açúcar".[290] A autora, Cal Orey, diz a seus leitores que ela já não come iogurte com xarope de milho de alta frutose, optando por iogurte natural com mel por cima. E, em um artigo divulgando os benefícios do mel, o guru da dieta paleolítica Mark Sisson apresenta link para um vídeo de homens de uma tribo do Congo trepando numa árvore para colher mel, como se para reforçar a virtude da substância, realçando seu modo de cultivo natural, primal, pré-moderno.

"Você deve comer?", pergunta Sisson e então segue em frente mascarando sua superstição com retórica científica.[291] "Isso depende. Você é ativo e precisa de reposição de glicogênio hepático como o cara que subiu na árvore no Congo? Então mel cru pode ser uma boa escolha para um petisco".

Os cientistas ficariam surpresos de ouvir falar da "clara superioridade" do mel, uma vez que há um quase consenso unânime de que os efeitos biológicos do xarope de milho de alta frutose são essencialmente os mesmos que os do mel.[292] Mas, por causa de sua origem natural, o mel tem desfrutado de louvor irracional, supersticioso, desde o momento em que entrou em competição com a sacarose granular derivada da cana. Em 1852, o médico James Redfield argumentou em seu livro *Comparative Physiognomy* (*Fisionomia comparativa*) que cada estágio de processamento do açúcar era um "estágio do trajeto descendente de fraude e zombaria, covardia, crueldade e degradação".[293] De acordo com Redfield, os animais que vivem do mel são corajosos e cuidadosos, "como, por exemplo, a abelha, o colibri e o urso", enquanto aqueles que preferem o açúcar são deficientes em virtude, "como, por exemplo, a mosca, a formiga que vive no açucareiro e não raramente a vespa".[294] Coma mel natural e seja como o urso corajoso! Coma açúcar processado, degradado, moderno e afunde ao nível de humildes formigas e vespas nojentas.

O público compartilhou do preconceito de Redfield, o que significou que no século XIX as empresas de açúcar trabalharam duro para minimizar a diferença entre o mel e outros adoçantes. Henry Tate, comerciante de açúcar britânico, chegou ao ponto de colocar uma carcaça de leão fervilhando de insetos no rótulo do seu "Golden Syrup" — vendido até hoje pela gigante do açúcar Tate & Lyle, com rótulo macabro e tudo. A carcaça refere-se a uma passagem da Bíblia, Juízes 14, onde Sansão mata um leão e as abelhas fazem sua casa no corpo do animal. A mensagem do rótulo é clara e ecoa o consenso científico dos especialistas em açúcar: o xarope dourado é como mel.

Em um movimento paralelo, a Associação de Refinadores de Milho combateu o preconceito irracional contra o xarope de milho de alta frutose fazendo lobby junto ao FDA para renomear o adoçante de "açúcar de milho", a fim de que as pessoas parassem de demonizar seu produto. A imagem do xarope de milho tinha sido difamada pela associação com as empresas de refrigerante, o que deixou as pessoas mais propensas a acreditar nas controversas alegações sobre seus efeitos na saúde. Notavelmente, os defensores da saúde pública concordaram.

"Não estou ansiosa para ajudar os refinadores de milho a vender mais o produto deles", disse a Dra. Marion Nestle, da Universidade de Nova York, autora de *Food Politics: How the Food Industry Influences Nutrition and Health* (*Política alimentar: como a indústria alimentícia influencia a nutrição e a saúde*) e de modo geral uma adversária ferrenha de qualquer coisa que a indústria alimentícia queira.[295] (Lembre-se, ela gostou do imposto sobre a gordura da Dinamarca.) "Mas é de sentir pena deles. Até eu tenho que admitir que não é [uma mudança] irracional".

Razão e racionalidade não davam as cartas em 1852, e não dão hoje. Em 2012, a FDA — tão frequentemente acusada de estar no bolso do *Big Food* — determinou que o xarope de milho não pode ser renomeado, e muitos consumidores preocupados com a saúde continuarão a acreditar, equivocadamente, na mítica bondade do mel natural e na malignidade dos açúcares processados antinaturais. Em uma postagem de blog de 2014 sobre os *Fig Newtons* (um tipo de biscoito recheado com figo), a loucamente popular Vani Hari, também conhecida como "The Food Babe" ("a gata dos alimentos"), refere-se ao xarope de milho de alta frutose como uma "substância tóxica transformada" e afirma que é "a principal causa de doença cardíaca, câncer, demência e insuficiência hepática".[296] A citação para a afirmação? Um artigo de ninguém menos que o Dr. Mark Hyman, intitulado "Cinco razões pelas quais o xarope de milho de alta frutose vai matar você"[297] — apresentado bem ao lado de uma propaganda de seus livros, *The 10-Day Detox* e *The Blood Sugar Solution*.

Em certo sentido, a Food Babe provou seu argumento — o açúcar processado realmente pode causar demência. Felizmente, o antídoto é simples: não ouças os alarmistas.

## Açúcar: a nova droga de acesso

Até mesmo a retórica da dependência pode ser rastreada à América do século XIX. Em *Comparative Physiognomy*, Redfield invoca outro popular tropo antiaçúcar, comparando o apetite por ele ao alcoolismo (em vez do vício em cocaína):

> O uso de açúcar é o trampolim para a intemperança. O apetite cresce no homem pela indulgência [...] e, quando o apetite o acomete, assim como o do bêbado por seus canecos, ele vagueia e quase corre em busca, e vai de uma loja de doces para outra, como o borracho vai de um bar a outro para satisfazer-se com uns tragos.[298]

Os defensores da temperança já eram contra o açúcar pelo menos uma década antes do livro de Redfield ser publicado. Sua suspeita baseava-se no pensamento mágico: rum era produzido a partir do açúcar, então o açúcar compartilhava das propriedades perigosas do rum. Acreditava-se amplamente que o açúcar era uma droga de acesso, e um gosto por ela antecipava hábitos mais mortais. Essa progressão inevitável acontece com Henry Haycroft, o protagonista fictício de um conto de temperança de 1843, que come "o açúcar do fundo da taça de ponche do pai"[299] antes de graduar-se em drinques de verdade, de cordial doce de hortelã compartilhado com amigos. "A bebida tinha sabor tão doce", adverte o autor da história, "que todos tomaram uma grande quantidade". Conforme colocou um Dr. A. C. Abbott em 1907: "O apetite por álcool e o apetite por doces são fundamentalmente os mesmos, sendo a escolha de entregar-se a um ou a outro determinada pelas qualidades temperamentais do indivíduo".[300] Um vício facilmente leva a outro.

Já naquele tempo, os partidários antiaçúcar sabiam o poder da linguagem do vício para motivar a indignação. O movimento inicial de temperança desenvolveu o conceito de vício físico durante o processo de tornar o alcoolismo uma condição médica — deslocando-o de "pecado" para "doença". No final do século XVIII, o renomado médico, defensor da temperança e pai fundador Benjamin Rush definiu a conexão entre quem bebia e bebidas destiladas como "vício", uma "doença da vontade" que se desenvolvia lentamente ao longo do tempo.[301]

A ideia de vício transformou a possessão demoníaca em uma condição física.[302] Espíritos alcoólicos roubavam sua força de vontade, mas não por intermédio do poder de espíritos de verdade. Os demônios foram substituídos por termos como "anseio" e "desejo insaciável", por meio dos quais o "Rum do Demônio", como era chamado, fazia mal à alma.

Ao chamar a dependência de uma *doença* da *alma*, os defensores da temperança combinaram medos religiosos e filosóficos com medos físicos. Ninguém quer uma alma corrompida, ninguém quer ficar doente. O alcoolismo como vício rendia um inimigo tão assustador como Satanás e tão real quanto a cólera, tuberculose e febre amarela.

Os partidários antiaçúcar apropriaram-se desta linguagem para criar uma nova doença sem base empírica: o "vício" em doces. Junto com a nova doença veio um novo conjunto de vilões: fabricantes de doces, proprietários de loja de doces, e, talvez o pior de todos, os temidos operadores das lanchonetes de refrigerante e sorvete. Não importava que as garrafas de refrigerante de dois litros ainda não tivessem sido inventadas — aqueles antros do pecado receberam a mesma censura que os *Big Gulps* recebem agora. Inicialmente, as lanchonetes eram vistas como oferecendo uma alternativa limpa, delicada e elegante às tabernas masculinas.[303] Mas não demorou para os reformadores caírem em cima e condenarem esses prazeres como a versão feminina dos doces de centavos, corruptores da moral e da saúde e, claro, tão viciantes quanto o álcool que substituíram.

## Sexo e doces

Vale a pena lembrarmos que toda essa sucrofobia existia antes da epidemia de obesidade e diabetes tipo 2 que incita os partidários antiaçúcar modernos. (Estranhamente, apesar da falta de provas científicas, as pessoas ainda pensam que o diabetes é *causado* pelo açúcar, uma crença tão prevalente que aparece como Mito Nº 3 na seção de mitos da Associação Americana de Diabetes.[304]) Em vez de obesidade, diabetes e TDAH, os reformadores do século XIX tinham um outro conjunto de problemas que tentaram atribuir ao açúcar. Embora indigestão e problemas de saúde em geral estivessem entre as consequências negativas do consumo de balas, sorvete e refrigerante, o mais assustador para os partidários antiaçúcar puritanos era o potencial do açúcar para inflamar o desejo sexual, em particular nos membros mais fracos da sociedade: mulheres, crianças e pobres.

De forma hilária, as sorveterias inspiraram contos sensacionalistas de guloseimas levando a comportamento libidinoso.[305] Alimente uma mulher com sorvete, diziam os boatos, e ela vai dormir por aí. Chocolates finos também ficaram associados à incapacidade feminina de resistir à tentação, assim como os selvagens de pele escura sexualmente promíscuos que, muitas vezes nus, apareciam nos primeiros anúncios de chocolate.

Indulgências luxuosas — ou seja, doces — são o "grande inimigo da alma [das mulheres]", escreveu Margaret Coxe em seu livro de 1839, *The Young Lady's Companion* (*O companheiro da senhorita*), e não foi difícil adivinhar o que ela quis dizer.[306] Prazeres culinários e prazeres sexuais satisfazem os mesmos apetites animais, portanto, fazia sentido que um levasse ao outro. Tanto John Harvey Kellogg (coinventor dos flocos de milho) quanto Graham acreditavam que guloseimas açucaradas, juntamente com outros alimentos de sabor poderoso, faziam mulheres e crianças se masturbar.

"Doces, especiarias, canela, cravo, hortelã e todas as essências fortes", afirmou Kellogg, "excitam poderosamente os órgãos genitais e levam ao [vício solitário]".[307] Outro reformador, o proeminente médico vegetariano William Alcott, aconselhou os pais a contar aos filhos "as sanções que Deus, em sua providência, anexou às frequentes violações de suas leis", leis que incluíam a proibição do "vício solitário" e do "uso excessivo de açúcar".[308] Só podemos imaginar o que estes homens teriam feito com imagens do cérebro que mostram que os mesmos "caminhos hedônicos" iluminados por drogas — e orgasmo — são também iluminados pelo açúcar. *Prova científica de que comer doces é como fazer sexo!*

## As falhas do *Big Sugar*

Em parte, o que tornava as imagens negativas dos reformadores a respeito do açúcar tão convincentes era que os fabricantes de doces do século XIX pouco faziam para convencer o público do contrário. Ansiosos para atrair clientes jovens de todos os níveis de renda, os fabricantes de doces usavam corantes baratos que sabiam ser venenosos. Woloson relata que, já na década de 1830, a revista médica *The Lancet* publicava artigos advertindo sobre doces britânicos populares, exportados para a América, que eram adulterados com "óxido de chumbo vermelho, cromato de chumbo e sulfureto de mercúrio vermelho".[309] Manuais de fabricação de doces advertiam, sem sucesso, contra o uso de papel acetinado impregnado com substâncias venenosas, que as crianças lamberiam, resultando em "ulceração na boca ou inflamação na gengiva". Enquanto isso, propagandas picantes apresentavam mulheres banqueteando-se com chocolate em momentos intensos de prazer, ou crianças enlouquecidas pelo desejo de doces. Prefigurando a campanha publicitária "doido por *Cocoa Puffs*"[2], um confeito popular da virada do século chamado *Kandi Kubes* foi anunciado com o seguinte versinho: "*Handy-Spandy, Jack-A-Dandy,* quer um pedaço de doce de amendoim. Quer agora, quer muito, e *Kandi Kubes* simplesmente o deixa contente".[3]

Em meados do século XIX, crianças podiam ser vistas chupando doces no formato de cigarros e charutos, vendidos em lojas mistas de tabacaria e confeitaria, onde os comerciantes não raramente permitiam que seus jovens clientes comprassem cigarros de verdade. "Máquinas caça-níqueis para crianças" seduziam a garotada com prêmios de chiclete. Longe de trabalhar contra a associação de açúcar e a pecaminosidade, os comerciantes de doces reconheciam o apelo do vício e o exploravam desavergonhadamente.

**Boas intenções não redimem má ciência.**

Como no caso das empresas de alimentos modernas, os fabricantes de guloseimas açucaradas nos EUA do século XIX não se ajudavam, ignorando descaradamente o bem-estar de seus jovens clientes. E, como os partidários antiaçúcar modernos, reformadores bem intencionados reagiam a uma série de preocupações reais e razoáveis — entre elas, cáries e comércio ganancioso. Mas boas intenções não redimem má ciência. A história nos diz que, se deixarmos o zelo missionário predispor nossa perspectiva em relação a evidências, culpar o açúcar pelos males atuais da sociedade pode um dia parecer igual a culpar o açúcar por fraqueza dos nervos e masturbação.

[2] "Cuckoo for Cocoa Puffs". (N.T.)

[3] "Handy-Spandy, Jack-A-Dandy, wants a piece of PEANUT CANDY. He wants it now, he wants it bad, and KANDI KUBES just make him glad"; paródia de uma antiga cantiga infantil inglesa popular. (N.T.)

## Puro, branco e tendencioso

A maioria das pessoas está bem ciente dos preconceitos que podem surgir a partir de conflitos de interesses financeiros. Publicações científicas tentam combater este preconceito tendo autores que divulgam esses conflitos, o que é uma coisa boa.

No entanto, existe significativamente menos consciência do que o bioestatístico David B. Allison chama de "preconceito do bem": *preconceito levando à distorção da informação a serviço de finalidades justas.* O preconceito do bem motivou os partidários antiaçúcar do século XIX e continua a motivar a mídia, as autoridades de saúde e a comunidade científica.

Em um artigo de 2009 para o *International Journal of Obesity*, Allison e um coautor demonstraram como o preconceito do bem afeta a pesquisa sobre bebidas adoçadas com açúcar.[310] Para isso, começaram escolhendo dois estudos destinados a avaliar o efeito da redução de bebidas adoçadas com açúcar na obesidade. A seguir olharam como esses estudos eram citados. Na maioria dos casos, os pesquisadores exageraram a força das evidências dos estudos originais, fazendo parecer que a redução de refrigerante realmente ajudava na obesidade, quando na verdade a evidência não era tão clara. Isso é conhecido como "preconceito de citação", que os pesquisadores da obesidade agora reconhecem como um problema em seu campo.

Para evidências do preconceito do bem na mídia, basta recorrer às estatísticas que vimos anteriormente, citadas na seção de "fatos" do site de *Fed Up*. Vamos começar com "um refrigerante por dia aumenta a chance de obesidade de uma criança em 60%". Apavorante, certo?

Não realmente. Este chamado fato baseia-se em um único estudo de 2001.[311] O estudo, publicado na *Lancet*, uma revista conceituada, examinou o consumo autorrelatado de bebidas por um grupo de 548 crianças de Boston com 11 anos de idade. As crianças preencheram dois questionários sobre seu consumo de bebidas adoçadas durante um período de trinta dias, o primeiro em 1995 e o segundo em 1997. Também preencheram questionários sobre atividade física, televisão e vídeo game, para que os pesquisadores pudessem controlar estes fatores.

E bem aqui, antes de qualquer discussão sobre os resultados, vemos uma evidência gritante do preconceito do bem. Não houve levantamento sobre a leitura de livros ou os estudos das crianças — ambas atividades sedentárias. Por quê? Porque atividades sedentárias "virtuosas" raramente são consideradas como possíveis contribuintes para a obesidade. Maior volume de lição de casa leva à obesidade? Leitura leva à obesidade? Ninguém sabe, e você vai passar trabalho para encontrar *quaisquer* estudos sobre como a leitura de livros ou a dedicação aos estudos relacionam-se com a obesidade. O pensamento é mágico, puro e simples. Assim como origens malignas criam produtos insalubres, boas atividades possivelmente não podem levar a consequências ruins. O resultado são dados não confiáveis, distorcidos pelo preconceito do bem.

De volta ao estudo. Os resultados dos questionários foram correlacionados com o IMC. Para 37 crianças, o aumento das porções de bebidas adoçadas com açúcar foi preditivo de uma mudança de "não obeso" para "obeso", a uma taxa de 60% por porção. (Em outras palavras, as chances de que alguém iria de "não obeso" para "obeso" subiam 60% a cada porção de refrigerante que consumia.) Mas interpretar este resultado não é tão simples. Podemos confiar no autorrelato de crianças de 11 anos? Por que o estudo considerou a obesidade uma variável categórica (sim/não) ao invés de reportar o IMC como uma variável contínua? E quanto ao fato de que os níveis globais de obesidade para o grupo permaneceram constantes, o que significa que 37 crianças foram de obesas para não obesas? O leitor do estudo é deixado a quebrar a cabeça com esses mistérios.

Em ciência, ciência real, um estudo epidemiológico de treze anos atrás não produz um fato. Os planejadores da maioria dos estudos reconhecem isso. Os autores do artigo de 2001 da *Lancet* escreveram em sua discussão que a natureza observacional do estudo significa que ele "não pode provar causalidade". Suas descobertas, longe de estabelecer um fato, podem apenas "sugerir que o consumo de bebida adoçada com açúcar poderia ser um importante fator contributivo [à obesidade]".

Jornalistas responsáveis deveriam seguir essa linha. Mas não seguem. Como Allison aponta em seu artigo, a mídia frequentemente é culpada de preconceito do bem. Talvez o exemplo mais revelador venha do tratamento ao próprio Allison no documentário *Fed Up*. Primeiro os espectadores veem uma imagem sinistra de Allison e são informados de que ele recebeu substancial financiamento da indústria — US$ 2,5 milhões. (Seu longo histórico de publicações é omitido, assim como seu prêmio TOPS 2009 da Sociedade de Obesidade por realizações em pesquisa.) A seguir, vemos Allison sendo entrevistado. Quando Katie Couric pergunta como ele projetaria um estudo para analisar a relação de bebidas adoçadas com açúcar à obesidade, Allison faz uma pausa para ordenar seus pensamentos. Porém, não ouvimos seus pensamentos, porque a cena é cortada.

Corrupção, pura e simples, o filme está nos dizendo. Está tentando mostrar que, de um lado dessa guerra, liderado por Couric e Lustig, há um exército imparcial de cientistas e jornalistas lutando corajosamente contra o açúcar. Do outro lado estão os fantoches da indústria, como Allison, bolando termos como "preconceito do bem" para defender seus benfeitores corruptos.

Felizmente, existem médicos como David Katz — citado como consultor de *Fed Up* —, que lutam contra essa visão simplista. Após o lançamento de *Fed Up*, Katz escreveu uma coluna inteira defendendo a pesquisa de Allison e suas credenciais.[312]

"Financiadores privados não querem estudos para produzir um resultado específico?", pergunta Katz. "Isso não introduz preconceito?" Sim e sim, ele responde. Mas acrescenta uma ressalva importante: "O que é fácil ignorar é que o mesmo é válido para todos os financiadores e todos os pesquisadores".

Perguntei a Katz como se sentia sobre o documentário e sua mensagem antiaçúcar.

"As intenções são boas, mas eles se embrulharam no 'estamos aqui para salvar a pátria'", diz Katz. "E cometeram o erro clássico da Nova Era com a nutrição. Existe um problema colossal em enfocar um macronutriente e na mensagem 'tudo o que você ouviu até agora está errado'. Perpetua uma vasta confusão".

A vasta confusão perpetuada pelo ativismo hiperbólico antiaçúcar prejudica a credibilidade da ciência verdadeira, que é humilde, cautelosa e desconfia do fanatismo. A ciência rejeita mitos preto-e-branco estrelados por pesquisadores corretos lutando contra substâncias tóxicas e indústrias maléficas. A ciência envolve complexidade em todas as suas incertezas e não se pronuncia levianamente sobre fatos.

Permanecer não convencido de que a sua própria teoria de estimação é verdadeira requer uma força pessoal profunda, especialmente quando você vê como essa teoria poderia ser empregada para fazer algo de bom. O açúcar pode não ser mau, mas isso não significa que você deve comer exclusivamente no McDonald's, complementando suas refeições com refrigerante e doces — uma dura realidade diária para muitas crianças. Confrontados pelo enorme poder de marketing das empresas de alimentos, os profissionais da área médica podem ficar tentados a lutar com o que conseguirem.

"Se as pessoas pensarem que os alimentos são viciantes, isto é algo que vai transtornar os pais", Ziauddeen explicou durante nossa conversa sobre o potencial viciante do açúcar. "Conheço pesquisadores que estão abertos à ideia de vício alimentar como forma de atacar a indústria. Mas não acho que se queira enfrentar a indústria com base em ciência infundada".

## Coma açúcar, permaneça são

E isso nos leva de volta a Alice Waters e ao Pátio Escolar Comestível. Se as pessoas realmente são sérias sobre a mudança da cultura alimentar, elas têm que oferecer uma alternativa viável. Demonizadores de alimentos não fazem isso. Em vez disso, criam um mundo infernal com o qual estamos todos muito familiarizados: todo alimento é um demônio potencial — primeiro a gordura, depois o açúcar. Qual o próximo? Falar sobre comida desta forma é prejudicial. Cria pessoas neuróticas com o que comem, que veem os alimentos como puros ou impuros, naturais ou processados, bons ou maus. Tortas crocantes de maçã são viciantes, armadilhas mortais cheias de veneno. As cozinhas são abastecidas com inimigos que poderiam nos fazer mal. Os restaurantes tornam-se campos de batalha perigosos — Lustig escreve sobre como "sobreviver" ao comer fora. Em quem podemos confiar? O que podemos comer? É difícil saber quando cada ciclo de notícias traz outro estudo assustador e outro demônio potencial.

**Todo alimento é um demônio potencial... Falar sobre comida desta forma é prejudicial. Cria pessoas neuróticas com o que comem, que veem os alimentos como puros ou impuros, naturais ou processados, bons ou maus.**

Obviamente, algumas pessoas gostam de estar em guerra. Gostam de se sentir como os caras bonzinhos em uma batalha contra o mal. O mundo fica mais claro desse jeito, mais fácil de transitar, e cada escolha é infundida de significado, propósito e virtude. Puritanos viam pecado em toda parte — na música, na dança, em roupas coloridas e alimentos prazerosos. Em um mundo alimentar puritano, vemos perigos de saúde por toda parte. Cada escolha culinária está cheia de significado, propósito e virtude e ajuda o indivíduo a exercer controle sobre seu destino físico e moral. (Lembra de Vani Hari? Ela chama seus seguidores de "o exército da *Food Babe*".) Infelizmente, assim como não havia evidência de puritanos indo para o céu mais regularmente do que os outros, não há evidências de que viver em um cenário alimentar infernal de macronutrientes demonizados e substâncias químicas tóxicas faça qualquer coisa a não ser fazer você se sentir mais papista que o papa.

Então, por que não seguir um caminho diferente? Vamos renunciar ao alarmismo nutricional e enfocar em cozinhas calorosas, aconchegantes, repletas de aromas maravilhosos, cozinhas que todos os bons *chefs*, como os professores *chefs* do Pátio Escolar Comestível, sabem que devem ser abastecidas com açúcar — branco, puro e não mortal em absoluto. Paradoxalmente, a abordagem alimentar de Waters parece muito mais saudável do que a de *Fed Up* precisamente porque enfatiza a alegria, não a saúde. As receitas e planos de aula no site do Pátio Escolar Comestível não incluem fatos de nutrição. Centram-se em como preparar os ingredientes de forma adequada. O plano de aula de sexta série "Verdes sobre grãos" do ESY não é, como você poderia pensar, sobre a superioridade nutricional das verduras sobre os grãos; trata de como saltear verduras e servi-las sobre grãos habilmente preparados. O açúcar apresenta-se quando deve em sobremesas como a torta de maçã crocante.

"Queremos desacelerá-los", diz a professora *chef* Esther Cook. "Nossos alunos são tão estimulados com 'coisas' o dia inteiro que nem sempre param e têm a sensação de fazer coisas comuns por prazer".

Esta é a mesma abordagem adotada pelo *America's Test Kitchen*, a força por trás da revista *Cook's Illustrated*. Jack Bishop, diretor-executivo do *America's Test Kitchen*, explicou a decisão de sua equipe de omitir informações nutricionais em suas receitas.

"Os números são usados para demonizar receitas individuais", diz ele. "Não queremos uma coisa dessas".

Não são apenas números — a própria *ideia* do açúcar como uma toxina pode demonizar receitas, assim como pode ser usada para vender livros e documentários. Felizmente, essa ideia não tem mérito. Até a ciência alcançar a hipérbole, devemos nos juntar a Bishop e Waters e comer nossa torta crocante de maçã (até mesmo à moda!) sem culpa, sem medo de dependência ou impureza. E, já que não há provas de que ficar obcecado com o açúcar leva a uma saúde melhor, abater esse novo demônio alimentar parece ser a melhor maneira de impedir que ele nos enlouqueça.

CAPÍTULO CINCO

# O pecado do sal

## O quanto é difícil para você limitar o sal?

A nutricionista Sharon Salomon sempre disse a seus clientes para reduzir o sódio ao nível recomendado pelo governo. Como uma *chef* treinada, ela presumia que sua própria dieta já estivesse em conformidade. Ela preparava todas as suas refeições do zero. Jamais comia fast-food ou lanches de pacote. Tinha lido os estudos, como os descritos em *Sal, açúcar, gordura*, de Michael Moss, que atribuem o consumo estratosférico de sódio dos norte-americanos aos venenos processados e salgados do *Big Food*. Com certeza as diretrizes da FDA para o sal eram razoáveis, pensava Salomon, e motivo de preocupação era apenas para viciados em fast-food, não para pessoas saudáveis como ela.

Então Salomon foi diagnosticada com doença de Ménière. Vinculados ao acúmulo de líquido no ouvido interno, os sintomas da doença incluem perda da audição, tontura e náusea. Embora não haja cura, o tratamento padrão envolve a redução do consumo de sal ao máximo possível. De modo que Salomon começou a fazer as contas — e o que descobriu foi uma surpresa para ela. Acontece que os limites de sal propostos pelos defensores da saúde pública e pelo governo eram incrivelmente baixos — quase ao nível recomendado para alguém com Ménière. Como isso era possível?

A Associação Americana do Coração recomenda uma ingestão diária de 1.500 miligramas de sódio para todos, jovens e velhos, doentes e saudáveis.

(São feitas exceções para pessoas supersuarentas como atletas competitivos, trabalhadores de fundição e bombeiros).[313] O Centro de Controle de Doenças (CDC) e a FDA permitem mais, 2.300 miligramas. Mas apenas para 30% da população: afro-americanos, aqueles com hipertensão arterial e diabetes e pessoas com idade superior a 51 anos devem ficar nas 1.500 miligramas.

Por que os limites? A AHA diz que a ingestão de sal em excesso irá resultar em 500.000 a 1,2 milhão de mortes por doenças cardiovasculares que poderiam ser evitadas somente nos Estados Unidos.[314] Reduzir o consumo de sal, afirma a associação, irá reduzir a pressão arterial, ligada à má saúde do coração. Se os norte-americanos apenas ouvissem os conselhos da AHA, pouparíamos US$ 26,2 bilhões de gastos em cuidados de saúde. Supondo que tudo isso fosse verdade — o que não é —, o quão difícil seria cumprir as diretrizes?

Mil e quinhentos miligramas é um número grande. Pode parecer uma generosa quantidade de sódio, mas o norte-americano médio consome 3.500 miligramas, bem mais que o dobro desse número. Além disso, os norte-americanos médios são viciados em alimentos processados, glutões irracionais que poderiam muito bem aquecer *Cheez Whiz* no micro-ondas e beber do pote. É fácil supor que, se você simplesmente cortar os lanches processados e renunciar à cebola empanada do Outback, a redução de sódio acontece num piscar de olhos.

Será mesmo? Uma colher de chá de sal de mesa contém 2.300mg de sódio. Apenas três-quartos de uma colher de chá fazem você ultrapassar as diretrizes da AHA em 250 miligramas. *Três-quartos de uma colher de chá.* Vá em frente, meça na palma da mão. É surpreendentemente pouco.

"É doloroso", disse Salomon. "Mil e quinhentos miligramas significam absoluta e positivamente jamais comer em qualquer restaurante. A menos que você possa entrar e dizer: 'Por favor, não coloque sal na minha água; por favor, não coloque sal no meu hambúrguer; por favor, não coloque sal nas minhas batatas fritas; por favor, não coloque sal na minha salada'".

Estas diretrizes não se referem a sódio *adicionado*. Referem-se à sua ingestão diária *total*. Seja como for, Salomon está subestimando a rigidez das diretrizes, que são quase impossíveis de seguir, mesmo na mais austera das dietas. Considere o plano de alimentação defendido pelo médico norte-americano e guru das dietas John McDougall.[315] O Dr. McDougall começa com alimentos não processados, vindos diretamente da natureza: amidos (como arroz e batatas), verduras e frutas. Isso dá cerca de 500mg de sódio, a menos que você tenha se esbaldado e escolhido couve chinesa, cenoura, aipo ou beterraba, que empurram o número mais para cima. Salpicar meia colher de chá de sal sobre essas delícias salgadinhas adiciona 1.100mg de sódio, levando sua ingestão diária total de sódio para 1.600mg. O plano é extremo: baixo teor de gordura, baixo teor de sódio e vegano — e ainda assim excede o máximo da AHA.

Vou dizer de novo: uma dieta básica de amidos, legumes e frutas, mais *meia colher de chá de sal*, deixa você 100mg *acima* da ingestão diária de sódio recomendada pela Associação Americana do Coração. Adicione mais meia colher de chá de sal e você está acima da generosa cota de 2.300mg do CDC.

**Uma dieta básica de amidos, legumes e frutas, mais *meia colher de chá de sal*, deixa você 100mg *acima* da ingestão diária de sódio recomendada pela Associação Americana do Coração.**

"A maioria das pessoas nunca nem olhou o que é uma colher de chá de sal", diz Salomon. "Quando você coloca na palma da mão e olha, é espantoso. Jamais poderei comer comida chinesa, que é a minha favorita"

Se 1.500 miligramas agora soam impraticavelmente baixo, você vai achar estranho que, em 1977, o Comitê Especial do Senado dos Estados Unidos sobre Nutrição e Necessidades Humanas disse aos norte-americanos para consumir não mais que 3 gramas de sal por dia — o que resulta em *1.240 miligramas de sódio*![316] Seguir as diretrizes do comitê teria exigido que as pessoas abandonassem qualquer coisa parecida com cultura culinária e adotassem uma dieta radical de frutas, vegetais, amidos sem sal e carnes não curadas.

Uma recomendação dessas só poderia ser justificada pelo esmagador consenso científico sobre os extraordinários riscos do sódio à saúde, combinados com uma profunda consideração sobre a viabilidade de sua observância.

Todavia as diretrizes de 1977 não refletiam um consenso científico esmagador, tampouco nosso atual limite de 1.500–2.300mg reflete. É difícil acreditar que até mesmo os planejadores dessas políticas tenham tentado seguir suas próprias recomendações. (Certamente eles não mencionam coisa alguma sobre o quanto isso é penosamente difícil.) Ao que parece, eles tampouco pensam nas consequências para milhões de norte-americanos aterrorizados, tentando desesperadamente seguir as normas e fracassando.

O movimento antissódio deve seu sucesso aos Cruzados e a mitos, não à ciência. Cruzados convencidos de que detêm a chave para a salvação tendem a ser impacientes, dogmáticos e avessos a refletir sobre as consequências negativas do que pregam. E os mitos são convincentes apesar das evidências e não por causa delas. Juntos, mito e cruzada deram-nos um evangelho de diretrizes extremamente difíceis e cientificamente infundadas sobre quanto sal comer.

Mas não tenha medo. Depois de uma boa dose de ceticismo e de história, você vai salpicar sua comida com sal sem culpa — e, como qualquer bom cozinheiro sabe, o sabor será bem melhor que o das abominações de baixo teor de sódio aromatizadas com ervas secas e suco de limão.

## Sal, o velho inimigo

Em um comentário de 2013 para a revista *Epidemiology*, Jiang He e Tanika Kelly, da Universidade de Tulane, asseguram que a ligação entre sal e má saúde remonta há milênios.[317] Eles afirmam que a literatura médica chinesa antiga conectou o sal à pressão alta há quase 5.000 anos. O artigo abre com uma citação impressionante do *Huangdi Neijing*, ou *O clássico da medicina interna do Imperador Amarelo*: “Portanto, se muito sal é usado na comida, o pulso endurece”.

A frase, amplamente repetida na literatura sobre sal e pressão arterial, tem um grande poder persuasivo. Até mesmo o antigo Imperador Amarelo sabia que essa coisa iria matá-lo! Evidência convincente, certo? Errado. Errado sob muitos aspectos.

Primeiro: o *Huangdi Neijing* não diz tal coisa. A origem da citação é na verdade uma antologia de 1956 chamada *Classics in Arterial Hypertension* (*Clássicos em hipertensão arterial*), compilada por Arthur Ruskin, MD, da Universidade do Texas.[318] Fica-se a indagar de onde Ruskin tirou a citação, já que está longe de ser encontrada no texto chinês. Quando verifiquei o original, a única passagem que poderia ser interpretada como referindo-se à pressão arterial elevada — excesso de *yang qi* — recomendava tratamento com *aumento* de sal.[319]

Mas isso não vem ao caso. O verdadeiro problema é a inclusão da citação em um artigo acadêmico. Mesmo que a citação estivesse exata, ela exemplifica um dispositivo retórico perigoso e enganoso, conhecido como argumento da antiguidade. Argumentos da antiguidade têm peso, merecidamente, no campo da teologia, onde declarações podem ser verdadeiras simplesmente em virtude de terem sido proferidas por antigos profetas ou escritas em textos revelados. Contudo, na ciência da nutrição, a sabedoria dos antigos orientais não merece especial atenção a menos que estejamos dispostos a reconsiderar o valor medicinal da sangria, da cura pela fé e, o meu favorito, "banho em fezes de cachorro para exorcizar um demônio".[320] O argumento da antiguidade é apenas uma versão do mito do paraíso passado. Em vez de uma era há muito perdida, quando as pessoas *viviam* bem, o argumento da antiguidade apela a uma era há muito perdida quando as pessoas *pensavam* bem, romantizando a sabedoria dos antigos juntamente com seu estilo de vida. Citar o Imperador Amarelo prejudica nossa capacidade de avaliar as evidências de modo objetivo.

Aprenda a ignorar estes argumentos: eles são um recurso típico dos vendedores de poções milagrosas. Quando você não tem provas reais, é fácil encontrar uma versão de sua teoria em algum livro antigo. Sábios chineses de barba comprida, mulheres velhas e sábias prescrevendo remédios naturais tradicionais — estes são personagens de contos de fadas, não fontes confiáveis de informações médicas.

Claro que os antigos com certeza toparam com algum conhecimento médico legítimo. A casca de salgueiro era usada na medicina tradicional chinesa para tratar a dor, e ela contém salicilina, produto químico similar à aspirina (ácido acetil*salicílico*). Galeno dizia a seus pacientes obesos para comerem menos. Mas os antigos também preencheram as lacunas de seu conhecimento com possessão demoníaca, astrologia, medicina humoral e inúmeros outros princípios que corretamente abandonamos.

Esse não é o único mito que compõe nossa atual atitude restritiva em relação ao sal. O princípio da campanha antissal na América remonta a uma outra versão do mito do paraíso passado: *o mito do bom selvagem*. Enquanto o argumento da antiguidade garimpa o passado em busca de sabedoria, o mito do bom selvagem olha as "culturas primitivas" sobreviventes nos dias de hoje em busca de orientação sobre como pensar e viver. Ao evitar a modernização, os bons selvagens apresentam-nos uma personificação viva do paraíso passado. E acontece que as diretrizes do sal de 1977 emitidas pelo Comitê Especial do Senado dos Estados Unidos foram inspiradas em grande parte pela crença de um cientista de que os bons selvagens mantinham seus corações saudáveis com uma dieta de baixo teor de sal. Agora vivemos com as consequências de terem embrulhado esses mitos em ciência especulativa.

Vamos desembrulhar isso e ver como viemos parar aqui.

## Um milagre do baixo teor de sódio

Foi preciso um milagre para fazer as pessoas suspeitarem do sal. Apesar da suposta antiguidade da conexão entre sal e pressão alta, o sal na verdade foi um acessório culinário amado até meados do século XX, desempenhando um papel indispensável na conservação e aromatização de alimentos em todas as culturas. O sal também tinha um histórico distinto na medicina.[321] Os antigos gregos e romanos prescreviam garum, um molho de peixe fermentado salgado, para distúrbios digestivos, dor ciática, tuberculose e enxaquecas. Os maias misturavam sal com óleo para tratar a epilepsia e com mel para aliviar as dores do parto. Na Idade Média, o sal era usado para tratar dor de dente, estômago indisposto e "peso na mente".[322]

O primeiro estudo a sugerir o lado mais sombrio do sal veio em 1904.[323] Dois médicos franceses, Leo Ambard e Eugene Beaujard, verificaram que o aumento da ingestão de sal por oito de seus pacientes estava associado à retenção de sódio e maior pressão arterial. Então, em 1920, um clínico chamado Frederick M. Allen testou a eficácia da redução do sal em vinte pacientes cronicamente hipertensos e publicou seus resultados no *Journal of the American Medical Association*. Allen observou que restringir severamente o sal proporcionara "grandes" benefícios na hipertensão. Observou também que muitos de seus pacientes tinham histórico de alto consumo de sal, o que fortaleceu ainda mais sua hipótese da ligação entre ingestão de sal e pressão arterial elevada. Apesar desta avaliação, Allen emitiu uma nota de advertência que a história parece ter ignorado: "Uma dieta razoavelmente satisfatória e ao mesmo tempo suficientemente pobre em sal não é tão fácil de se organizar quanto pode parecer".[324]

Esses estudos significam muito pouco. Nenhum deles foi cego, nem controlado. O tamanho das amostras era extremamente pequeno. Em consequência, nos anos seguintes ao trabalho de Allen, vários artigos debateram os méritos da conexão sódio–pressão arterial e julgaram as evidências inconclusivas.[325] Um enorme compêndio de conhecimento médico muito vendido no início do século XX, chamado *The Library of Health* (*A biblioteca da saúde*), observa que, para tratar a hipertensão arterial, é "geralmente reconhecido que carnes de todos os tipos devem ser consumidas com moderação e bebidas alcoólicas não devem ser usadas".[326] Não é feita menção à redução da ingestão de sal — embora os autores sugiram o uso de sal para tratar dor de dente. (Eles também alertam para a toxicidade do açúcar e recomendam o mel como uma alternativa mais saudável.)

A verdadeira mudança da opinião pública e científica sobre o sal começou com notícias de milagres da medicina no Centro Médico da Universidade Duke. Em 12 de junho de 1944, a Associated Press relatou que Walter Kempner, da Universidade Duke, tinha curado os cegos e erguido os (legalmente) mortos:

> Um novo tratamento para pressão alta, totalmente sem drogas, por meio de uma dieta de arroz e sucos de frutas, foi apresentado hoje na Associação Médica Americana. A dieta é basicamente de arroz, cozido na água ou no vapor, além de sucos de frutas em abundância, suplementada com vitaminas e ferro.

> Vários pacientes da Duke estavam muito doentes. Alguns eram cegos e tinham coração dilatado. [...]
>
> Houve fracassos, e, de um grupo de 127 pacientes, 16 morreram. Mas alguns sucessos foram espetaculares. Um paciente enviado para o hospital com boletim de autópsia já assinado recuperou-se.[327]

Na época, ninguém tinha ouvido falar de Kempner. Dez anos antes, fugindo da Alemanha de Hitler, o médico de 31 anos de idade obteve uma vaga no corpo de pesquisa da Duke. Durante seus primeiros anos na América, Kempner praticou o inglês e pesquisou o efeito da privação de oxigênio nas células vermelhas do sangue.[328] Na década de 1930, filhotes de jacaré eram a melhor fonte de células para essa pesquisa, e os assistentes de Kempner ocasionalmente carregavam os animais no bolso do jaleco. Os jacarés provavelmente eram mais divertidos do que Kempner, a quem um paciente mais tarde descreveria como "um homem severo e ditatorial, sempre vestido da mesma forma, com blazer azul e calças brancas — como um avô nazista".

A pesquisa de Kempner sobre privação de oxigênio levou-o a desenvolver uma teoria de insuficiência renal. Como outras células que ele estudou, as células do rim dependiam do oxigênio para funcionar, então sua disfunção poderia dever-se à redução do suprimento sanguíneo para os rins. De acordo com esta lógica, uma possível forma de curar os rins seria reduzir drasticamente sua carga de trabalho e ao mesmo tempo aumentar o fluxo geral de sangue. Kempner sugeriu que isso poderia ser obtido com uma dieta de baixos teores de gordura e proteína — que são difíceis de processar pelos rins — e quase sem sódio, que alguns especulavam que poderia impedir o fluxo do sangue por aumentar a retenção de líquidos.

Em 1939, Kempner começou a recrutar pacientes com casos de doença renal crônica e alimentá-los com sua recém-formulada "dieta do arroz": uma tigelinha de arroz branco com uma porção de frutas frescas no café da manhã e versões maiores do mesmo para o almoço e jantar. Cinco anos depois, ele apresentou seus resultados à Associação Médica Americana em Chicago, acompanhados de uma bateria de raios-x e fotografias.[329] Sessenta e seis corações inchados reduzidos. Cento e sete casos de hipertensão revertidos. Vinte e um casos de retinopatia curados. Do Grupo de controle inicial de 192 pessoas, 25 morreram, 60 não tiveram melhoras, o que soa mal até você comparar os resultados globais de Kempner com a expectativa de vida típica de seis meses de pacientes com hipertensão maligna não tratada.[330]

A AMA não compartilhou do entusiasmo inicial da mídia. Os céticos acusaram Kempner de falsificar dados, e, em consequência, o *JAMA* recusou-se a publicar seu estudo.[331] No entanto, os pacientes de Kempner atestaram a eficácia da dieta do arroz, e outros médicos testaram-na com sucesso semelhante. Em 1946, Kempner apresentou seus resultados novamente, desta vez à Academia de Medicina de Nova York, onde seu trabalho foi muito melhor recebido. Embora o mecanismo da dieta do arroz permanecesse obscuro, em breve não restaria dúvida de que a abordagem de Kempner resultava em recuperações miraculosas para pacientes com doença renal crônica.

Neste sentido, o tratamento com a dieta do arroz — e os relatos das recuperações miraculosas — assemelhava-se ao tratamento com a dieta da banana de Sidney Haas para pacientes celíacos. Quando Hass começou seu tratamento, ninguém, inclusive Haas, sabia exatamente por que pacientes celíacos se recuperavam com a dieta da banana, embora se recuperassem mesmo de forma deveras milagrosa. Uma vez que Haas acreditava que as bananas eram o segredo de sua dieta, o público e os médicos concluíram precipitadamente que as bananas deveriam ter benefícios para a saúde muito além do tratamento da doença celíaca.

Exatamente a mesma coisa aconteceu com a dieta do arroz de Kempner, mas com uma diferença crucial. Tão logo um médico chamado Lewis K. Dahl pensou ter identificado o segredo da dieta do arroz em 1950 — o baixo teor de sódio —, ele extrapolou rapidamente os benefícios desse segredo de saúde para a população em geral.[332] Porém, ao contrário das bananas, cuja reivindicação à fama dependia inteiramente de seu papel no tratamento da doença celíaca, o evangelismo das dietas de baixo teor de sódio de Dahl extraiu força do mito do bom selvagem. Seu legado perdura até hoje, apesar de inúmeros cientistas céticos que preferem evidências a mitos e que verificaram a falta de evidência desde o início da argumentação de Dahl.

## Bons selvagens sem sal

Em 1950, tendo ouvido falar do sucesso da dieta do arroz, o Dr. Lewis K. Dahl, do Instituto Rockefeller de Pesquisa Médica, decidiu descobrir por que ela funcionava. Dahl e sua equipe selecionaram seis pacientes para uma residência contínua de seis meses em uma enfermaria metabólica, o que deu aos pesquisadores controle total sobre as dietas dos participantes. Embora os pacientes permanecessem restritos a arroz e frutas, foram autorizados a variar o consumo calórico e a ingestão de sódio. Depois de examinar as flutuações de pressão arterial experimentadas pelos pacientes, Dahl viu uma clara correlação com a ingestão de sódio: mais sódio significava pressão arterial mais alta.[333]

Dahl buscou a conexão entre sódio e hipertensão com vigor nos vinte anos seguintes. Em 1954, ele analisou levantamentos sobre "raças humanas verdadeiramente primitivas" e descobriu algo extraordinário.[334] Embora provenientes de ambientes radicalmente diferentes — esquimós da Groenlândia, aborígenes australianos, tribos chinesas das montanhas e índios kuna do Panamá —, todos tinham algo em comum: praticamente não havia casos de hipertensão!

O mito de que raças "selvagens" eram mais saudáveis do que povos civilizados já estava bem firmado. É, afinal de contas, o corolário lógico do paraíso passado: se a vida era melhor e mais saudável no Jardim do Éden, antes de as pessoas serem civilizadas, então pessoas não civilizadas também deveriam levar uma vida melhor e mais saudável. Iniciado no século XVIII, o mito do bom selvagem coloriu os relatos sobre nativos norte-americanos produzidos por médicos como Benjamin Rush, o pai fundador e defensor da temperança que encontramos no capítulo anterior. Dê só uma olhada na descrição de Rush do parto entre os índios "selvagens" da América do Norte: "A Natureza é a única parteira. Os trabalhos são curtos e acompanhados de pouca dor. Cada mulher [dá à luz] em uma cabana privada, sem nem mesmo uma de seu próprio sexo para atendê-la. Depois de se lavar em água fria, em poucos dias ela retorna a seus afazeres habituais".[335] O relato é risivelmente improvável, a menos que você leve em conta a Bíblia, onde as dores do parto são o castigo de Deus por se comer da árvore do conhecimento. Claro que Rush, religioso devotado, estava disposto a acreditar que mulheres não civilizadas selvagens simplesmente expeliam as crianças sem dor! (Rush também foi um dos primeiros a descrever a dieta dos nativos americanos como inteiramente sem sal "até serem instruídos a [usar sal] pelos europeus".[336] Isso não é inteiramente verdade — alguns povos indígenas norte-americanos na verdade tinham divindades do sal, e a coleta de sal era um ritual religioso.)[337]

No tempo de Dahl havia discordância generalizada sobre por que os povos primitivos eram tão saudáveis. Uma teoria apelou para a simplicidade de suas vidas: viva fora do sistema e você vai se sentir melhor. Dahl não engoliu essa e salientou que os selvagens constantemente lutavam contra a fome, travavam guerras com regularidade e viviam sob o peso opressivo de "tabus e pressões sociais".

Em vez disso, Dahl viu evidências para confirmar sua hipótese de estimação. "Foi interessante", escreveu no artigo de 1954, "verificar que um fator comum a todos os grupos primitivos sobre os quais haviam dados disponíveis era a baixa ingestão de sódio na dieta". Os selvagens podiam ser estressados, mas a dieta de baixo teor de sal mantinha a pressão arterial baixa.

O artigo de Dahl e outros baseados nele foram amplamente citados e altamente influentes. Em 1969, Dahl apresentou-se ao Comitê Especial de George McGovern sobre Nutrição e Necessidades Humanas relatando um conto sobre selvagens sem sal. Cuidando para não exagerar na argumentação, Dahl ainda assim considerou justificado recomendar uma ação política com base em ciência incerta:

> Temos evidências sugerindo que, entre sociedades com uma dieta crônica de alto teor de sal, a hipertensão é muito mais fre-

quente do que entre sociedades nas quais a ingestão de sal é baixa. Tais evidências circunstanciais por si não estabelecem uma relação de causa-efeito, mas, em conjunto com outros dados, levaram-nos a propor que a ingestão crônica de sal em excesso pode desempenhar um papel causal na hipertensão humana.[338]

Não importa que as evidências circunstanciais de Dahl fossem cientificamente frágeis. Não importam as dificuldades enfrentadas pelos epidemiologistas modernos na obtenção de dados confiáveis sobre a pressão arterial e a dieta de grandes populações, muito menos as daqueles que na década de 1950 trabalhavam com "culturas primitivas". E não importa a enorme diferença entre *tratar* a hipertensão com uma dieta de baixo teor de sal e *prevenir* a hipertensão com uma dieta de baixo teor de sal. Os bons selvagens de Dahl preencheram a lacuna entre ambas, e um novo demônio alimentar nasceu.

## Salvem as crianças

O círculo de vítimas potenciais do sal cresceu em ritmo alarmante. Parte da pesquisa de Dahl sobre os males do sal envolveu a reprodução de uma cepa de ratos sensíveis a sal, nos quais ele induziu a hipertensão alimentando-os com comida para bebê industrial contendo sódio adicionado. Em abril de 1970, os jornais veicularam uma reportagem da *Associated Press* sobre as descobertas de Dahl sob manchetes assustadoras como "Sal na comida de bebês pode ser prejudicial, diz pesquisador".[339] A reportagem citou Dahl chamando a papinha salgada de "um tipo de risco desnecessário".

Mas a opinião de Dahl era apenas isso — uma opinião. Outros não compartilhavam dela: um comitê de 1970 da Academia Nacional de Ciências declarou que não havia "nenhuma evidência" a favor da limitação do consumo de sal infantil.[340] Estranhamente, a falta de evidências não impediu membros da academia de sugerir que o sal adicionado fosse restringido nos alimentos para bebês. Embora uma ação inofensiva em si, a sugestão reforçou a periculosidade do sal aos olhos do público — assim como a sugestão do Conselho Nacional de Pesquisa de eliminar o MSG das fórmulas infantis fez com o MSG no mesmo ano.

Sete anos mais tarde, o senador McGovern convocou as audiências de nutrição "Doenças mortais relacionadas à dieta". Em grande parte, com base na pesquisa de Dahl, as audiências resultaram na primeira dose diária de sal recomendada da nação: apenas meia colher de chá por dia. Dado o perigo percebido para as crianças, a recomendação era politicamente vantajosa, se não cientificamente justificada. E mais uma vez, assim como com o MSG, as empresas cederam às pressões de mercado, apesar da falta de evidências. Em 1977, a Baker/Beech-Nut apresentou uma nova linha de "alimentos para bebê naturais", sem sal adicionado,[341] e a Heinz seguiu o exemplo, eliminando o sal adicionado de todas as suas 108 variedades de comida para bebês.

## *Déjà vu* de demônio alimentar

**Quando o sal se tornou artificialmente abundante como um produto da civilização, foi tudo para o inferno.**

A subsequente história da demonização do sal recapitulou praticamente cada mito alimentar imaginável. Uma maneira de atacar o sal foi descrever nosso apetite por ele como "antinatural", mais uma variação do mito do paraíso passado. Alinhados com os partidários antiaçúcar e antigrãos, os partidários antissal argumentam que a evolução aperfeiçoou nossos antigos ancestrais para viver de forma natural em um ambiente pobre em sal. Como os selvagens do tempo de Dahl, aqueles seres humanos primitivos ideais desfrutavam de boa saúde e pressão arterial baixa até a modernidade arrancá-los de seu paraíso natural. Quando o sal se tornou artificialmente abundante como um produto da civilização, foi tudo para o inferno. Nas palavras de um artigo de 1978 do *American Journal of Clinical Nutrition*: "Ao longo de toda a história da humanidade, o sal foi escasso, e o homem nunca teria sobrevivido sem o desenvolvimento de mecanismos reguladores para reter sal em seu corpo. Apenas nas últimas centenas de anos o sal tem sido abundante. O corpo humano não estava equipado para lidar com a quantidade antinatural de sódio na dieta".[342]

Alinhado com este mito havia a ideia alarmante de que as crianças nascem inocentes no gosto por sal, apenas para serem corrompidas por nosso mundo moderno maléfico. Os bons selvagens e os povos primitivos mantinham sua inocência — e sua saúde — evitando a civilização. Crianças nascidas em nossos tempos modernos tóxicos não são tão sortudas. Em *Sal, açúcar, gordura*, Michael Moss ecoa o estudo de 1978, aproveitando a noção de gosto adquirido por quantidades supranormais de sal para fazer um retrato sinistro de empresas processadoras de alimento envenenando jovens e contaminando suas tendências naturais. Crianças não nascem gostando de sal, Moss salienta. Elas são *ensinadas* a gostar de sal por corporações gananciosas e, ao chegar aos seis meses de vida, sua depravação não conhece limites. O vício do sal leva criancinhas a "lamber o sal da superfície dos alimentos" e até "comer sal puro".

Como já estamos habituados a esperar, essa história de desabono alimentar precisa de um Satanás, e os partidários antissal encontraram o deles, como de costume, na indústria alimentícia. Mais uma vez apareceu a familiar e enganosa analogia com o tabaco. O próprio Lewis Dahl comparou a relação entre tabagismo e câncer à relação entre sal e hipertensão já na década de 1970.[343] Durante a década de 1980, jornais britânicos divulgaram estudos custeados pela indústria sobre o sal e a manipulação política.[344] E, em 1996, a editora adjunta do *British Medical Journal* Fiona Godlee efetivamente rotulou todos os céticos antissal como fantoches da indústria. "A indústria alimentícia tem tudo a ganhar mantendo viva a controvérsia", ela escreveu.[345] "Contudo, se [o governo britânico] fala sério sobre reduzir as mortes prematuras por câncer e doença cardíaca, será necessário ignorar as vozes de interesses manifestos e ouvir os conselhos de seus peritos independentes".

Recentemente, em setembro de 2014, Marion Nestle, da NYU, deu seguimento à tradição, atacando um editorial publicado pela Dra. Suzanne Oparil no *New England Journal of Medicine*. Oparil, escrevendo sobre três novos estudos, concluiu que "os resultados argumentam contra a redução do sódio alimentar".[346] Nestle sabia que não podia ser verdade; a indústria alimentar maléfica obviamente era culpada. Ao invés de abordar os pontos de Oparil, ela invocou a mítica batalha entre as grandes corporações alimentícias e os consumidores inocentes.

"Embora a Dra. Oparil relate receber subsídios ou honorários de empresas que produzem drogas anti-hipertensivas — e, ainda mais notável, do Instituto do Sal —, ela afirma que não tem conflitos de interesses", escreveu Nestle em seu blog.[347] "Eu acho que tem".

## O preconceito está de volta

Quando se trata de sal, Godlee e Nestle são enganadas pelo mesmo preconceito do bem que leva à demonização irracional do açúcar. Elas procuram validar um mito no qual os céticos antissal são lacaios da indústria maléfica, e os partidários antissal são defensores imparciais e do bem. Ainda assim, desde que Dahl sugeriu pela primeira vez uma relação causal entre consumo de sal e hipertensão, a conexão deparou com rígida resistência imparcial baseada na ciência. Trabalhos concedendo credibilidade para ambos os lados do debate continuaram a ser produzidos. Um dos estudos mais importantes neste contexto foi o Intersalt de 1988, que examinou 10.079 pessoas de 32 países. Primeiro, os resultados foram discutidos no *British Medical Journal*, e especialistas chegaram a conclusões diametralmente opostas sobre os mesmos dados, uma ocorrência comum no mundo da ciência da nutrição.[348]

Os próprios pesquisadores do Intersalt relataram uma correlação entre baixo consumo de sal e pressão arterial baixa. Mas seu relatório saiu acompanhado de uma refutação de John Swales, editor fundador do *Journal of Hypertension*. Swales chamou as correlações de "fracas", contrastou a ambiguidade dos efeitos do sal com a inequivocidade dos efeitos do álcool e disse esperar que os dados ajudassem a conter o "fervor evangélico" dos partidários antissal.[349]

"Devemos nos precaver contra a divulgação de conselhos prescritivos", advertiu Swales, "baseados em relações epidemiológicas fracas. [...] Os médicos não devem executar uma lobotomia intelectual que equipara significância estatística com importância biológica, fisiológica ou quantitativa".

Mas as pessoas querem saber o que devem comer, e o desejo de ser purificado, salvo da doença e da morte, leva-nos a exigir — e descobrir— regras que vão além do que as evidências atestam. Estas regras são reforçadas por mitos — de corporações maléficas, de bons selvagens e de um paraíso do passado — e promulgadas por evangelistas.

A verdade é muito mais complicada. Não há dúvida de que a indústria cria pesquisas tendenciosas. Não obstante, as universidades de pesquisa também podem ser "interesseiras". Do mesmo modo os cientistas individuais, cujo desejo de descobrir novas verdades pode levar a interpretações tendenciosas de seus próprios dados. Lobbies da indústria influenciam a ciência e a política pública, e isso é uma coisa ruim. Mas rejeitar toda a ciência que se alinha com os interesses da indústria permitiu — e continua a permitir — que os adversários do sal ignorem a dissidência legítima.

De qualquer forma, a dissidência legítima definitivamente existe, independente da pressão da indústria. Em 1998, Gary Taubes trouxe essa dissidência à luz em uma reportagem candente para a *Science* intitulada "A ciência (política) do sal".[350] Após extensas entrevistas e pesquisas, Taubes concluiu que de fato havia uma grave falta de consenso científico sobre os efeitos do sal, prejudiciais ou quais fossem.

Parte do problema, ele argumentou, era a plausibilidade fisiológica intuitiva do caso contra o sal: coma mais sal e seu corpo reterá mais água para manter a homeostase. Retenção de água, por sua vez, leva a um aumento da pressão arterial, o que fornece uma explicação simples da conexão. Porém, como observou Taubes, o mecanismo homeostático que regula a pressão arterial é na verdade imensamente complexo e pouco compreendido. Quase vinte anos depois de seu artigo, as teorias sobre como o sal afeta essa homeostase permanecem altamente especulativas. Em 2012, pesquisadores da Universidade de Boston concluíram que a "hipertensão induzida pelo sal não é atribuível à expansão do fluido intravascular" — um afastamento total da hipótese da retenção de água.[351] Artigos publicados desde então consideram uma variedade de teorias alternativas, nenhuma delas nem perto de conclusivas.

Os efeitos médicos do sal foram e ainda são uma questão de debate. Em um levantamento exaustivo de 2012 sobre as guerras do sal, coescrito por um epidemiologista e dois sociólogos da saúde na Universidade de Colúmbia, os autores concluem que a incerteza científica sobre o sal foi sistematicamente deixada de fora das decisões políticas, um "erro que não serve nem aos propósitos da ciência, nem à boa política pública".[352] E, em agosto de 2014, o *New York Times* publicou um artigo do Dr. Aaron Carroll, professor de pediatria da Universidade de Indiana, no qual ele examinou novos estudos sobre o sódio e concluiu que havia "surpreendentemente pouca lógica"[353] nas diretrizes atuais do sal — a mesma conclusão a que chegou Suzanne Oparil, financiada pela indústria e a quem Nestle criticou como tendenciosa.

**Organizações como a AHA e o CDC mantêm suas recomendações de baixo teor de sódio inalteradas diante de evidências contraditórias.**

Enquanto isso, organizações como a AHA e o CDC mantêm suas recomendações de baixo teor de sódio inalteradas diante de evidências contraditórias. Desde setembro de 2014, por exemplo, o CDC recomenda que todos os adultos com 51 anos de idade ou mais e todos os afro-americanos reduzam a ingestão de sódio para 1.500mg.[354] Recomendam isso apesar de um estudo do Instituto de Medicina de 2013, *encomendado pelo próprio CDC*, não ter encontrado nenhuma evidência em favor de tratar idosos ou afro-americanos de forma diferente do resto da população.[355] As recomendações permanecem em vigor apesar do IOM não ter encontrado nenhuma evidência de que a redução do sódio para menos de 2.300 miligramas seja benéfica para qualquer um. E permanecem em vigor apesar de um estudo canadense de 2014 ter verificado que os níveis mais seguros de consumo de sódio são entre 3.000mg e 6.000mg.[356] E o que é ainda mais preocupante: tanto o estudo canadense quanto o estudo do IOM concluíram que comer muito pouco sódio — a quantidade recomendada pelo CDC e a AHA — poderia na verdade *aumentar* o risco de problemas cardiovasculares. (Os norte-americanos consomem em média 3.400mg, próximo da extremidade inferior do espectro seguro e bem abaixo da média global de 3.950mg).[357]

Então por que o CDC e a AHA não admitem a incerteza mesmo com o potencial custo à saúde pública? Talvez porque ditar regras alimentares, papel sagrado que certa vez foi de domínio dos sacerdotes, contribui para um complexo de salvador. Os salvadores devem permanecer inabalavelmente certos a respeito de sua missão. Não podem reverter posições, porque fazer isso mina sua autoridade aos olhos dos seguidores. E, no caso de regras alimentares que exigem substancial força de vontade para serem seguidas — como reduções drásticas do sódio —, qualquer incerteza por parte de quem faz dieta pode levar ao fracasso. Melhor esconder a ambiguidade científica do que comprometer a força de vontade dos seguidores.

O complexo de salvador dos gurus das dietas recebe bem menos atenção do que os conflitos de interesse da indústria de alimentos, mas podem ser igualmente perigosos. Mesmo os melhores cientistas e instituições são suscetíveis. Para um caso extremo, veja Walter Kempner, o realizador de milagres da Universidade Duke e fundador da dieta do arroz. Ele também tinha um conflito de interesse não declarado.

## O deus da cidade dos gordos

Após o tratamento de insuficiência renal crônica com a dieta do arroz, Kempner ficou famoso na comunidade médica. No entanto, o verdadeiro status de celebridade resultou de um efeito colateral da dieta do arroz:

a perda de peso extrema. Em questão de anos, o grosso dos visitantes da clínica de Kempner ia lá para emagrecer. Kempner ficou conhecido como o doutor da dieta do arroz, tendo seu regime monástico endossado por uma galeria de ícones culturais, entre eles o artista Burl Ives, o comediante Buddy Hackett, o trompetista Al Hirt, Mario Puzo, Dom DeLuise, inúmeros jogadores da NFL e até mesmo o juiz da Suprema Corte Stanley Reed. Nomes familiares ao público elogiavam os métodos de Kempner no *Tonight Show* e nas páginas do *Ladies' Home Journal* e da *Good Housekeeping*.

Por volta de 1960, o Centro de Dieta do Arroz, incrivelmente popular, tinha garantido a Durham, na Carolina do Norte, os apelidos de "Cidade dos Gordos" e "Capital Mundial da Dieta". Também garantia milhões de dólares para a Universidade Duke, não incluindo os US$ 8 milhões que Kempner doou ao centro médico no início de 1997, poucos meses antes de morrer.[358] Funcionários municipais estimam que a dieta do arroz contribuiu com até US$ 30 milhões anuais para a economia local.[359] Era tanta gente de dieta — os "arrozeiros" — afluindo para a cidade que os residentes se referiam aos aviões como "voos das gordurinhas" e à piscina do *Duke Towers Apartaments* como "observatório de baleias".

Porém, em outubro de 1997, o status póstumo de Kempner como um amado guru da perda de peso e defensor da ligação entre o sódio e a hipertensão de repente ficou a perigo. Jornais de todo o país retomaram uma história chocante de abuso e lavagem cerebral que viera à luz em 1993,[360] quando a ex-paciente Rebecca Reynolds processou Kempner por negligência.[361] Sua queixa não foi a primeira. De fato, veio à tona que em 1975, alegações de outros pacientes levaram o vice-presidente para assuntos de saúde do Hospital de Duke a banir Kempner das instalações rápida e silenciosamente, mantendo, no entanto, a relação financeira com ele. O acobertamento funcionou, e Kempner não sofreu com mais repercussões até Reynolds decidir falar.

E ela falou para valer. No depoimento, ela descreveu como chegou ao Centro de Dieta do Arroz em 1970, insegura e acima do peso, apenas para ser forçada por Kempner à posição de "virtual escrava/serva sexual".[362] Nos primeiros cinco meses foi tudo bem, e Reynolds, com 20 anos de idade, perdeu 22 quilos. Mas então ela aumentou um pouco de peso. Quando descobriu, Kempner supostamente instruiu Reynolds a tirar as calças e a roupa de baixo e a seguir açoitou-a com um chicote. (Em seu depoimento Kempner admitiu chicotear uma série de mulheres, incluindo Reynolds, mas insistiu que elas pediam.)

"Eu chorava porque pensava que fosse má e merecesse ser chicoteada", disse Reynolds em seu depoimento.[363] "Naquele ponto, eu acreditava que Kempner não poderia fazer nada errado e era grata pela preocupação e cuidado do Dr. Kempner".

Reynolds não estava sozinha no culto.[364] Kempner nunca se casou; em vez disso, cultivou um círculo de uma dúzia de mulheres adoradoras composto por antigas pacientes, funcionárias e conhecidas da Alemanha, algumas delas médicas. Havia a jovem morena e linda Fides Ruestow, a psicóloga Mercedes Gaffron e cirurgiã ginecológica Dra. Christa von Roebel, que deixou o marido na Alemanha para se juntar a Kempner em 1949.

As casas das mulheres, subsidiadas ou compradas às claras por Kempner, eram ligadas por passarelas que lhes permitiam visitar umas às outras com facilidade. Elas reuniam-se regularmente na residência de Kempner para sentar a seus pés e ouvi-lo discorrer sobre filosofia e arte. A adulação do médico pelas mulheres era perturbadoramente intensa. Nas festas de final de ano, Reynolds levava taças de chantilly para ele — proibidas para ela, claro. Ela deu-lhe uma caixa de ouro com 77 safiras em seu septuagésimo sétimo aniversário. Nos 80 anos, ela alugou o estádio de futebol da Duke e produziu um show de fogos de artifício. De acordo com o depoimento de Joanne Passaro, uma antiga arrozeira, todos os membros do círculo interno, ou "Kreis", referiam-se a Kempner em cartas e notas como "Ele" ou "Dele", com inicial maiúscula. Elas nomeavam Kempner como herdeiro em seus testamentos.

O poder carismático de Kempner não se limitava a sua Kreis. Estendia-se a toda comunidade arrozeira. "Ele era a pessoa mais amada, mais poderosa para todos", disse Passaro. "Ninguém fazia um movimento sem ele. [...] Ele era a Verdade com *V* maiúsculo; a Luz com *L* maiúsculo". Outros relatos confirmam seu testemunho. Em seu livro *Fat Like Us* (*Gordos como nós*), a folclorista Jean Renfro Anspaugh recorda a personalidade dominadora de Kempner. "O Dr. Kempner era o chefe total e absoluto do programa", ela escreveu. "Sua autoridade era suprema. Como ele disse a um arrozeiro potencial: 'Se eu lhe pedir para comer papel de parede, você vai comer papel de parede'."

O complexo de salvador tão evidente na relação de Kempner com seus arrozeiros também afetou seu relacionamento com colegas cientistas. Tendo descoberto um tratamento eficaz, Kempner não tinha paciência com os céticos e não tolerava nenhuma discordância sobre os detalhes de sua dieta. Muitas pessoas fizeram reclamações razoáveis: por exemplo, Kempner se recusou a usar grupos de controle, o que tornava difícil isolar o mecanismo da dieta.[365] Era a perda de peso? A ausência de sódio? A peculiar combinação de suco de frutas e arroz branco? Mas Kempner não ligava para o método científico. Citando um amor profundo por seus pacientes, argumentava que não havia necessidade de investigar mais. Fazer isso significaria simplesmente que algumas pessoas seriam obrigadas a perder a chance de um tratamento claramente eficaz.

Para pesquisadores empenhados em empregar o método científico, a atitude de Kempner era alienante. Mas na Duke, onde jorravam dinheiro e elogios, os colegas ficaram impressionados. O Dr. Eugene Stead, presidente do Centro Médico da Duke e fundador da profissão de médico assistente, louvou Kempner por se recusar a apelar à comunidade científica.

O problema é que amor pelos pacientes não é amor pela verdade. No caso de Kempner, constituiu um notório conflito de interesses. Tal fervor evangélico pode fazer os gurus das dietas ignorar a potencial nocividade de seus conselhos: danos aos pacientes que não conseguem ficar firmes na dieta e aos pacientes que ficam firmes, adotando uma mentalidade de culto. Em vista destes danos potenciais, a AHA e o CDC deveriam pensar seriamente sobre o que aconteceu com os arrozeiros de Kempner antes de recomendar suas próprias regras draconianas.

## O culto do baixo teor de sal

Para uma boa olhada no que aconteceu com os visitantes da Cidade dos Gordos, não há livro melhor do que *Fat Like Us*, uma combinação de memórias e de um conjunto de entrevistas de Jean Renfro Anspaugh, ela mesma uma ex-arrozeira.[366] Ao ler *Fat Like Us* é impossível ignorar a profunda religiosidade infundida em cada aspecto da vida de um arrozeiro. A jornada a Durham era uma "peregrinação", uma resposta ao "chamado", envolvendo imenso sacrifício pessoal. A comida em si era imbuída de um poder de talismã, "divina" e "misteriosa". Kempner dizia aos pacientes que nenhum sacrifício era demasiado grande pelo privilégio de estar na dieta do arroz, recomendando ocasionalmente (brincadeirinha?) que assaltassem um banco se ficassem sem recursos. Alguns pacientes venderam suas casas para financiar sua estadia. Muitos arrozeiros deixaram amigos, família e emprego para trás.

Também deixavam para trás os alimentos que amavam. Em reconhecimento a este sacrifício tremendo, os arrozeiros antecediam sua jornada com um ritual conhecido como última ceia, no qual empanturravam-se de gordura, sal e açúcar, que em breve seriam todos proibidos. Alguns tinham um prato familiar que adoravam preparado pelos pais ou cônjuges. Outros iam a um restaurante favorito. Uma adepta intermitente da dieta chamada Sylvia Goldman descreveu como se preparou para uma tentativa da dieta do arroz, fazendo uma lista de alimentos proibidos. "Coloquei todas as comidas étnicas na lista", ela relatou, "bem como todos os alimentos salgados, porque o sal é estritamente proibido na dieta do arroz e é do que mais sinto falta". A dieta do arroz envolvia uma separação total da cultura e da comunidade alimentar prévia do paciente.

Assim como Frederick M. Allen em 1920, Kempner sabia que era extremamente difícil criar uma "dieta razoavelmente satisfatória" e ao mesmo tempo "suficientemente pobre em sal". Por isso nem tentou. Os arrozeiros tinham quatro tipos de alimentos permitidos: arroz branco, frutas e ocasionalmente suco ou açúcar cristal. E era isso. Sem sal. Sem leite. Sem carne. Sem legumes. Durante meses e meses. (Suplementos adicionais forneciam os nutrientes necessários).

Monges budistas estritos permitem-se uma maior variedade gastronômica. E, para manter sua dieta, era essencialmente nisto que os arrozeiros se transformavam: devotos religiosos. O Centro de Dieta do Arroz ritualizava a pecaminosidade do sal e a autoridade absoluta de Kempner sobre a vida dos pacientes, sem o que a força de vontade destes certamente falharia. Todos os dias os arrozeiros subiam na balança, tinham a pressão arterial verificada e, o mais importante, revisavam sua contagem de sódio. O centro exibia esses números publicamente, circulando as contagens de baixo teor de sódio em vermelho. Receber o primeiro círculo vermelho era conhecido como perder a virgindade. Kempner acreditava que todos os adeptos da dieta eram mentirosos e trapaceiros, então insistia em exames de urina duas vezes por semana para ter certeza de que ninguém estava comendo alimentos salgados às escondidas. O sal tornou-se um potente símbolo de fracasso, sua presença no corpo causava uma culpa avassaladora na pessoa.

Embora os arrozeiros sentissem falta de alimentos ricos em gordura, a ausência de sal era a mais dolorosa e alienante. Referiam-se a comer alimentos proibidos — significando qualquer coisa não sancionada por Kempner — como "pecado" ou "pegar sal". Os perigos de pegar sal eram reforçados por lendas de antigos arrozeiros que comeram fora da dieta e acabaram morrendo.

Não obstante as melhoras no peso e na pressão arterial, o resultado de tudo isto, como se poderia imaginar, era uma relação psicológica incrivelmente insalubre com a comida. O nível de repressão exigido pela dieta do arroz é melhor ilustrado pelas histórias daqueles que pecaram:

> A primeira vez que trapaceei foi no Taco Bell. Comida mexicana é a pior escolha possível para uma trapaça porque é carregada de sal. Decidi pegar apenas um burrito de feijão. Quando vi, estava pedindo três burritos supremos, nachos, feijão refrito, uma Pepsi king-size e todo o resto do menu. A moça no guichê não podia acreditar. Eu disse a ela que ia fazer uma festa. Me custou mais de trezentos dólares. Parei no estacionamento e fiquei 45 minutos devorando a comida. Voava comida por todo o carro. Até as janelas ficaram salpicadas de comida. Havia molho de taco, hambúrguer e queijo derretido por toda parte. Eu parecia ter sofrido um grave acidente de carro.

> Pedi duas pizzas *meat lovers* extragrandes de massa fina com queijo extra e dois canecões de cerveja. Mandei a garçonete trazer tudo à mesa de uma vez. Senti tanto prazer só em olhar toda aquela comida gorda, gordurosa, salgada. Devorei as pizzas sem na verdade saboreá-las e enxuguei os dois canecões. Tudo que eu saboreei foi o sal, e eu sabia que meu corpo privado de sal estava absorvendo o sal como uma esponja. Não me importava. Nada poderia me deter daquela orgia.

Mais perturbadoras do que as histórias de fracasso são as histórias de sucesso que Anspaugh reúne em uma seção de *Fat Like Us* chamada "Adoração da dieta". A dieta do arroz a longo prazo requeria que as pessoas dividissem o mundo entre "o que é aceitável e o que é tabu". Qualquer coisa externa à Casa do Arroz "faz parte do mundo caído". Mesmo do além-túmulo, o Dr. Walter Kempner atuava como "o deus hierárquico da dieta do arroz", cujos "ensinamentos e provérbios" constituíam um estilo de vida e o "código de comportamento adequado, bem parecido com a Bíblia ou o Corão". Alimentos pobres em sódio e em calorias eram vistos como sagrados e mágicos. Os arrozeiros viam o triunfo como uma marca de "santidade" e os "trapaceiros como pecadores".

Essa transformação podia resultar na completa alienação da comunidade anterior. Um arrozeiro disse a Anspaugh: "Minha família e meus antigos amigos não têm nada a ver comigo. Alguns acham que eu sou um fanático religioso por causa de meus hábitos de alimentação e de exercício. Sou muito fiel aos meus regimes. Não são *meus* regimes, mas do Dr. Kempner. Lembra quando ele nos dizia que a única maneira de manter o peso era recordar todos os dias que somos diferentes das outras pessoas...? É a mais pura verdade".

Qualquer dose de dúvida no salvador era intolerável, pois poderia levar os arrozeiros a cair em tentação mortal. "Eu acredito na infalibilidade da dieta do arroz", disse uma adoradora da dieta chamada Rhonda Beru. "Tudo o que o Dr. Kempner disse é verdade". Beru e incontáveis outros convertidos exaltavam as virtudes singulares da dieta do arroz, que garantiam havê-los transformado em novas pessoas depois de tudo o mais ter falhado. Nada mais de remédios. Nada mais de artrite. Nada mais de dor. Habilidades mentais aguçadas. "Acordo de manhã com uma sensação de poder e saúde. Estou assim porque aderi à dieta e a mantenho há vinte e cinco anos".

Os escassos 150 miligramas de sódio permitidos na dieta do arroz são reconhecidamente extremos. Arrozeiros como Beru fornecem um exemplo preventivo de loucura dietética, mas não nos dizem o que é preciso para manter o sódio no nível de 1.500mg por dia recomendado pela AHA. Será que este é semelhante à maluquice ascética de Kempner?

## Uma nação de arrozeiros

Logo após a publicação do estudo do *Intersalt*, Jeffrey Steingarten, da *Vogue*, escreveu um ensaio em 1990 reclamando do ambiente antissal histérico da América.[367] Era mesmo possível alguém seguir as recomendações de sal do governo? Obedientemente, Steingarten testou uma série de receitas de livros culinários de baixo teor de sal. Veredito? "A comida tem gosto basicamente de ervas, especiarias, alho e cebola em vez daquilo que você inicialmente queria para o jantar".[368]

**Manter-se em 1.500mg significa um isolamento monástico de qualquer coisa remotamente parecida com a cultura alimentar existente. Significa tornar-se membro de um culto.**

As queixas de Steingarten não são suficientemente abrangentes. Ele ressalta que cozinheiros gourmets — não contaminados, presume-se, pela nefasta indústria de alimentos processados — insistem no valor culinário de sal. Mas o que ele não ressalta, e a nutricionista Sharon Salomon revelou no início deste capítulo, é que manter a ingestão de sódio em 1.500mg exigiria o tipo de atitude devocional dos arrozeiros. Não é só cortar as carnes processadas e a fast-food. Não é só comer fora com menos frequência. Manter-se em 1.500mg significa um isolamento monástico de qualquer coisa remotamente parecida com a cultura alimentar existente. Significa tornar-se membro de um culto.

Em 2011, o repórter de gastronomia do *Washington Post* Tim Carman decidiu tentar reduzir seu sal para 1.500mg em homenagem às novas Diretrizes Alimentares de 2010 dos EUA.[369] Ele descreveu seu esforço como uma "experiência masoquista", exigindo "vigilância sem fim". Os restaurantes não tinham informações prontamente disponíveis sobre o sódio. Nem os vendedores de alimentos do seu mercado local de agricultores. Até mesmo os restaurantes de redes encaminhavam-no para seus sites. O conselho de Carman: não confie em ninguém, especialmente *chefs*, cujos pratos podem liquidar você com a metade da cota de sal diária. Durante sua semana de privação de sal, Carman encontrou consolo em um "equilíbrio de pecados", referindo-se a beber mais vinho do que jamais bebera antes.

A dificuldade de ficar firme em uma dieta de baixo teor de sal tem suporte empírico. Em 2011, a *Cochrane Reviews* publicou uma meta-análise de intervenções dietéticas relativas ao sal. Os resultados do estudo foram amplamente relatados de modo errado como a confirmar que o corte do sal não tem efeito sobre a mortalidade e a saúde do coração. Na verdade, o que o estudo analisou foi a eficácia de *intervenções dietéticas* para reduzir o consumo de sal entre as populações. Embora o relatório sugerisse timidamente que a redução significativa de sal possa ser benéfica, as tentativas de implementar essa redução "geralmente requeriam esforços consideráveis" e "não se deveria esperar grandes impactos sobre o volume de doença cardiovascular".[370] Em outras palavras: sem Kempner na área para dar umas chicotadas, as recomendações para reduzir o sal só irão resultar em maior culpa. E, à luz dos estudos mais recentes, a menos que você esteja consumindo o dobro da quantidade de sal da média dos norte-americanos, é provável que seus esforços não resultem em benefícios à saúde — embora o estresse induzido pela culpa possa tencionar seu coração.

A AHA, o CDC e outros defensores do baixo teor de sódio ignoram todas essas coisas. Em vez disso, adotam um tom desenvolto e arrogante sobre a facilidade da redução de sal, enfatizando a noção de que o gosto por sal é antinatural. (Lembra dos bons selvagens naturais? Lembra das criancinhas inocentes?) "Muitos de nós desenvolveram uma preferência por sabores salgados devido aos anos comendo alimentos produzidos com alto teor de sal", diz a Ação sobre o Sal da Grã-Bretanha, coordenadora de um movimento antissal em todo o país.[371] "Saboreie o sabor que a comida realmente deveria ter",[372] diz um de seus cartazes. (*Chefs* por toda a Inglaterra sem dúvida estremecem ao vê-lo.) O site da Associação Americana do Coração não é melhor. "Mude seus hábitos salgados",[373] aconselha, chamando o sal de "assassino silencioso", que "esgueira-se dentro de sopas e sanduíches e aninha-se até em fiambres e carnes curadas".[374]

Aparentemente, nenhuma destas organizações consultou *chefs* ou historiadores de alimentos, que ficariam felizes em exaltar as virtudes de sal, juntamente com sua onipresença na cozinha mundial. Nem, aliás, consultaram cientistas sobre a quase impossibilidade de mudar seus hábitos salgados. Caso Steingarten escrevesse seu ensaio hoje, poderia referir-se a um estudo publicado na edição de março de 2013 da revista *Nutrition Research*, intitulado de forma direta e reta: "Modelagem alimentar padrão mostra que Diretrizes Alimentares de 2010 para sódio e potássio não podem ser cumpridas simultaneamente". Para o estudo, três pesquisadores franceses tentaram ver se era realmente possível chegar à ingestão diária mínima de potássio mantendo a ingestão diária máxima de sódio. A conclusão? Era quase impossível. "Mesmo após a redução do teor de sódio de todos os alimentos dos Estados Unidos em 10%", escreveram os autores, "as análises de modelagem mostraram que as Diretrizes Alimentares de 2010 para o sódio eram incompatíveis com as diretrizes de potássio e com dietas nutricionais adequadas".[375] Quer precisemos realmente ou não da ingestão diária mínima de potássio, criar regras incompatíveis é uma má ideia.

As recomendações de sal do CDC e da AHA são o auge da irresponsabilidade política. Disfarçam a polêmica por trás de seus números e definem padrões extraordinariamente elevados sem considerar as consequências. O resultado é um público com medo do que coloca na boca, incapaz de temperar a comida de forma adequada, paranoico sobre o que é servido quando come fora ou na casa de um amigo. Mesmo que as alegações alarmistas sobre o sal se mostrassem verdadeiras, estas exigiriam uma cultura alimentar inteiramente nova para cumprirmos os mandamentos de saúde que nos foram dados.

Todas as dietas de eliminação correm o risco de nos transformar em uma nação de arrozeiros devotados à comida da salvação, incapazes de questionar as autoridades que nos mandaram comer desse jeito. Sofremos enquanto a indústria de alimentos prospera, desenvolvendo produtos alimentícios de temática religiosa como a linha de baixa caloria "Livre de pecado" da Hormel,[376] sobremesas com teor reduzido de sódio e batatas chips sem sal "Gourmet sem culpa".[377]

Isso é um mundo distópico terrível. Não queremos impregnar a comida, como os arrozeiros fizeram, de conotação moral. O sal é ingrediente de uma refeição agradável, não um potencial agente da danação. Não precisamos controlar constantemente nosso consumo de sódio e anotá-lo, como a AHA sugere, em uma planilha de "controle de sódio", circulando os dias bons em vermelho. O destino dessa estrada é acabar como a arrozeira Jean Renfro Anspaugh, que escreve com pesar: "Comer com prazer é uma coisa que nunca vou experimentar novamente, exceto em momentos roubados, e mesmo assim com culpa e conhecimento de que vou pagar por cada bocado".[378]

Como no caso do glúten, existe uma pequena minoria de pessoas que precisam observar seu sal — pessoas como Sharon Salomon, que têm Ménière, ou aquelas que têm uma condição conhecida como "sensibilidade ao sal", em que pequenas quantidades de sódio provocam grandes oscilações para cima da pressão arterial. Mas, para o resto de nós, norte-americanos médios, reduzir o sal faz tanto sentido quanto cortar o glúten se você não tem doença celíaca. Assim, jogue um pouco de sal sobre seu ombro esquerdo, um pouco mais na sua comida, e tenha certeza de que a ciência — e, o mais importante, sua sanidade — abençoa cada mordida que você dará.

CAPÍTULO SEIS

# Desintoxicação dos mitos da nutrição

## Você bebe elixires mágicos?

É hora de revisitar os mestres taoístas citados anteriormente neste livro. Como os gurus das dietas de hoje, os monges sem grãos da antiga China eram obcecados por evitar as doenças e viver para sempre e acreditavam que uma alimentação adequada era a chave para ambas as coisas. Mas, naquela época, como hoje, ninguém concordava sobre o que consistia uma alimentação adequada. Os monges recomendaram dietas sem grãos, dietas sem carne, dietas sem álcool e até mesmo dietas sem comida, alegando sobreviver inteiramente à base de água e ar. E, como a maioria dos gurus das dietas de hoje, endossaram uma variedade de suplementos dietéticos duvidosos: seiva de pessegueiro, raiz de coptis, raiz de cássia, "mel rochoso", cogumelo poria, resina de pinheiro, os "cinco metais", os "oito minerais".[379] Estes eram frequentemente utilizados como ingredientes em receitas de comida saudável, como o seguinte "Elixir do mestre Vento Robusto":

> É preparado utilizando-se um pouco de sangue de um pintinho de grou dentro do ovo e sumo do acônito da Câmara Inferior, misturando-os para fazer o elixir. Coloca-se no ovo de um cisne, sela-se com laca e mergulha-se numa solução de mica.[380]

Claro que o elixir do mestre Vento Robusto não é fácil de fazer, e provavelmente o gosto não é uma maravilha. Mas, de acordo com testemunhos antigos, beber "um gole" dele aumentaria sua longevidade em cem anos; um quarto aumentaria em mil anos. Além de aumentar sua vida, os elixires taoístas supostamente concediam uma visão incrível, mantinham sua pele com aspecto jovem e expulsavam "os três vermes".

Este tipo de bobagem pertence a um mundo de fantasia. Todavia, até hoje, sob a influência de mitos e superstições vestidos de ciência, pessoas sensatas continuam a acreditar em elixires milagrosos tão sem sentido quanto o do mestre Vento Robusto.

Veja o café Bulletproof®, bolado pelo autoproclamado "biohacker" Dave Asprey, uma bebida adotada por muitos adeptos da dieta paleolítica. A receita:

> Prepare 1 xícara de café com água filtrada e grãos de café Bulletproof® recém-moídos. Adicione 1–2 colheres de sopa de Brain Octane® ao café quente (é FORTE — comece com 1 colher de chá e vá aumentando ao longo de vários dias). Adicione 1–2 colheres de sopa de manteiga ou *ghee* sem sal de gado criado a pasto. Misture tudo no liquidificador por 20 a 30 segundos.[381]

Asprey alegou que o café normal é carregado de "toxinas" que "roubam sua sagacidade mental e lhe deixam fraco", ao passo que o "café puro na verdade combate o câncer e fornece antioxidantes",[382] proporciona "energia poderosa e foco sólido como rocha" e "programa" seu corpo para "queimar gordura em troca de energia o dia todo", permitindo que você "perca 45 quilos sem fazer exercícios" e "eleve seu QI em mais de 12 pontos".[383] (Casualmente, *The Bulletproof Diet* [*Dieta à prova de bala*] foi publicado pela Rodale Books — "Viverei cem anos!" *ataque cardíaco imediato* — e endossado com entusiasmo pelo Dr. Mark Hyman.)

Se você vai atrás de mitos alimentares, este é o tipo de vida que pode acabar vivendo: com medo de que seu café, juntamente com o resto de sua comida, esteja cheio de toxinas. Buscando refúgio do mundo moderno na ilusão reconfortante da vida paleolítica. Esperançoso de que algum *biohacker* salvador lhe diga como fazer um genuíno café Java das cavernas, o tipo de Java que o próprio homem de Java teria preparado — o café que *evoluímos para beber*! Jogando dinheiro fora em algo chamado Brain Octane®.

Não embarque nessas ondas da moda. Fique de olho no mito do paraíso do passado. Lembre-se: o *você é o que você come* - é uma superstição, não um fato. Cuidado com a adoração da Natureza. Entenda que o preconceito se estende para além da indústria, até pesquisadores individuais e gurus das dietas vendendo livros. Seja cético quanto ao bom selvagem. Não beba Kool-Aid — nem café Bulletproof®.

Você não apenas vai relaxar quanto ao glúten, gordura, açúcar e sal, mas também será capaz de defender-se contra o novo absurdo nutricional — e a próxima dieta ou modismo de saúde que poderia lhe custar dinheiro e perda de tempo.

## Superalimentos? Superestúpidos!

Às vezes o absurdo não é tão óbvio quanto o café Bulletproof®. Talvez o Brain Octane® seja uma bosta, mas que tal superalimentos como goji berries — não são repletos de antioxidantes que evitam o câncer?

Resposta curta: não. Com *cada um* dos chamados super alimentos, é sempre a mesma história: disparate exagerado, subpesquisado e supersticioso, escondido embaixo de retórica científica.

**Com *cada um* dos chamados Super alimentos, é sempre a mesma história: disparate exagerado, subpesquisado e supersticioso, escondido embaixo de retórica científica.**

Veja como isso acontece. De acordo com a revista *Men's Health*, goji berries têm um dos "mais altos índices de ORAC — um método de avaliação do poder antioxidante — de todas as frutas, de acordo com pesquisadores da Universidade de Tufts".[384] São usados como "alimento medicinal no Tibete há mais de 1.700 anos". E "os açúcares que tornam os goji berries doces reduzem a resistência à insulina — um fator de risco do diabetes — em ratos".

Nesse ponto, a sirene de alarme deveria soar. Paraíso do passado, desta vez no Tibete. Afirmações do extraordinário poder medicinal de um único alimento. Se algo parece suspeito para você, isso é bom. Para os verdadeiros adeptos dessas frutinhas vermelhas, a história do goji é muito deprimente.

Em *Os caçadores de frutas*, o jornalista Adam Leith Gollner documenta como um homem chamado Earl Mindell conseguiu sozinho tornar os goji berries mágicos.[385] Mindell, um veterano do gênero de cura milagrosa pela dieta (seus livros, incluindo *Earl Mindell's Soy Miracle* [*O milagre da soja de Earl Mindell*] e *Vitaminas: guia prático das propriedades e aplicações*, já venderam milhões de cópias),[386] publicou um panfleto em 2003 chamado *Goji: o segredo de saúde do Himalaia*. Esse documento apresentou ao mundo os benefícios de um superalimento agora endossado por Oprah e disponível em qualquer loja de alimentos saudáveis.

Nele, Mindell conta a história de Li Qing Yuen, um chinês que usou goji para viver de 1678 a 1930 — 252 anos. Os poderes do goji, escreve Mindell, foram confirmados por testes de "ligações moleculares infravermelhas" e "digitais espectroscópicas". Tais poderes poderiam ter sido extraídos diretamente de um manual monástico taoísta ou da capa da *Men's Health*: longevidade, virilidade, menos dores de cabeça, visão noturna. Quanto tempo você gostaria de viver, pergunta Mindell: "Oitenta anos? Noventa? Mais de cem? Talvez para sempre?".[387] Enquanto escrevia *Os caçadores de frutas*, Gollner repetidamente tentou contatar o "Dr." Earl Mindell para fazer perguntas sobre estas alegações. Foi impossível localizar Mindell, cujo doutorado vem da desacreditada Universidade de Beverly Hills. O empregador listado em sua biografia, a Universidade do Pacífico Ocidental, negou que Mindell houvesse trabalhado lá alguma vez.

Há um milagre aqui, tudo bem, mas não é do goji berry. O milagre é que podemos continuar acreditando em alimentos milagrosos criados por fraudadores como Earl Mindell e popularizados por ícones como Oprah e médicos vergonhosos como o Dr. Oz, cujos avais causam mais danos à nossa saúde mental nacional do que quaisquer das "toxinas" contra as quais ele se opõe. Super alimentos não têm o poder de "impulsionar seu sistema imunológico" ou "turbinar seu cérebro". Mas os mitos e superstições recorrentes nas histórias do glúten, da gordura, do açúcar e do sal sem dúvida têm o poder de nos deixar superestúpidos, prontos e dispostos a acreditar em segredos de longevidade do Himalaia.

Na verdade, quase esqueci de mencionar que os Himalaias são a fonte de mais um modismo dietético. Conforme relatado no *Men's Journal*:

> Dave Asprey é um empresário do Vale do Silício e líder do movimento "biohacking". ... Asprey teve a ideia [do café Bulletproof] no Tibete, quando, exausto de caminhar pelos Himalaias, foi regalado por alguns moradores locais com um chá cremoso de manteiga de iaque. Ele sentiu-se imediatamente revitalizado.[388]

## Modelo de conto: "Aditivo tóxico produzido pela síntese de algas"

Agora que conhece a história dos mitos da nutrição, você ficará surpreso com o quanto é fácil identificar novos mitos como o que realmente são. Os mesmos temas pipocam de novo e de novo: a mesma ênfase em bem e mal, as mesmas falsas promessas, as mesmas superstições. Às vezes, você verá até mesmo o mesmíssimo enredo, muito levemente modificado nos detalhes.

Estudiosos de contos de fadas e folclóricos chamam esse tipo de história repetida de "modelo de conto". Existem categorias gerais para modelos de conto — como "contos de animais" ou "contos religiosos" —, dentro das quais existem subcategorias mais específicas, tais como "a raposa inteligente" e "o homem mais inteligente que o diabo".

Se os folcloristas enfocassem o que comemos, poderiam adicionar uma nova categoria: contos alimentares. Nessa categoria encontraríamos subcategorias como "alimento milagroso do Tibete", "cura de doenças crônicas pela dieta" e "alimento cotidiano que na verdade é venenoso". Eu pessoalmente acho que o público iria se beneficiar desta adição aos estudos de folclore. Em vez de ficarem esperançosas ou assustadas com cada anúncio de um novo estudo de nutrição, as pessoas poderiam recorrer a seu índice de modelos de contos alimentares e categorizar o estudo. Vamos fazer um teste com um susto dietético recente!

> *Sintetizado a partir de algas. Identificado como tóxico para os seres humanos. Declarado potencialmente inseguro para criancinhas. Acusado de causar problemas digestivos, fadiga crônica, diabetes, enxaquecas, Alzheimer, Parkinson, doenças cardíacas e câncer.*

Esses pontos identificadores sinalizam um tipo de conto alimentar com o qual estamos todos bem familiarizados: "substância antinatural causa várias doenças crônicas". Dentro dessa subcategoria, existe até mesmo um enredo recorrente: "aditivo tóxico produzido pelo processamento de algas". Essa é a história do MSG e está se desenrolando novamente com outra substância amplamente utilizada, chamada carragena.

Como um novo demônio alimentar, a carragena é feita sob medida para aterrorizar os entusiastas da alimentação saudável. Empregada principalmente como emulsificante, espessante e substituto vegetal da gelatina, a carragena é encontrada em produtos lácteos, leite de soja, leite de amêndoa, suplementos nutricionais e shakes substitutos de refeição, muitos dos quais aparecem nas dietas de adeptos da alimentação saudável consciente.

Modelos de conto são particularmente úteis porque predizem a estrutura de qualquer conto que se encaixa no modelo. Em outras palavras, uma vez que conhecemos a história do MSG, a história da carragena deve seguir a mesma fórmula de enredo. Será que segue?

1. O MSG primeiro foi vilipendiado por um único grupo de cientistas. O pânico da carragena baseou-se no trabalho e ativismo de uma cientista, a Dra. Joanne Tobacman, da Faculdade de Medicina da Universidade de Illinois.[389] De início Tobacman enfocou o papel potencial da carragena

como causadora de câncer de mama. A FDA e o Comitê Científico Europeu de Alimentos rejeitaram a hipótese de câncer. Agora, Tobacman mudou o foco para conectar a carragena com a síndrome do intestino irritável e diabetes.[390]

2. Partidários antiMSG conseguiram retirar o MSG das fórmulas infantis apesar de nenhuma evidência conclusiva apoiar essa decisão. O mesmo é verdadeiro para a carragena, que foi banida das fórmulas infantis na Europa sem uma base científica. Da Organização das Nações Unidas para a Alimentação e a Agricultura e da Organização Mundial da Saúde em junho de 2014: *"O comitê concluiu que o uso de carragena em fórmulas para lactentes ou fórmulas para fins médicos específicos... não é motivo de preocupação".*[391]
3. A pressão pública forçou as empresas a remover o MSG de seus produtos. Em agosto de 2014, a "*Food Babe*" e seu "Exército *Food Babe*" pressionaram a *WhiteWave Foods*, proprietária da *Horizon Organic* e *Silk*, para retirar a carragena de todos os seus produtos.[392]

A história da carragena está apenas começando, mas o tipo de conto nos diz tudo que precisamos saber. (Quando você estiver lendo isto, as seguintes previsões podem já ter se tornado realidade.) Ativistas vão chamar a carragena de antinatural. Farão a distinção entre a "carragena naturalmente presente", encontrada em algas, e a carragena antinatural sintetizada, empregada pelas grandes corporações alimentícias. Celebridade médicas como o Dr. Oz vão aderir ao movimento. Como um bom bode expiatório, a carragena ficará ligada a todas as suspeitas de costume: autismo, Alzheimer, TDAH, câncer, diabetes e todas as doenças crônicas imagináveis. Finalmente, os cientistas gastarão incontáveis horas e dólares tentando inocentar o aditivo. Seus esforços falharão, e o mito da toxicidade da carragena perdurará por décadas até ser, enfim, eclipsado por um outro conjunto de contos de fadas.

## As coisas não causam (ou curam) câncer

A verdade sobre o que comemos é pouco romântica. Não existem vilões alimentares ou curas milagrosas. Não existe paraíso do passado, bom selvagem, elixir mágico, dieta de verdade. Os demônios são os gurus e alarmistas que deixam você doente de ansiedade, identificando uma infinidade de toxinas e assassinos escondidos e, então, oferecendo conselhos que vão lhe salvar do inferno nutricional que eles mesmos criaram.

Uma vez que os gurus e alarmistas não baseiam seus conselhos em ciência sólida e estabelecida, o mundo das regras alimentares é confuso e cacofônico. Pense na batalha entre vegetarianos e comedores de carne. O documentário *Troque a faca pelo garfo* alega que "a maioria das, se não todas as doenças degenerativas que nos afligem podem ser controladas ou mesmo revertidas ao se rejeitar alimentos de base animal e processados".[393] São abundantes as citações de estudos oficiais. Quilos são descartados, vidas são transformadas. O Dr. Oz diz: "Adorei, e todos vocês precisam vê-lo".

Estranhamente, o Dr. Oz também endossa *Barriga de trigo* e *A dieta da mente*, livros que argumentam o oposto de *Troque a faca pelo garfo*. Enquanto *Troque a faca pelo garfo* recomenda comer grãos integrais como parte de uma dieta ideal, *Barriga de trigo* e *A dieta da mente* proíbem estritamente estas toxinas viciantes, que causam de tudo, desde obesidade a Alzheimer. David Perlmutter assegura a seus leitores que evitar gordura animal é muito perigoso, privando nosso cérebro da gordura pela qual anseia desesperadamente. (Ouve um eco do "você é o que você come"? Um cérebro feito de gordura animal requer gordura animal para se sustentar.) São abundantes as citações de estudos oficiais. Quilos são descartados, vidas são transformadas.

Em que acreditar? Em quem acreditar? Devemos comer carne ou não? Carne magra ou carne gorda? Grelhar cria substâncias cancerígenas? Brócolis impede o câncer? Adoçantes artificiais são seguros? Posso beber de garrafas de plástico? Correr previne doenças do coração?

Perguntas e respostas conflitantes não param de chegar, e vamos continuar ouvindo-as. A tolice de identificar demônios alimentares e super alimentos foi documentada em uma revisão sistemática de 2013 publicada no *American Journal of Clinical Nutrition*, intitulada "Tudo o que comemos está associado ao câncer?".[394] A revisão verificou que 80% dos ingredientes comuns haviam sido ligados a risco de câncer em artigos publicados, com a maioria destes estudos relatando um efeito estatístico significativo, positivo ou negativo.

**Sempre que você ler uma manchete sobre algum novo carcinogênico ou superalimento que combate o câncer provavelmente não vale a pena ler adiante.**

Dito de outro modo: sempre que você ler uma manchete sobre algum novo carcinogênico ou superalimento que combate o câncer provavelmente não vale a pena ler adiante.

A realidade desagradável é que não sabemos o que constitui uma dieta "ideal", e pode ser que tal coisa não exista. *Troque a faca pelo garfo*, *A dieta da mente*, *Barriga de trigo* e a receita do mestre Vento Robusto para a juventude eterna — estas coisas simplesmente não merecem a sua atenção. **O que resta? Coma com moderação, beba com moderação, não seja sedentário.** É isso. Veganismo, sem gordura, sem sal, sem açúcar, sem glúten, paleolítico, suco, limpeza — estas coisas oferecem falsas promessas construídas sobre mito e superstição cobertos com uma camada de retórica científica.

## Mitos são infecciosos

Aconselhamento dietético disparatado não é apenas falso — é perigoso. Adoração da Natureza, bons selvagens que sobem em árvores para coletar mel, o mito do paraíso passado — estas fantasias deslizam com excessiva facilidade para a condenação de outras inovações médicas modernas, que, ao contrário das dietas da moda, são diretamente responsáveis por salvar vidas.

É verdade que não há nada de errado em as pessoas usarem sapatos cinco dedos imitando seus ancestrais paleolíticos, e é divertido ver a companhia que fabrica esses sapatos cinco dedos ser processada por propaganda enganosa (como a Vibram EUA em 2014, no processo em que fez um acordo de US$ 3,75 milhões).[395] Nenhum dano real virá para aqueles que evitam sal e xarope de milho de alta frutose porque são "antinaturais".

Mas não é tão engraçado quando as pessoas evitam vacinas antinaturais. Infelizmente, o medo da medicina moderna é uma consequência direta da crença em mitos alimentares comuns. Leia as seguintes passagens de um panfleto de fitoterapia de 1922, que, exceto pela linguagem racista, poderia ter sido tirado diretamente de um site de dieta paleolítica moderna ou de um manifesto antivacina:

> Por que usar drogas venenosas quando a natureza em sua sabedoria e beneficência proporcionou, em seus grandes laboratórios vegetais — os campos e florestas —, alívio para a maioria dos males da humanidade?
>
> Com efeito, um médico honesto vai admitir que a ciência médica mais recente não apresenta êxito mais uniforme no tratamento de muitos males e doenças que os remédios descobertos e usados há séculos por numerosas tribos de índios e outras raças selvagens. Repetidas vezes, em países altamente civilizados, vimos comunidades inteiras exterminadas — milhares de pessoas mortas por epidemias e pragas, não obstante o que os médicos pudessem fazer.
>
> Não é fácil pensar nos índios da América do Norte e do Sul, nos negros da África e das ilhas do mar e nas raças amarelas da Ásia como possuindo conhecimento científico. Todavia, se esses povos não tivessem encontrado uma cura para centenas de suas enfermidades, há muito deveriam ter desaparecido da terra. A resposta é muito simples — a Natureza realiza a cura.

Uma busca por "paleolítico" e "vacinas" revela inúmeros sites que rejeitam as vacinas apelando para o mito do paraíso passado, dos bons selvagens e da cura natural. Em "Por que as vacinas não são paleolíticas",[396] um artigo abarrotado de citações impressionantes, Kelly Brogan, psiquiatra de Cornell, implora a seus leitores para "honrar uma sabedoria em evolução" que repreende a comida moderna tóxica *e* as vacinas tóxicas. "Ao contrário da alegação de que as vacinas eliminam infecções, elas promovem-nas", diz Brogan. Antes da comida moderna, nossos ancestrais cordiais e saudáveis eram naturalmente resistentes à doença — e a Dra. Brogan promete que se, comermos o que eles comiam, nós também podemos ser.

Ela não está sozinha. O guru paleolítico e acupunturista licenciado Chris Kresser admite que decidiu não vacinar sua filha de nove meses, optando por confiar na resistência às doenças obtida por comer como um Neandertal.[397] A socióloga Jennifer Reich, da Universidade de Denver, tem estudado mães que recusam vacinas e resume esta atitude da seguinte maneira:

> Em meu estudo, as mães descrevem seus esforços para proteger a saúde dos filhos de formas nas quais a vacinação é vista como desnecessária. Elas se concentram em alimentos orgânicos, aleitamento materno, práticas de promoção da saúde em casa. ... Como especialistas em seus próprios filhos, as mulheres veem seus esforços como superiores às recomendações genéricas feitas por profissionais médicos que não conhecem suas crianças.[398]

Confiar na resistência "natural" a doenças garantida por alimentos orgânicos e aleitamento materno faz sentido até que haja um surto de sarampo, caxumba, coqueluche, pólio ou rubéola. Tente curar essas doenças com goji berries e café com manteiga. Alimentos cotidianos em quantidades razoáveis não causam doenças — mas crenças tóxicas podem causar.

## Você não é o que você come

Por isso é tão importante desmascarar os mitos nutricionais. A falsa lógica paranoica que os motiva infiltra-se em outras partes de nossa cultura, envenenando tudo o que toca. Veja como o mito do *você é o que você come* transfere-se para o "consumo" metafórico de mídia, levando à crença infundada de que visualizar conteúdo violento faz com que as pessoas fiquem violentas. Muito antes da TV e dos videogames, pais ansiosos e figuras religiosas argumentaram que quadrinhos violentos representavam um sério perigo moral para as crianças. Em 1948, o psiquiatra Fredric Wertham legitimou tais medos em um artigo popular para a *Collier's Weekly*, "Terror no quarto das crianças".[399] Seus estudos de crianças delinquentes e perturbadas mostraram que os quadrinhos, com seus "socos e pontapés" e "meninas maravilhosamente peitudas", eram um fator significativo em todos os casos. Ignorando a teoria de Aristóteles de que ver violência poderia ser catártico, não inspirador, Wertham acusou os psiquiatras que defendiam os quadrinhos de serem "prima-donas" que se sentavam em comitês e não tratavam crianças reais. Aqueles que não as tratavam, como ele fazia, não conseguiam reconhecer que o consumo de livros e imagens violentos gerava crianças violentas.

O trabalho de Wertham contribuiu para uma queima de livros mais adiante naquele ano em Spencer, Virgínia Ocidental, onde 600 crianças fizeram uma fogueira de histórias em quadrinhos, supervisionadas por pais, professores e sacerdotes.[400] A plausibilidade da ligação entre mídia violenta e comportamento violento inspirou milhares de estudos sobre televisão e videogames, e a grande maioria confirmou o que havia se proposto a encontrar. Esses estudos, por sua vez, concederam plausibilidade a argumentos populares que culpavam a TV e os videogames pela violência à mão armada. Estudos recentes, no entanto, lançaram sérias dúvidas sobre a conexão, com o psicólogo Christopher Ferguson, da Universidade Texas A&M, liderando a corrente que argumenta que o pânico moral, e não o rigor acadêmico, podem ter impulsionado muitas das conclusões contra as mídias violentas.[401] A atenção às implicações do *você é o que você come* sugere que a superstição dá a este pânico moral específico uma credibilidade injustificada adicional.

Paraíso do passado. Bons selvagens. Você é o que você come. Antes que se perceba, somos caçadores de bruxas neopuritanos, monitorando a mídia em busca do estudo mais recente que confirma que a modernidade é maligna. Videogames transformam as crianças em monstros. Telefones celulares causam câncer no cérebro. A internet destrói nossa capacidade de atenção. Enquanto isso, esquecemo-nos de ser gratos pelo que é sem dúvida o período mais saudável da história da humanidade.

## Comendo na quarta dimensão

Estamos doentes, com certeza, doentes de ansiedade desnecessária. A cura não está em nossa comida, está em nossa mente. Na verdade, a única dieta de eliminação que a maioria das pessoas deveria estar tentando seria uma que eliminasse mitos e superstições sobre os alimentos.

Sei que isto pode não ser suficiente para pessoas que querem conselhos concretos sobre o que deveriam comer. Ceticismo não gera regras claras. Não existe aquela coisa de pirâmide alimentar sarcástica. Se você está genuinamente interessado em orientação, mitos alimentares desmascarados e conselhos dietéticos não são lá muito úteis. Uma necessidade humana fundamental permanece insatisfeita, a necessidade de ser instruído sobre como comer direito — comer de forma correta — e assim evitar doença e morte. Neste vazio adentram os monges taoístas, os autores do Levítico, oficiais do governo, cientistas confiantes, nutricionistas neopuritanos, gurus sarados da dieta paleolítica, doutores da TV, o seu feed de notícias do Facebook. Queremos saber — *precisamos saber* — O QUE COMER!

**A única dieta de eliminação que a maioria das pessoas deveria estar tentando seria uma que eliminasse mitos e superstições sobre os alimentos.**

Embora existam diferenças drásticas entre os regimes que esses gurus recomendam, todos eles enfocam três dimensões primárias de alimentos. *Categoria*: fruta ou vegetal, carboidrato ou proteína. *Qualidade*: o efeito dos alimentos sobre o bem-estar físico geral. *Quantidade*: a dose de alimento a ser consumida. Em todos os casos, as dietas envolvem regras sobre estas três dimensões, dos Vigilantes do Peso às de baixo carboidrato, vegetariana e paleolítica. A maioria das pessoas não consegue imaginar uma alimentação saudável de nenhuma outra forma.

Todavia e se este for o maior erro dietético que nossa cultura está cometendo? Como Paul Rozin destaca, os franceses têm taxas menores de doença cardíaca e são mais magros do que suas contrapartes norte-americanas — e são muito *menos* obcecados com a salubridade do que comem.[402] Numerosos estudos sugerem que, embora algumas pessoas tenham sucesso em perder peso fazendo dieta, na maioria dos casos, *fazer dieta resulta em mais ganho de peso do que não fazer absolutamente nada.*[403] Um estudo de gêmeos finlandeses verificou que, independente da genética, fazer dieta prognosticava uma probabilidade de três a cinco vezes *maior* de obesidade![404] Lembre-se: para cada depoimento público e entusiástico sobre um livro de dieta que resultou em perda de peso milagrosa, existem muito mais fracassos silenciosos que levaram a aumento de peso e transtornos de compulsão alimentar.

Enquanto isso, nossos contadores de passos Fitbit, a contagem de calorias e a obsessão com o valor nutricional estão arruinando a cultura culinária. Na década de 1940, os filósofos Max Horkheimer e Theodor Adorno alertaram sobre pessoas que "transformaram o passeio em exercício e os alimentos em calorias".[405] Aqueles que fazem isso, eles disseram, perdem suas almas e transformam a vida "em um processo químico". Sua descrição dos contadores de calorias e dos pirados da saúde — o Exército Food Babe e os adeptos de dietas de eliminação, Dr. Oz e os gurus da nutrição — é terrivelmente precisa: "Eles estão interessados na doença, antecipando a morte de seu companheiro de jantar pelo que ele come, com seu interesse apenas tenuemente racionalizado pela preocupação com a saúde". Mitos e superstições dietéticos estão transformando as pessoas em Cruzados alimentares do presente, não muito diferentes dos Cruzados europeus que caçavam infiéis inventados para dar significado a suas vidas — e, no caso de seus líderes, ganhar uns trocados no processo.

Alguns estão completamente perdidos para essa religião nova e vazia. Infelizmente, não posso lhes oferecer uma esperança real. Mas, se você for como eu, você está cansado de sentir que cada escolha dietética que faz é uma decisão de vida e morte. Você quer relaxar a respeito da comida. Não quer se sentir culpado por desfrutar da cozinha. Todavia você vê estes evangelistas dietéticos e indaga: *e se eles estiverem certos?* Se é assim que você se sente, convido-o a se libertar da ansiedade, de leis absurdas e das promessas vazias com uma técnica simples que eu mesmo empreguei com grande sucesso: *comer na quarta dimensão.*[406]

Quando você come na quarta dimensão, não existem regras sobre categoria, qualidade e quantidade de alimento. Comer na quarta dimensão é compatível com todas as receitas de todas as culturas culinárias. Não existem alimentos proibidos. Você não tem que comprar orgânicos ou contar calorias. O único aspecto de sua comida que importa é o *tempo*: o tempo que você gasta preparando e o tempo que gasta consumindo.

Então deixe-me usar palavras dos autores de *A dieta da mente* e *Barriga de trigo* e lhe pedir para realizar um experimento. Por um mês, tente comer na quarta dimensão. Existem apenas duas regras:

1. Sempre que comer, seu tempo deve ser indivisível. Nada de comer dirigindo, caminhando, assistindo a um filme ou a um evento esportivo. Não é uma regra esquisita de "não falar nada enquanto come" — claro que você pode fazer refeições em família ou refeições com os amigos. Não pense demais. A ideia é que, durante um mês, você *reserve tempo para comer, ao invés de comer durante o tempo que você reservou para outra coisa.*
2. Certifique-se de que quatro jantares por semana levem pelo menos trinta minutos para ser preparados e vinte minutos para ser consumidos. Não se preocupe com o que ou quanto está comendo. Escolha suas receitas sem qualquer consideração sobre calorias, sal, gordura, glúten ou açúcar. Apenas prepare sua comida com cuidado e coma devagar, sentado em uma mesa.

Quanto ao resto de suas refeições — não importa. Coma o que quiser. Saia para uma cerveja e pizza. Pegue um *smoothie* comprado pronto e uma rosquinha para o café da manhã. Contanto que siga as duas regras, você estará comendo na quarta dimensão.

Na verdade, existe uma terceira regra, mas não tem nada a ver com sua comida. Como qualquer bom plano de dieta, comer na quarta dimensão envolve uma desintoxicação. Durante seu mês de teste, elimine *toda leitura sobre nutrição ou saúde.* O *New York Times* tem um artigo sobre glúten? Não leia. Alguém postou uma história assustadora sobre carragena e autismo no Facebook? Apenas continue rolando. Ficou tentado a conferir o rótulo nutricional na lata do caldo de galinha que está usando para fazer sua sopa? Pare! Não interrompa a desintoxicação. São apenas trinta dias. Você consegue. (Se isso lhe parecer difícil, talvez você seja um "viciado" em informações de saúde.)

Minha previsão é de que até o final do mês você vai se sentir muito, muito melhor, mental e fisicamente. Comer na quarta dimensão significa que você não precisa se preocupar com os intermináveis estudos contraditórios, alimentos milagrosos e demônios alimentares. Depois de algumas semanas, discussões sobre qual dieta é melhor vão começar a parecer um debate sobre quantos anjos podem dançar na cabeça de um alfinete. Os medos alimentares de outras pessoas irão revelar-se como tabus religiosos. Sua culpa e ansiedade vão desaparecer enquanto você desfruta da refeição que preparou para si mesmo, seus amigos ou sua família. Você vai "turbinar sua imunidade" a mentiras e pseudociência e vai encarar as incertezas da vida e da saúde sem depender de panaceias e contos de fadas. Os alimentos não mais serão medicamento ou veneno, bons ou maus. Não irão causar ou prevenir doenças, encurtar a vida ou estendê-la. Alimento será alimento, e, quando isso acontecer, os verdadeiros poderes deles serão revelados.

**Alimento será alimento, e, quando isso acontecer, os verdadeiros poderes deles serão revelados.**

Eu garanto.

## Plano de dieta milagrosa de bônus!

Desnecessário dizer que não quero que nenhum dos meus leitores se decepcione. Se, depois de um mês, você não ficar satisfeito comendo na quarta dimensão, desenvolvi um plano de dieta alternativo que por certo vai agradar.

Veja, ao longo da pesquisa para este livro, algo incrível aconteceu: *descobri a verdade secreta sobre as doenças modernas e desenvolvi a primeira dieta que irá proteger contra elas, enquanto estende sua vida simultaneamente.*

Obesidade, Alzheimer, câncer, TDAH, autismo, doença cardíaca, síndrome da fadiga crônica: tudo isso e muitos mais pode ser evitado desde que você coma corretamente. E é fácil! Com uma simples mudança em seus hábitos alimentares, você será capaz de evitar ou reverter doenças crônicas e viver até uma idade avançada.

O quê? Não estou me contradizendo? Todo este livro não tratou de desmistificar exatamente esse tipo de afirmação?

Pode parecer assim no início, mas, antes de chegar a quaisquer conclusões, por favor, leia adiante. Você verá que, ao contrário de outras dietas, meu plano de dieta é 100% amparado pela ciência. Eu resolvo enigmas que nenhuma outra dieta teve a coragem de abordar e revelo a verdade que nutricionistas, médicos da obesidade e gurus de dietas não querem que você saiba, porque, se você soubesse, *eles ficariam sem trabalho.*

Então, se comer na quarta dimensão não lhe curou, tente minha Dieta UNpacked™. E não se esqueça de continuar lendo para ver como ela foi desenvolvida. O que você tem a perder além da névoa em seu cérebro e daqueles quilos a mais?

# A Dieta UNpacked™

**Desempacote-se de seus quilos. Desempacote o seu potencial.**
**Desempacote a sua comida.**

**Finalmente: uma revolução cientificamente comprovada na alimentação saudável!**

- Saiba por que o que você come não é o problema.
- Saiba por que cientistas e nutricionistas sempre discordam sobre quais alimentos são ruins e quais alimentos são bons.
- Pare de ouvir propagandas exageradas e comece a viver a verdade.
- Adote a Dieta UNpacked™... e dê adeus às dietas da moda para sempre!

**Detox UNpacked em 9 dias**

Aqui está minha promessa: com APENAS 9 dias de Dieta UNpacked, você dará o salto inicial para o caminho da saúde. Algumas pessoas, incluindo médicos, não acham que você possa transformar sua saúde radicalmente em poucos dias, mas eu acho. Por quê? Porque já vi isso acontecer com meus próprios olhos. Apenas siga meu programa comprovado e, em 9 dias, você pode não só perder até 4 quilos, como também pode prevenir ou reverter problemas de saúde crônicos, inclusive diabetes, asma, dores articulares, problemas digestivos, doenças autoimunes, dores de cabeça, névoa no cérebro, alergias, acne, eczema e até mesmo disfunção sexual.

**Passo Um: seja honesto consigo mesmo**

Pese-se. Meça a sua cintura e a seguir recorde quando foi a última vez que você se sentiu completamente descansado e plenamente energizado. Agora, pergunte-se: este é o seu verdadeiro eu ou tem alguém diferente — mais magro, mais inteligente, mais feliz — escondido aí dentro, tentando escapar? Você está pronto para ajudar?

**Passo Dois: leia a Dieta UNpacked**

Descubra o que está lhe impedindo de se tornar seu verdadeiro eu. Você vai ficar chocado, vai ficar com raiva e vai ficar empoderado para fazer as mudanças que lhe colocarão na trilha da saúde. E o melhor de tudo: você poderá comer cada um dos alimentos que ama: carboidratos, gorduras, sal, açúcar, trigo, carne, laticínios. Ao contrário de outras dietas, com a UNpack você realmente não precisa desistir de nada.

**Passo Três: detox de 9 dias**

Por apenas nove dias, desempacote sua dieta. Então volte ao primeiro passo. Pese-se. Meça a sua cintura e, a seguir, recorde quando foi a última vez que você se sentiu completamente descansado e plenamente energizado. Agora pergunte-se: você começou a se desempacotar dos seus quilos, como muitas outras pessoas desempacotaram-se? Começou a desempacotar o seu potencial?

Claro que sim! Então faça da Dieta UNpacked um estilo de vida, não apenas uma dieta!

**Por que nós, por que agora?**

Pense nas refeições tradicionais que sua bisavó e avó preparavam: enormes tigelas de purê de batatas, assados gigantes de carne, pão branco lambuzado de manteiga, tortas recém-assadas com crosta flocada de banha de porco. Seus pais provavelmente têm boas lembranças de correr atrás do caminhão de sorvete todos os dias de verão. E temos lindos anúncios de época da Coca-Cola para nos lembrar de um tempo em que as crianças bebiam uma garrafa de Coca sem culpa sempre que os dias estavam quentes.

Como as pessoas se safaram comendo daquele jeito, quando hoje se diz que os mesmos tipos de alimento provocam doenças crônicas?

A sabedoria convencional nos diz que hábitos alimentares pouco saudáveis causam a obesidade, hipertensão, doença cardíaca, derrame e diabetes que assolam nosso mundo moderno. Novas pesquisas mostram que a dieta também pode causar condições psicológicas como TDAH, Alzheimer, esquizofrenia e autismo.

Mas quais alimentos são o problema? Cientistas e gurus das dietas jogam-nos em um vaivém no que se refere aos culpados — do sal para o açúcar, da gordura para o glúten. Você acredita no pessoal paleolítico? Isso significa que carne vermelha é bom e grãos integrais são perigosos. Você confia em nosso governo? Então os grãos integrais são imprescindíveis, e a carne vermelha lhe dará câncer e doenças cardíacas. Nutricionistas tradicionais vão dizer que é tudo uma questão de equilíbrio energético — basta comer menos calorias do que você queima. Mas, se você está entre aqueles que experimentaram dietas e exercícios, você *sabe* que tem mais coisa nessa história.

Olhar as culturas tradicionais em busca da dieta ideal suscita ainda mais perguntas. Sabemos que as tribos *massai* africanas mantêm-se livres de doenças com uma dieta de leite cru e carne.[4] Todavia, atribuímos a grande saúde dos antigos chineses à sua dieta quase vegetariana.[5] Os índios *ianomâmi* do Brasil prosperam com uma dieta livre de sal, ao passo que os japoneses (uma das culturas modernas mais saudáveis, virtualmente sem doenças do coração) consomem a dieta de mais alto teor de sódio do mundo.[6],[7]

Será que a sabedoria convencional poderia estar apenas *parcialmente* certa?

Há alguma coisa errada em nossa dieta. Claro que há! Olhe as taxas vertiginosas de obesidade, doenças crônicas, câncer e doença mental.

Mas aqui está a verdade chocante: o problema não é o *tipo* de comida que comemos.

A única coisa com que todos concordam é que a América doente e obesa come muita comida processada e empacotada. De acordo com uma reportagem do *New York Times*, os americanos comem 31% a mais de comida empacotada do que alimentos frescos. Comemos mais alimentos empacotados do que quase qualquer outro país. Mas não tire conclusões precipitadas sobre o que há dentro desses pacotes. Quase 40% do consumo de comida empacotada da América provém de laticínios, especialmente iogurte e leite desnatado, bons para o coração. Apenas 6% de nosso consumo de alimentos empacotados provém daqueles petiscos e guloseimas que associamos a aumento de peso e doenças.[8]

De fato, enquanto os fabricantes de alimentos e redes de fast-food produzem opções "mais saudáveis", tais como refeições de baixo teor de gordura, laticínios fermentados, pães integrais e saladas pré-prontas, nossa saúde continua em declínio. Parece que, quanto mais tentamos e quan-

---

[4] Friedrich-Schiller-Universität Jena, "Nomadic People's Good Health Baffles Scientists", ScienceDaily, 18 de maio de 2010.

[5] Keith Akers, A Vegetarian Sourcebook: The Nutrition, Ecology, and Ethics of a Vegetarian Diet (Vegetarian Press, 1983).

[6] William J. Oliver, Edwin L. Cohen e James V. Neel, "Blood Pressure, Sodium Intake, and Sodium Related Hormones in the Yanomamo Indians, a 'No-Salt' Culture," *Circulation* 52.1 (1975): 146–51.

[7] Taichi Shimazu, et al., "Dietary Patterns and Cardiovascular Disease Mortality in Japan: A Prospective Cohort Study", *International Journal of Epidemiology* 36.3 (2007): 600–609.

[8] http://www.nytimes.com/imagepages/2010/04/04/business/04metrics_g.html.

to mais sabemos, pior fica.

Então, vamos perguntar de novo: o que *realmente* mudou desde as gerações mais saudáveis do nosso passado? O que elas, os *ianomâmi* e os *massai*, têm em comum?

Quando penso em minha avó de 95 anos, sempre penso em um pote de vidro. Na verdade, sua cozinha era repleta deles. No final do verão, ela enchia os potes com frutas e vegetais para preservá-los e comer o ano inteiro.

Hoje, o vidro raramente é usado para armazenar alimentos, e por uma razão simples: as grandes corporações alimentícias querem manter as coisas baratas. A despensa da avó já era. As cozinhas agora estão cheias de plásticos, metais e papéis fortemente branqueados e processados. Muitas pessoas nunca sequer viram um saco de aniagem tradicional. Em vez disso, nosso arroz e grãos são selados em sacos plásticos. O leite, outrora fresco e entregue em jarros de vidro, fica, por dias, em recipientes plásticos ou caixas de papel forradas com plástico. Nossos avós levavam produtos frescos para casa em caixas de madeira e de papelão. Nossas frutas e legumes vêm pré-cortados, convenientemente envoltos em plástico e isopor.

Nossos ancestrais paleolíticos ingeriam uma dieta de ampla variedade, dependendo de onde viviam.[9] Mas nenhum deles fazia compras em supermercados. Eles encontravam seu alimento na Natureza, envolvido nas embalagens de cascas da Natureza. Hoje em dia, a história é diferente. Onde quer que seja encontrada, da lojinha de conveniência do posto de gasolina aos Walmarts gigan-

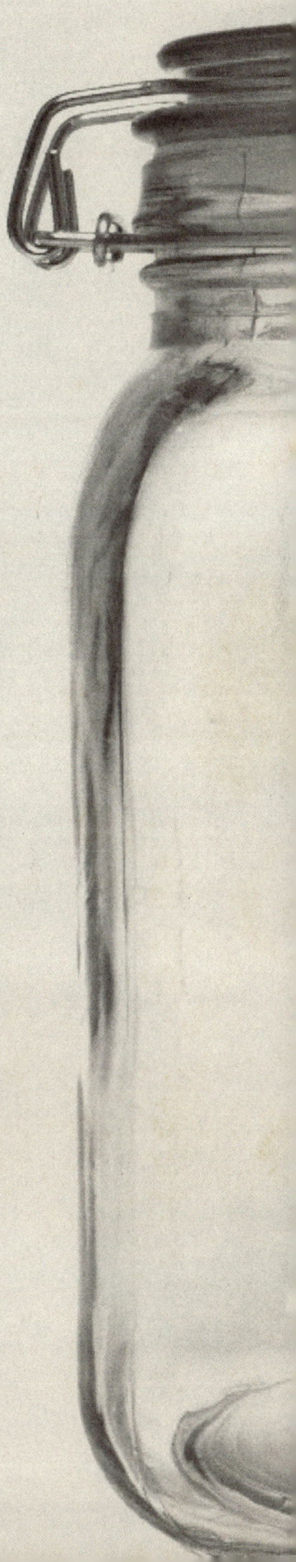

[9] Marlene Zuk, Paleofantasy: What Evolution Really Tells Us about Sex, Diet, and How We Live (Nova York: W. W. Norton & Company, 2013).

tes, a comida quase sempre vem empacotada. Mesmo quando isso não acontece, nós mesmos a colocamos em sacos plásticos antes de a levarmos para casa para alimentar nossa família.

Se estivermos dispostos a ignorar as velhas formas de pensar em comida, a resposta para nossos problemas dietéticos será óbvia. O vaivém desaparece quando paramos de tentar descobrir que *tipo* de comida é o vilão alimentar ou qual o novo modismo dietético que nos ajudará a perder peso e a nos livrarmos de doenças crônicas. A ciência não pode nos dizer qual é a dieta certa porque *não existe* uma dieta certa!

Aqui está o que a ciência pode nos dizer, e é o que todos esses gurus das dietas e nutricionistas do vaivém não querem que você saiba porque eles ficariam sem emprego. Os materiais mais comuns de supermercado e fast-food — plástico, alumínio, estanho, até mesmo papel reciclado — contêm produtos químicos perigosos e metais pesados que nos engordam e destroem nossa saúde.

*O verdadeiro vilão está na embalagem.*

**Plásticos não são fantásticos**

Os perigos dos plásticos não são nenhuma surpresa para os cientistas que há décadas estudam seus efeitos negativos para a saúde. Pesquisadores e autoridades de saúde manifestaram preocupações a respeito do "nanoplástico" (pequenas partículas de plástico) que entra em nossa comida por "lixiviação" ou "migração". Embora as grandes indústrias químicas e alimentícias façam de tudo para suprimir esta informação, numerosos estudos provam que os riscos para a saúde são enormes.

Ao contrário de baixo carboidrato versus baixo teor de gordura, não se debate os perigos desses materiais modernos de armazenamento de comida.

Você deve ter ouvido falar do mais notório desses plásticos, o BPA. Plásticos de policarbonato (contendo BPA) são extremamente comuns nas embalagens de alimentos dos Estados Unidos. Em 2004, o CDC encontrou vestígios de BPA em quase todas as amostras de urina coletadas (93% de adultos), e os cientistas preveem que hoje o número estaria acima de 99%.[10] A fonte primária desse BPA é nossa dieta.[11]

Os perigos deste disruptor endócrino venenoso são quase numerosos demais para listar. O BPA imita o estrogênio e foi demonstrado que faz crescer células de câncer de mama.[12] A exposição ao BPA no início da vida leva a mudanças pré-cancerosas na próstata e nas glândulas mamárias, desenvolvimento alterado do cérebro, baixa contagem de espermatozoides, anomalias cromossômicas nos óvulos, obesidade e resistência à insulina.[13] A exposição pré-natal ao BPA está correlacionada a câncer de mama mais tarde, um fato tão alarmante que o Fundo do Câncer de Mama exorta as pessoas a evitar *todos os plásticos BPA*.[14] Também recomenda a eliminação de alimentos enlatados, uma vez que o BPA é comumente usado no revestimento interno de latas.[15]

Pense nas implicações disso para os adeptos da assim chamada alimentação saudável. Um estudo independente, não financiado pela indústria, do Fundo do Câncer de Mama, analisou mais de 300 produtos e verificou que os níveis de BPA eram mais altos em alguns dos alimentos "mais saudáveis" de baixa caloria, como vegetais, sopas e leite de coco light enlatados.[16] Isso coloca aqueles que pensam estar fazendo escolhas alimentares inteligentes sob o maior risco.

Felizmente, o acúmulo de BPA pode ser revertido. Em 2011, o Fundo do Câncer de Mama, em conjunto com o Instituto Primavera Silenciosa, colocou em teste uma dieta de desintoxicação de BPA. O estudo, publicado

---

[10] Antonia M. Calafat, et al., "Exposure of the US population to Bisphenol A and 4-Tertiary-Octylphenol: 2003–2004". *Environmental Health Perspectives* (2008): 39–44.

[11] L. Trasande, T. M. Attina e J. Blustein, "Association between Urinary Bisphenol A Concentration and Obesity Prevalence in Children and Adolescents", *JAMA* 308 (2012): 1113–21.

[12] Endocrine Society, "BPA Stimulates Growth of an Advanced Subtype of Human Breast Cancer Cells Called Inflammatory Breast Cancer", ScienceDaily, 23 de junho de 2014.

[13] www.medicalnewstoday.com/articles/243626.php.

[14] Endocrine Society, "BPA Exposure in Utero May Increase Predisposition to Breast Cancer", ScienceDaily, 3 de outubro de 2011.

[15] www.breastcancerfund.org/reduce-your-risk/tips/eat-live-better.

[16] Breast Cancer Fund (2010), What Labels Don't Tell Us: Getting BPA out of Our Food and Our Bodies, www.breastcancerfund.org/assets/pdfs/publications/what-labels-dont-tell-us-1.pdf.

na *Environmental Health Perspectives* (uma prestigiosa revista supervisionada pelo Instituto Nacional de Saúde), testou famílias que adotaram uma dieta que eliminou todos os alimentos empacotados. No final do estudo, os níveis de BPA haviam caído em surpreendentes 60%![17]

**QUER O RECIBO? Os recibos das máquinas registradoras são revestidos com BPA, que é absorvido pela pele. Se você é altamente sensível ao BPA, considere fazer compras com luvas ou recusar o recibo.**

Considerado tóxico no Canadá e proibido em toda a União Europeia, é surpreendente que o BPA ainda seja usado em alguma coisa. Embora a FDA tenha finalmente proibido o BPA nas mamadeiras, o *Big Food* e o *Big Chem* (grandes indústrias químicas) continuam a lutar contra as novas normas. Em vez disso, encorajam-nos a focar nos "alimentos saudáveis", despejando no mercado linhas de produtos de baixa caloria e baixo teor de gordura que dependem da embalagem mais barata, o cerne dos problemas de saúde da nossa nação.

Assustadoramente, o BPA é apenas a ponta do iceberg. Outro estudo de 2011 da *Environmental Health Perspectives* testou 500 recipientes químicos e verificou que quase todos eles, mesmo aqueles anteriormente considerados seguros, liberam produtos químicos que imitam o estrogênio. Produtos sem BPA, incluindo mamadeiras, na verdade liberam estrogênios sintéticos *mais potentes que o BPA*![18] Stuart Yaniger, um dos autores do estudo, coloca sem rodeios: "Mamadeiras, sacos plásticos, filme plástico, recipientes de alimento com tampa de encaixe, embalagens *stand-up pouch:* encontramos esta atividade em praticamente qualquer coisa que você possa pensar em termos de embalagens plásticas para alimentos ou bebidas. Foi chocante para nós".[19]

---

[17] Ruthann A. Rudel, et al., "Food Packaging and Bisphenol A and Bis (2-Ethyhexyl) Phthalate Exposure: Findings from a Dietary Intervention", *Environmental Health Perspectives* 119.7 (2011): 914–20.

[18] *Environmental Health Perspectives* 119 (2011): 989–96. dx.doi.org/10.1289/ehp.1003220. [online em 2 de março de 2011].

[19] www.chriskresser.com/how-plastic-food-containers-could-be-making-you-fat-infertile-and-sick.

A advertência de Yaniger sobre o filme plástico é particularmente importante. Sabe-se que os filmes plásticos contêm um disruptor endócrino extremamente perigoso chamado DEHA, adipato de di-(2-etil-hexila). Grupos industriais em pânico continuam a negar a toxicidade, mas pesquisadores imparciais seguem ligando o DEHA a tumores no fígado, asma e câncer.[20] Pesquisa da União de Consumidores confirmou que alimentos embrulhados em plástico, como queijos de mercearia, continham níveis de DEHA superiores aos considerados seguros na Europa.[21] Você não embrulharia sua comida em um tecido embebido em veneno, mas é exatamente isso que está fazendo quando embrulha sua comida em plástico contaminado com DEHA.

À medida que o uso de plástico aumenta, sobem também os índices de transtornos mentais como TDAH e autismo[22]. Embora os dois pareçam intuitivamente independentes, os cientistas veem uma conexão. Irva Hertz-Picciotto, chefe da Divisão de Saúde Ambiental e Ocupacional da UC Davis, acredita que, como as embalagens de plástico interferem no sistema hormonal natural do corpo, poderiam "desempenhar um papel no autismo ou em outros transtornos do desenvolvimento neurológico". Outros médicos suspeitam que as embalagens plásticas possam afetar o hormônio da tireoide, fundamental para o desenvolvimento do cérebro. A disfunção da tireoide é particularmente comum em crianças com autismo.[23]

E essas enxaquecas? Elas não são coisa apenas da sua cabeça. De acordo com a Clínica Mayo, os plásticos podem ser responsáveis por sua enxaqueca. Os hormônios estrogênio e progesterona desempenham um papel-chave na regulação da menstruação e gravidez, que afetam elementos químicos no cérebro causadores de dor de cabeça.[24] Níveis constantes de estrogênio melhoram as dores de cabeça, mas níveis alterados pioram-nas. Um estudo da Universidade do Kansas constatou que plásticos disruptores de hormônio causaram sintomas de enxaqueca, incluindo sensibilidade à

---

[20] www.center4research.org/healthy-living-prevention/products-with-health-risks/plastic-wrap-and-plastic-food-containers-are-they-safe.

[21] www.consumersunion.org/news/report-to-the-fda-regarding-plastic-packaging.

[22] http://articles.mercola.com/sites/articles/archive/2014/04/02/environmental-toxin-exposure.aspx.

[23] http://thechart.blogs.cnn.com/2011/06/07/scientists-warn-of-chemical-autism-link/.

[24] www.mayoclinic.org/diseases-conditions/chronic-daily-headaches/in-depth/headaches/art-20046729.

luz e ao som.[25] Produtos químicos em embalagens plásticas de alimentos também têm sido associados a doenças cardíacas,[26] diabetes em adultos,[27] hipertensão arterial,[28] puberdade precoce,[29] alergias,[30] asma,[31] ansiedade,[32] falta de atrativos,[33] disfunção erétil,[34] depressão,[35] esquizofrenia[36] e Alzheimer.[37]

Portanto, os plásticos nos deixam doentes — mas também nos deixam gordos? A resposta é clara. Os cientistas sabem há mais de uma década que os plásticos causam obesidade em ratos e recentemente verificaram que a ligação se estende aos humanos. No artigo de 2012 no Smithsonian. com "A lata é pior do que o refrigerante?", o autor Joseph Stromberg cita o primeiro estudo em larga escala (com uma amostra de cerca de 3.000 crianças) para encontrar uma ligação significativa entre BPA e obesidade. Stromberg nota que o estudo "sugere as principais causas surpreendentemente complexas da obesidade, que se pensava que simplesmente refletisse um desequilíbrio entre ingestão calórica e exercício".[38] Um estudo posterior na

---

[25] N. E. J. Berman, E. Gregory, K. E. McCarson et al., "Exposure to Bisphenol A Exacerbates Migraine-Like Behaviors in a Multibehavior Model of Rat Migraine", *Toxicological Sciences* 137.2 (2014): 416–27.

[26] Naomi Lubick, "Cardiovascular Health: Exploring a Potential Link between BPA and Heart Disease", *Environmental Health Perspectives* 118.3 (2010): A116.

[27] Ben Harder, "Diabetes from a Plastic?: Estrogen Mimic Provokes Insulin Resistance", *Science News* 169.3 (2006): 36–37.

[28] Leonardo Trasande, et al., "Urinary Phthalates Are Associated with Higher Blood Pressure in Childhood", *Journal of Pediatrics* 163.3 (2013): 747–53.

[29] Jonathan R. Roy, Sanjoy Chakraborty e Tandra R. Chakraborty, "Estrogen-Like Endocrine Disrupting Chemicals Affecting Puberty in Humans: A Review", *Medical Science Monitor* 15.6 (2009): 137–45.

[30] Datis Kharrazian, "The Potential Roles of Bisphenol A (BPA) Pathogenesis in Autoimmunity", *Autoimmune Diseases*, vol. 2014, Article ID 743616, 12 pp., 2014. doi:10.1155/2014/743616.

[31] Carl-Gustaf Bornehag, et al., "The Association between Asthma and Allergic Symptoms in Children and Phthalates in House Dust: A Nested Case-Control Study", *Environmental Health Perspectives* (2004): 1.393–97.

[32] Bryce C. Ryan e John G. Vandenbergh, "Developmental Exposure to Environmental Estrogens Alters Anxiety and Spatial Memory in Female Mice", *Hormones and Behavior* 50.1 (2006): 85–93.

[33] Lisa A. M. Galea e Cindy K. Barha, "Maternal Bisphenol A (BPA) Decreases Attractiveness of Male Offspring", *Proceedings of the National Academy of Sciences* 108.28 (2011): 11.305–6.

[34] De-Kun Li, et al., "Relationship between Urine Bisphenol-A Level and Declining Male Sexual Function", *Journal of Andrology* 31.5 (2010): 500–506.

[35] www.rodalenews.com/multiple-chemical-sensitivity.

[36] James S. Brown, "Effects of Bisphenol-A and Other Endocrine Disruptors Compared with Abnormalities of Schizophrenia: An Endocrine-Disruption Theory of Schizophrenia", *Schizophrenia Bulletin* 35.1 (2009): 256–78.

[37] Wei Sun, et al., "Perinatal Exposure to Di-(2-Ethylhexyl)-Phthalate Leads to Cognitive Dysfunction and Phospho-Tau Level Increase in Aged Rats", *Environmental Toxicology* (2012).

[38] www.smithsonianmag.com/ist/?next=/science-nature/is-the-can-worse-than-the-soda-study-finds-correlation-between-bpa-and-obesity-40894828.

revista *Pediatrics* analisou 3.300 crianças de seis a dezoito anos de idade e verificou que aquelas com altos níveis de BPA tendiam a apresentar "quantidade excessiva de gordura corporal e cintura invulgarmente expandida".[39] Um estudo de 2013 da Kaiser Permanente concluiu que meninas com níveis mais elevados de BPA eram *cinco vezes mais propensas a estar acima do peso*.[40] Diversos estudos têm associado os plásticos a cinturas expandidas e resistência à insulina. Um estudo de 2013 na *Environmental Health Perspectives* verificou que a exposição ao plástico colocava especialmente crianças afro-americanas sob o risco da obesidade. Os autores relataram que cada aumento de unidade de nanoplásticos na urina significava uma chance 21% maior de que a criança estivesse acima do peso e 22% maior de que a criança seria obesa.[41]

Não é por coincidência que, quando o uso do plástico decolou, começamos a adquirir quilos a mais.

### Isopor: um debate acalorado

O poliestireno, familiar para a maioria de nós como isopor, é tecnicamente um tipo de plástico. É comumente usado em copos de bebida, embalagens de fast-food, caixas de ovos e recipientes de comida para levar. Embora você a encontre por toda parte, a espuma de poliestireno contém estireno, um conhecido agente cancerígeno. Um estudo de mais de 12.000 trabalhadores homens em uma fábrica de polímero de estireno verificou que operários expostos ao estireno tiveram os riscos de leucemia e linfoma não Hodgkin aumentados. O sistema digestivo parece particularmente suscetível a danos pelo estireno, pois os pesquisadores também encontraram índices maiores de câncer de esôfago em caucasianos e de câncer de estômago em negros. Trabalhadores negros expostos a estireno também tiveram taxas mais ele-

---

[39] Donna S. Eng, et al., "Bisphenol A and Chronic Disease Risk Factors in US Children", *Pediatrics* 132.3 (2013): e637–e645.

[40] De-Kun Li, Maohua Miao, ZhiJun Zhou, Chunhua Wu, Huijing Shi, Xiaoqin Liu, Siqi Wang e Wei Yuan, "Urine Bisphenol-A Level in Relation to Obesity and Overweight in School-Age Children", *PLoS ONE*, 2013; 8 (6): e65399 DOI: 10.1371/journal.pone.0065399.

[41] Leonardo Trasande, et al., "Race/Ethnicity-Specific Associations of Urinary Phthalates with Childhood Body Mass in a Nationally Representative Sample", *Environmental Health Perspectives* 121.4 (2013): 501–506.

vadas de doença cardíaca.[42] Outros riscos de saúde pela exposição ao estireno que foram observados incluem irritação da pele, olhos, trato respiratório superior e problemas gastrointestinais.[43] Isso para não mencionar a "doença do estireno", uma condição caracterizada por dores de cabeça, fadiga, névoa no cérebro e depressão.[44]

Está bem documentado que líquidos quentes fazem o isopor derreter e se romper. As autoridades de saúde dizem para nunca se aquecer copos de isopor no micro-ondas e alertam contra o uso com bebidas quentes.[45] Todavia, as grandes corporações alimentícias continuam a usar poliestireno para suas bebidas quentes e sopas, e nós continuamos bebendo seus produtos. Uma das piores transgressoras é a Dunkin' Donuts, que utiliza aproximadamente 1 bilhão de copos de isopor por ano. Houve várias petições e um grupo do Facebook dedicado à mudança de embalagem da Dunkin' Donuts, mas até agora a empresa tem resistido.[46] Durante todo esse tempo você desconfiou daquelas rosquinhas repletas de gordura trans, enquanto seu copo de café de isopor é o verdadeiro assassino. Dá para acreditar nisso? Seu café Dunkin' é pior que seu Dunkin' Donut. Lembre-se: *a América morre na Dunkin!*

**CONHEÇA O SEU PAPEL. Um copo de papel pode ser uma ótima alternativa segura quando você estiver na rua e esquecer sua caneca. Mas nem todo papel é feito da mesma maneira. Foi mostrado que o papel reciclado das caixas de cereais causa câncer. Saquinhos de chá de papel branqueado com cloro contêm dioxina, um conhecido agente cancerígeno que pode se infiltrar no líquido quente.**

Mas parece que o café é apenas uma gota no balde (de plástico). Nossa maior fonte de disruptores químicos vem da água engarrafada. Os

---

[42] Genevieve M. Matanoski, Carlos Santos-Burgoa e Linda Schwartz, "Mortality of a Cohort of Workers in the Styrene-Butadiene Polymer Manufacturing Industry (1943–1982)", *Environmental Health Perspectives* 86 (1990): 107.

[43] www.earthresource.org/campaigns/capp/capp-styrofoam.html.

[44] www.rodalenews.com/coffee-and-styrofoam-cups.

[45] www.ewg.org/research/healthy-home-tips/tip-3-pick-plastics-carefully.

[46] www.facebook.com/pages/Encouraging-Dunkin-Donuts-to-stop-using-1-Billion-styrofoam-cups-a-year/199731989943.

norte-americanos consomem mais de 9 bilhões de galões de água engarrafada por ano, e os números estão subindo rápido.[47] Embora não se pareçam com isopor, as garrafas de água são feitas de plástico poliestireno. Um estudo de 2006 encontrou níveis elevados de estireno em amostras de água recém-engarrafadas. Os níveis aumentaram ao longo do tempo em que a água engarrafada permaneceu na prateleira. Quando as garrafas eram aquecidas, os níveis ficavam ainda mais altos, mas mesmo em água fresca e fria os resultados foram alarmantes![48] Um estudo posterior publicado na revista *Environmental Science and Pollution Research* confirmou que havia elementos químicos disruptores endócrinos em todas as amostras de água engarrafada testadas.[49]

O gráfico a seguir acompanha o consumo de água engarrafada, e a curva corresponde quase exatamente ao crescimento de nossa epidemia de obesidade! Os nutricionistas enfatizam que beber bastante água é essencial para a perda de peso. Contudo, é óbvio que beber água de garrafa provoca mais do que aumento do peso em água.

Enquanto muitos de nós se esforçam para ficar saudáveis e hidratados, vemo-nos ficando mais gordos e mais doentes. Tomamos nosso café preto, sem açúcar ou creme, mas não parece ajudar. Comemos menos no jantar e carregamos as sobras para casa em uma embalagem na esperança de reduzir nossa cintura diminuindo o tamanho de nossas refeições. Mas a triste verdade é que todo esse foco na comida está nos distraindo da causa cientificamente comprovada dos nossos problemas.

---

[47] "Smaller categories still saw growth as the U.S. liquid refreshment beverage market shrunk by 2.0 percent in 2008, Beverage Marketing Corporation reports", nota à imprensa, Beverage Marketing Corporation, 30 de março de 2009.

[48] Maqbool Ahmad e Ahmad S. Bajahlan, "Leaching of Styrene and Other Aromatic Compounds in Drinking Water from PS Bottles", *Journal of Environmental Sciences* 19.4 (2007): 421–26.

[49] Martin Wagner e Jörg Oehlmann, "Endocrine Disruptors in Bottled Mineral Water: Total Estrogenic Burden and Migration from Plastic Bottles", Environmental Science and Pollution Research 16.3 (2009): 278–86.

## Venda de água engarrafada nos EUA

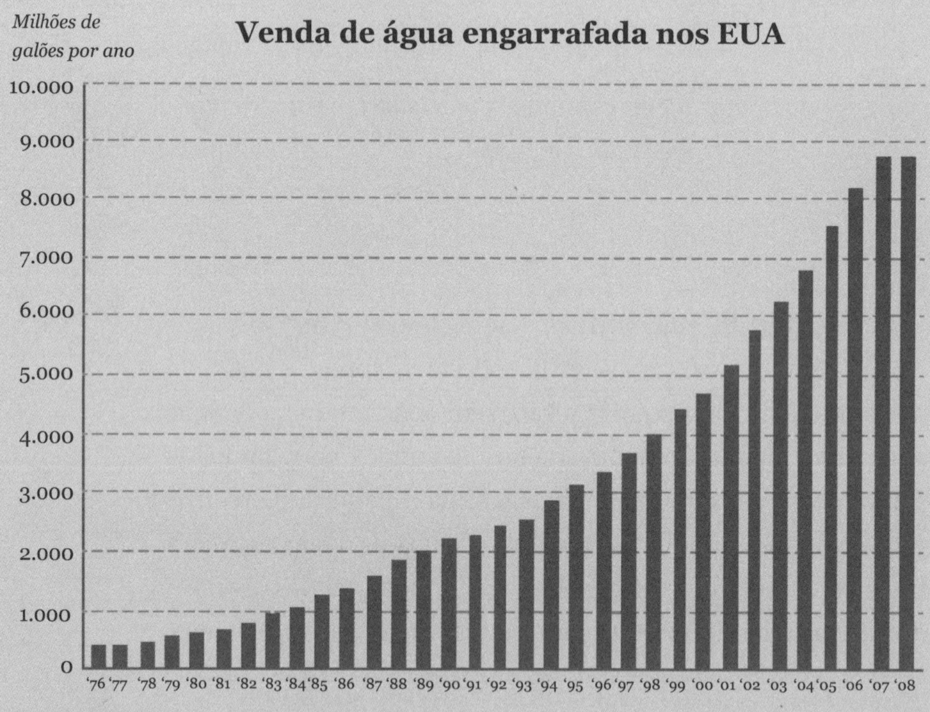


*Dados do Departamento de Agricultura dos EUA, Serviço de Pesquisa Econômica e Beverage Marketing Corporation.*

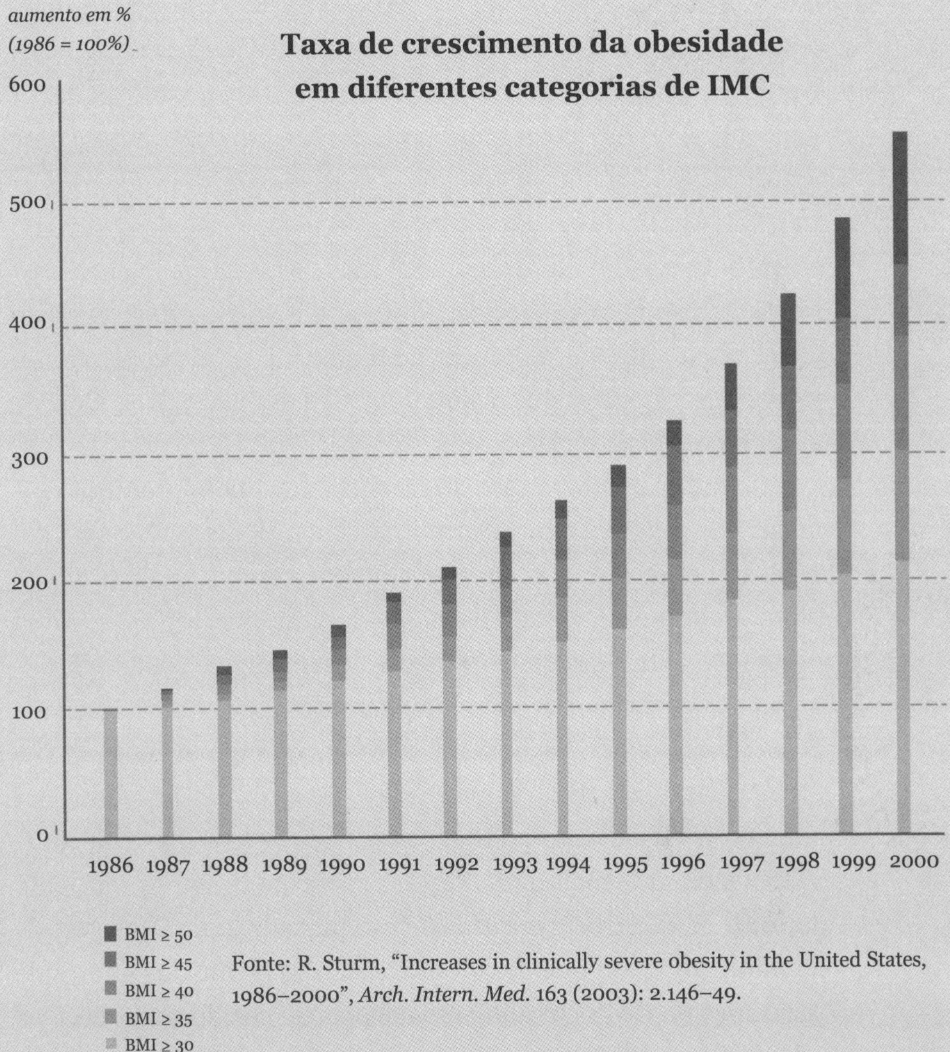


Fonte: R. Sturm, "Increases in clinically severe obesity in the United States, 1986–2000", *Arch. Intern. Med.* 163 (2003): 2.146–49.

## Folha falhada

Você poderia pensar que a folha de alumínio é uma alternativa segura para embrulhar as sobras de comida caseira, mas não é verdade. Um dos metais mais perigosos à espreita em nossa casa é o alumínio.

A embalagem de alumínio não era usada até o século XX e está se tornando cada vez mais popular. Hoje a produção global de alumínio excede

todos os metais, exceto o ferro.[50] Apesar de todo mundo ter uma certa quantidade de alumínio no corpo, ele não oferece nenhum benefício ou função. O acúmulo de alumínio, no entanto, pode ser tóxico. O alumínio há tempos é considerado um contribuinte para a doença de Alzheimer, e numerosos estudos confirmaram a conexão.[51] Os cientistas encontraram alumínio no núcleo das placas no cérebro associadas ao Alzheimer.[52] Mas os perigos vão além dessa associação bem conhecida. A exposição ao alumínio tem sido associada a tudo, desde câncer de mama até osteoporose.[53,54] Na verdade, verificou-se que o alumínio inibe negativamente mais de 200 funções biológicas.[55]

Assim como no caso do plástico, que libera produtos químicos, as pesquisas mostraram que metais perigosos migram para a comida quando ela fica em contato com o alumínio. É tanto alumínio entrando em nossa comida que o país de Omã proibiu cozinhar-se com ele em 2010 e restringe o contato de alimentos quentes apenas ao lado brilhante.[56] Um estudo italiano de 1996 fez soar o alarme pela primeira vez quando encontrou 2–6 miligramas de alumínio transferidos para a comida por folha, panelas e utensílios de alumínio.[57] Estudos subsequentes encontraram níveis ainda mais altos. Um estudo de 2011 no *International Journal of Electrochemical Science* constatou que os níveis de alumínio atingiam quantidades tóxicas bem acima dos limites de segurança da OMS em alimentos depois de cozidos, reaquecidos

---

[50] www.commodities-now.com/news/metals-and-mining/612-world-metal-production-surges.html.

[51] www.whfoods.com/genpage.php?tname=newtip&dbid=8.

[52] www.doctoroz.com/article/your-brain-protection-plan.

[53] P. D. Darbre, "Underarm Cosmetics Are a Cause of Breast Cancer", European Journal of Cancer Prevention 10.5 (2001): 389–94.

[54] Bengt Mjöberg, et al., "Aluminum, Alzheimer's Disease and Bone Fragility", Acta Orthopaedica 68.6 (1997): 511–14.

[55] Masahiro Kawahara e Midori Kato-Negishi, "Link between Aluminum and the Pathogenesis of Alzheimer's Disease: The Integration of the Aluminum and Amyloid Cascade Hypotheses", International Journal of Alzheimer's Disease (2011).

[56] www.thenational.ae/news/uae-news/aluminium-foil-linked-to-osteoporosis-and-alzheimers.

[57] L. Gramiccioni, et al., "Aluminium Levels in Italian Diets and in Selected Foods from Aluminium Utensils", Food Additives & Contaminants 13.7 (1996): 767–74.

ou até mesmo simplesmente refrigerados em papel alumínio. Esse efeito era amplificado pela acidez — ponto a que retornaremos num instante.[58]

**LATAS DE ESTANHO: A ALTERNATIVA MAIS SEGURA? Estanho e alumínio são dois materiais populares em latas. A exposição ao estanho pode causar irritação na pele e nos olhos, bem como problemas neurológicos. E, quando a lata é aberta e o revestimento exposto ao oxigênio, a corrosão ocorre rapidamente, liberando ainda mais estanho na sua comida.**

Recentemente, os cientistas voltaram a atenção para a ligação entre alumínio e obesidade. Juntamente com o BPA do revestimento interno das latas de refrigerante, o alumínio também ajuda a empilhar quilos extras. Altos níveis de alumínio no organismo foram associados à deficiência de ferro, desproporcionalmente comum nos obesos.[59] Em um relatório de 2007, bioquímicos verificaram que a disfunção mitocondrial induzida por alumínio leva à obesidade.[60]

Tudo isso poderia ajudar a explicar por que se verificou que refrigerantes dietéticos contribuem para o aumento de peso, um mistério que especialistas em nutrição não conseguem solucionar.[61] Lembra como a acidez amplifica o efeito de lixiviação do alumínio? Uma bebida altamente ácida de zero caloria lixiviará o alumínio a uma taxa elevada. Se você quer perder peso, pode ser melhor beber um milk-shake de um copo de vidro do que uma lata de refrigerante diet.

Assustadoramente, a pesquisa também conectou o alumínio a dificuldades de aprendizagem e autismo. Já em 2009, o renomado neurocirur-

---

58 F. S. Mohammad, E. A. H. Al Zubaidy e G. Bassion, "Effect of Aluminum Leaching Process of Cooking Wares on Food", International Journal of Electrochemical Science 6.1 (2011): 222–230.

59 Sungwon Han, et al., "How Aluminum, an Intracellular ROS Generator Promotes Hepatic and Neurological Diseases: The Metabolic Tale", Cell Biology and Toxicology 29.2 (2013): 75–84.

60 Ryan Mailloux, Joseph Lemire e Vasu Appanna, "Aluminum-Induced Mitochondrial Dysfunction Leads to Lipid Accumulation in Human Hepatocytes: A Link to Obesity", Cellular Physiology and Biochemistry 20.5 (2008): 627–38.

61 Susan E. Swithers, "Artificial Sweeteners Produce the Counterintuitive Effect of Inducing Metabolic Derangements", Trends in Endocrinology & Metabolism 24.9 (2013): 431–41.

gião Russell Blaylock estava examinando como o alumínio gera mudanças no cérebro.[62] Em uma revisão de 2012, intitulada "Dados empíricos confirmam sintomas de autismo relacionados à exposição ao alumínio e acetaminofeno", os autores observam que menções ao autismo "aumentaram de forma constante no final do século passado, durante um período em que o mercúrio estava sendo eliminado, enquanto a carga adjuvante de alumínio era aumentada". No relatório, eles ligam vacinas contendo alumínio a um aumento significativo de "celulite, convulsão, depressão, fadiga, dor e morte".[63] Em um artigo intitulado "Toxicidade do alumínio em disfunção mitocondrial e ASD", os autores Nancy Mullan, MD, e Amy Yasko, PhD, AMD, FAAIM, notam o "intenso interesse e discussão em torno da alta incidência de doença e/ou disfunção mitocondrial em crianças com transtornos do espectro do autismo". Como não existe causa genética para essa disfunção, a atenção está "se afastando da genética e se voltando para o ambiente".[64] A exposição ao alumínio é uma grande suspeita.

Você pode não sofrer de nenhuma das condições acima, mas isso não significa que não foi envenenado por alumínio. Aqui está uma lista de verificação de sintomas associados com a toxicidade do alumínio.[65] Se você tiver dois ou mais deles, deve tentar eliminar todo alumínio de sua cozinha imediatamente:

- Prisão de ventre
- Névoa no cérebro
- Anorexia
- Irritação gastrointestinal
- Hiperatividade
- Distúrbio de fala
- Demência
- Osteomalacia

---

[62] Russell L. Blaylock, "A Possible Central Mechanism in Autism Spectrum Disorders, Part 3: The Role of Excitotoxin Food Additives and the Synergistic Effects of Other Environmental Toxins", *Alternative Therapies in Health and Medicine* 15.2 (2008): 56–60.

[63] Stephanie Seneff, Robert M. Davidson e Jingjing Liu, "Empirical Data Confirm Autism Symptoms Related to Aluminum and Acetaminophen Exposure", *Entropy* 14.11 (2012): 2227–53.

[64] Nancy Mullan, et al., "Aluminum Toxicity in Mitochondrial Dysfunction and ASD".

[65] www.bodyhealth.com/sources-heavy-metals.

- Dores de cabeça
- Ritmo anormal do coração
- Dormência de mãos e pés
- Visão turva
- Memória debilitada

## Desempacotando as gerações futuras

A pressão das grandes indústrias químicas tem mantido esses materiais perigosos no mercado, mesmo quando caem sob o exame minucioso de um grupo de neurocientistas, toxicologistas, endocrinologistas, bioquímicos e pediatras cada vez mais articulados. Como já vimos, seus estudos pioneiros estão revelando verdades desconfortáveis. Uma descoberta particularmente preocupante é que muitas crianças, hoje em dia, nascem com metais pesados em seus sistemas. Alumínio, estanho e outros metais tóxicos podem passar para o bebê pelo leite materno ou placenta.[66] Foi mostrado que o BPA se acumula em uma concentração particularmente alta na placenta. Embora não esteja claro quanto BPA passa da mãe para o filho, o Programa Nacional de Toxicologia, que vem estudando o BPA extensivamente desde 2008, concluiu que existe "alguma preocupação" sobre a toxicidade para o desenvolvimento de fetos, bebês e crianças.[67] Um estudo de 2011 verificou até mesmo que mães com altos níveis de BPA em sua urina eram mais propensas a ter filhas com hiperatividade, ansiedade e depressão. Esses sintomas começaram a aparecer em meninas de até três anos de idade.[68]

Em seu editorial do *New York Times* "Grandes indústrias químicas, grande dano?", Nicholas Kristof discute como os efeitos dessas substâncias químicas podem ser epigenéticos, significando que a exposição química de um adulto pode afetar sua futura prole. "É assustador", disse Jennifer T. Wolstenholme, da Universidade da Virgínia, que verificou que os descendentes de ratos expostos a doses baixas de BPA (comparáveis a quantidades de consumo humano) exibiram comportamentos comparáveis a autismo e TDAH. "Esses resultados em doses baixas contribuem intensamente para

[66] www.positivehealth.com/article/environmental/heavy-metal-toxicity-an-unsuspected-illness.
[67] www.infantrisk.com/content/bisphenol-effects.
[68] Joe M. Braun, et al., "Impact of Early-Life Bisphenol A Exposure on Behavior and Executive Function in Children", *Pediatrics* 128.5 (2011): 873–82.

as preocupações quanto aos disruptores endócrinos", disse John Peterson Myers, cientista chefe da organização Ciências de Saúde Ambiental. "Vai ser mais difícil do que apenas eliminar a exposição de uma geração". Kristof espera que estes novos estudos catapultem o assunto para o cenário nacional. "Ameaças a nós precisam ser tratadas", ele declarou, "mesmo que não venham de armas nucleares iranianas, mas de coisas tão banais como sopa enlatada e recibos do caixa eletrônico".[69]

A Dieta UNpacked™ pode muito bem ser a única dieta que realmente vai melhorar sua saúde *e* a saúde das futuras gerações. Se conseguirmos seguir rumo a uma sociedade desempacotada, poderemos mudar o curso de nossa crescente epidemia de obesidade, reverter as taxas crescentes de doenças crônicas e salvar nossas crianças de erros mortais que elas não escolheram cometer.

**Desempacote-se dos seus quilos, desempacote o seu potencial, desempacote a sua comida!**

A Dieta UNpacked™ tem resultados comprovados que lhe proporcionarão uma aparência e bem-estar que você não tem há anos. Evitando as toxinas, obesógenos e agentes cancerígenos comumente encontrados nas embalagens de alimentos, você irá desintoxicar seu corpo rapidamente.

**SEM GRUDAR? Não tem problema! O teflon, um revestimento antiaderente comum de panelas, já foi considerado agente causador de câncer. Numerosos estudos desmascararam este mito. De fato, devido à natureza antiaderente do teflon, a comida na verdade tem menos contato com a superfície de cozedura, tornando-o um dos materiais culinários mais seguros à disposição hoje em dia.**

[69] www.nytimes.com/2012/08/26/opinion/sunday/kristof-big-chem-big-harm.html?_r=0.

A maioria das dietas promete liberdade para você comer "o que quiser", mas a promessa é seguida por uma lista de alimentos restritos. A dieta UNpacked™ não tem tal tipo de lista. É compatível com qualquer tradição culinária e permite todas as categorias de alimentos. Você nunca mais terá que ficar longe daquele bolo de chocolate ou evitar a cesta de pão! Você nunca se sentirá envergonhado ou excluído por causa de sua dieta de eliminação. Você vai descobrir que comer alimentos supostamente insalubres que evitou por anos fará com que se sinta ótimo, contanto que eles estejam livres da contaminação da embalagem.

Simples assim.

Coma o que quiser, o quanto quiser, quando quiser, contanto que respeite as seguintes regras:

- Evite alimentos que foram armazenados em plástico selado ou filme plástico. Escolha recipientes plásticos (caixinhas com tampa/sacos) ventilados em vez de invólucros mais impermeáveis e use sacos de tecido para itens soltos.
- Cuidado com os alimentos dentro de caixas com sacos plásticos ocultos (caixas de cereais, bolachas e biscoitos são transgressoras comuns). Verifique os sacos de papel com revestimento interno de plástico. Cuidado nunca é demais!
- Guarde as sobras em recipientes de vidro ou cerâmica. Use revestimentos não porosos UNpacked™ para reduzir a contaminação.
- Nunca reaqueça alimentos em plástico.
- Evite alimentos enlatados. Lembre-se: recipientes "sem BPA" têm revestimento plástico e contêm metais tóxicos.
- Nunca beba líquidos quentes de copos/tigelas de plástico ou isopor.
- Cozinhe com esperteza: não contamine alimentos livres de produtos químicos com lascas de tábuas de cortar plásticas ou espátulas plásticas superaquecidas. Use tábuas de madeira ou bambu e utensílios de madeira ou de aço inoxidável.

- Evite cereais, massas, arroz etc. empacotados em caixas de papelão reciclado, que já provaram conter óleos minerais cancerígenos.
- Use sacos de chá de tecido ou papel não branqueado. Use filtros de café não branqueados e somente as cafeteiras com a aprovação UNpacked™.
- Nunca armazene sobras de comida em contato direto com papel alumínio ou em recipientes/panelas de alumínio.
- Não cozinhe/asse com panelas de alumínio, nem asse com papel alumínio. Nunca coloque a folha de alumínio na grelha.
- Mantenha as vitaminas/suplementos seguros usando revestimentos internos não porosos UNpacked™.

*(Revestimentos não porosos UNpacked™, uma lista de cafeteiras com a aprovação UNpacked™ e o livro de receitas UNpacked™ est*ão todos disponíveis em unpackeddiet.com).

Eu experimentei os extraordinários benefícios desta dieta. Nada mais de acne, nada mais de pele seca, nada mais de névoa no cérebro. Agora que compreendo a ciência, já não tenho medo de sofrer de câncer, Alzheimer ou qualquer uma das doenças que a medicina moderna quer tratar com medicação. Você também não precisa ter medo. E meus peitinhos — sim, admito que tive! — sumiram completamente graças à retirada de todo aquele estrogênio sintético do meu sistema.

Mas não confie apenas na minha palavra. Aqui estão depoimentos reais de pessoas que se desempacotaram:

*"Eu pré-encomendei este livro, e, finalmente, me desempacotei uma semana antes de seu lançamento. E que diferença. Minha pressão arterial andava na média de 140/88 (tomando dois medicamentos para pressão arterial). Agora, apenas duas semanas depois de alimentação desempacotada, estou com uma média 124/68 nos últimos quatro dias. Reduzi um de meus medicamentos para impedir que minha pressão baixe demais depois*

*que caiu para 108/58. É uma loucura! E não estou passando fome. Estou comendo bastante".*

*"Meu marido e eu mudamos imediatamente para o estilo desempacotado de alimentação e a seguir, em questão de poucas semanas, perdi 7 quilos. Não sou NADA gorda. Mas meu peso havia subido ao longo dos últimos anos, e eu não conseguia voltar ao meu normal. Me sinto ÓTIMA! Meus pais também estão nesse estilo de alimentação. Eles estão nos 70 anos, são muito ativos, conscientes da saúde e de mentalidade muito aberta".*

*"Comecei a alimentação desempacotada e minha energia não só foi às alturas como minha depressão abrandou, minha pele ficou mais suave e mais macia e baixei para o tamanho 36 sem sequer tentar perder peso! (Nunca usei tamanho menor que 42 na minha vida!). Em todo caso, mantive esse nível de vitalidade e o tamanho 36 sem esforço até começar a comer farinha de arroz, aveia, carnes e doces empacotados. Rapidamente ganhei 6,5kg e caí* em depressão *mais uma vez, o que me levou a perceber que, uma vez na dieta desempacotada, ela deve se tornar um estilo de vida".*

*"Com 49 anos de idade e 111kg, eu sabia que precisava fazer alguma coisa para mudar minha saúde para melhor. Este programa mudou tudo para mim, minha saúde, meu peso, minha dor... Me senti 30 anos mais jovem, sem dor alguma, e tenho fibromialgia. 40 dias e acabei 16kg mais leve, durmo como um bebê, não há mais dor... Eu mal podia caminhar de tanta dor que sentia. Se você realmente quer fazer algo maravilhoso para si mesmo/sua saúde, isto é, é mesmo.... Desempacotar salvou minha vida!!!!!!!!!!!!!"*

*"Eu estava muito acima do peso e parecia não conseguir perdê-lo. Me sentia inchado e 'balofo', além de não ter energia. Devido a tudo isso, eu carecia de confiança e tinha uma autoimagem ruim. Encontrei a Dieta UNpacked e me comprometi a segui-la.*

*"Em 10 dias perdi 22 libras (10kg). Me sentia tão bem que continuei seguindo o plano de dieta e perdi 55 libras (25kg) em 3 meses e recuperei minha energia e autoestima. Minha mãe ficou* tão impressionada que agora está *seguindo a dieta".*

*"Isto é inacreditável. A parte mais difícil foi largar todas as 'regras de dieta' que adotei ao longo dos anos e simplesmente aprender a ouvir a Dieta UNpacked. No primeiro dia que fiz o que Levinovitz sugeriu, perdi 2kg — não é brincadeira! ... Recomendo para quem está cansado de dieta ioiô. Você jamais terá que se restringir novamente. Isso é impressionante!"*

**Então tente desempacotar-se por apenas 30 dias — o que você tem a perder além do seu peso?**

# DESEMPACOTADA

## A Dieta UNpacked™

**Desempacote-se de seus quilos. Desempacote o seu potencial.**
**Desempacote a sua comida.**

**Finalmente: uma revolução cientificamente comprovada na alimentação saudável!**

- Saiba por que o que você come não é o problema.
- Saiba por que cientistas e nutricionistas sempre discordam sobre quais alimentos são ruins e quais alimentos são bons.
- Pare de ouvir propagandas exageradas e comece a viver a verdade.
- Adote a Dieta UNpacked™... e dê adeus às dietas da moda para sempre!

Este trecho introdutório é adaptado de *10-Day Detox*, do Dr. Mark Hyman. A lista de enfermidades é a mesma. Aqui são usados nove dias em vez de dez porque nove é um número da sorte chinês.

**Detox UNpacked em 9 dias**

Aqui está minha promessa: com APENAS 9 dias de Dieta UNpacked, você dará o salto inicial para o caminho da saúde. Algumas pessoas, incluindo médicos, não acham que você possa transformar sua saúde radicalmente em poucos dias, mas eu acho. Por quê? Porque já vi isso acontecer com meus próprios olhos. Apenas siga meu programa comprovado e em 9 dias você pode não só perder até 4 quilos como também pode prevenir ou reverter problemas de saúde crônicos, inclusive diabetes, asma, dores articulares, problemas digestivos, doenças autoimunes, dores de cabeça, névoa no cérebro, alergias, acne, eczema e até mesmo disfunção sexual.

Deixa o leitor extremamente inseguro e vulnerável.

**Passo Um: seja honesto consigo mesmo**

Pese-se. Meça a sua cintura. E a seguir recorde quando foi a última vez que você se sentiu completamente descansado e plenamente energizado. Agora, pergunte-se: este é o seu verdadeiro eu ou tem alguém diferente — mais magro, mais inteligente, mais feliz — escondido aí dentro, tentando escapar? Você está pronto para ajudar?

**Passo Dois: leia a Dieta UNpacked**

Descubra o que está lhe impedindo de se tornar seu verdadeiro eu. Você vai ficar chocado, vai ficar com raiva e vai ficar empoderado para fazer as mudanças que lhe colocarão na trilha da saúde. E o melhor de tudo: você poderá comer cada um dos alimentos que ama: carboidratos, gorduras, sal, açúcar, trigo, carne, laticínios. Ao contrário de outras dietas, com a UNpack você realmente não precisa desistir de nada.

**Passo Três: detox de 9 dias**

Por apenas nove dias, desempacote sua dieta. Então volte ao primeiro passo. Pese-se. Meça a sua cintura. E a seguir recorde quando foi a última vez que você se sentiu completamente descansado e plenamente energizado. Agora, pergunte-se: você começou a se desempacotar dos seus quilos como muitas outras pessoas desempacotaram-se? Começou a desempacotar o seu potencial?

Claro que sim! Então faça da Dieta UNpacked um estilo de vida, não apenas uma dieta!

**Por que nós, por que agora?**

Pense nas refeições tradicionais que sua bisavó e avó preparavam: enormes tigelas de purê de batatas, assados gigantes de carne, pão branco lambuzado de manteiga, tortas recém-assadas com crosta flocada de banha de porco. Seus pais provavelmente têm boas lembranças de correr atrás do caminhão de sorvete em todos os dias de verão. E temos lindos anúncios de época da Coca-Cola para nos lembrar de um tempo em que as crianças bebiam uma garrafa de Coca sem culpa sempre que os dias estavam quentes.

Como as pessoas se safaram comendo daquele jeito, quando hoje se diz que os mesmos tipos de alimentos provocam doenças crônicas?

A sabedoria convencional nos diz que hábitos alimentares pouco saudáveis causam a obesidade, hipertensão, doença cardíaca, derrame e diabetes que assolam nosso mundo moderno. Novas pesquisas mostram que a dieta também pode causar condições psicológicas como TDAH, Alzheimer, esquizofrenia e autismo.

**Invoca imediatamente o mito do paraíso do passado.**

**Não se safaram, se a implicação é de que a vida era mais segura naquele tempo. O risco de morte ajustado para idade caiu 66% entre 1935 e 2010.**

**Estabelece a Dieta UNpacked como anticonvencional, atraindo pessoas frustradas com a "medicina tradicional". Refere-se vagamente a "novas pesquisas" e deixa de revelar a discordância no meio científico a respeito de se e como a dieta está ligada a esses problemas.**

**Reforça o mito do paraíso passado e dos "bons selvagens", usando referências infundadas sobre culturas tradicionais saudáveis. Não existe consenso sobre a extensão em que a dieta desempenha um papel na saúde de qualquer dessas culturas. Não só isso: a maioria dos relatos de culturas tradicionais saudáveis são desatualizados ou pitorescos.**

Mas quais alimentos são o problema? Cientistas e gurus das dietas jogam-nos em um vaivém no que se refere aos culpados — do sal para o açúcar, da gordura para o glúten. Você acredita no pessoal paleolítico? Isso significa que carne vermelha é bom e grãos integrais são perigosos. Você confia em nosso governo? Então os grãos integrais são imprescindíveis, e a carne vermelha lhe dará câncer e doenças cardíacas. Nutricionistas tradicionais vão dizer que é tudo uma questão de equilíbrio energético — basta comer menos calorias do que você queima. Mas, se você está entre aqueles que experimentaram dietas e exercícios, você *sabe* que tem mais coisa nessa história.

Olhar as culturas tradicionais em busca da dieta ideal suscita ainda mais perguntas. Sabemos que as tribos *massai* africanas mantêm-se livres de doenças com uma dieta de leite cru e carne.[70] Todavia, atribuímos a grande saúde dos antigos chineses à sua dieta quase vegetariana.[71] Os índios *ianomâmi* do Brasil prosperam com uma dieta livre de sal, ao passo que os japoneses (uma das culturas modernas mais saudáveis, virtualmente sem doenças do coração) consomem a dieta de mais alto teor de sódio do mundo.[72],[73]

Será que a sabedoria convencional poderia estar apenas *parcialmente* certa?

Há alguma coisa errada em nossa dieta. Claro que há!

[70] Friedrich-Schiller-Universität Jena, "Nomadic People's Good Health Baffles Scientists", ScienceDaily, 18 de maio de 2010.

[71] Keith Akers, A Vegetarian Sourcebook: The Nutrition, Ecology, and Ethics of a Vegetarian Diet (Vegetarian Press, 1983).

[72] William J. Oliver, Edwin L. Cohen e James V. Neel, "Blood Pressure, Sodium Intake, and Sodium Related Hormones in the Yanomamo Indians, a 'No-Salt' Culture," *Circulation* 52.1 (1975): 146–51.

[73] Taichi Shimazu, et al., "Dietary Patterns and Cardiovascular Disease Mortality in Japan: A Prospective Cohort Study", *International Journal of Epidemiology* 36.3 (2007): 600–609.

Olhe as taxas vertiginosas de obesidade, doenças crônicas, câncer e doença mental.

Mas aqui está a verdade chocante: o problema não é o *tipo* de comida que comemos.

A única coisa com que todos concordam é que a América doente e obesa come muita comida processada e empacotada. De acordo com uma reportagem do *New York Times*, os americanos comem 31% a mais de comida empacotada do que alimentos frescos. Comemos mais alimentos empacotados do que quase qualquer outro país. Mas não tire conclusões precipitadas sobre o que há dentro desses pacotes. Quase 40% do consumo de comida empacotada da América provém de laticínios, especialmente iogurte e leite desnatado, bons para o coração. Apenas 6% de nosso consumo de alimentos empacotados provém daqueles petiscos e guloseimas que associamos a aumento de peso e doenças.[74]

De fato, enquanto os fabricantes de alimentos e redes de fast-food produzem opções "mais saudáveis", tais como refeições de baixo teor de gordura, laticínios fermentados, pães integrais e saladas pré-prontas, nossa saúde continua em declínio. Parece que, quanto mais tentamos e quanto mais sabemos, pior fica.

Então, vamos perguntar de novo: o que *realmente* mudou desde as gerações mais saudáveis do nosso passado? O que elas, os *ianomâmi* e os *massai* têm em comum?

Quando penso em minha avó de 95 anos, sempre penso em um pote de vidro. Na verdade, sua cozinha era repleta deles. No final do verão, ela enchia os potes com frutas e vegetais para preservá-los e comer o ano inteiro.

**Usa dados escolhidos a dedo. Exclui as informações de que o consumo de petiscos e guloseimas nos EUA é o dobro de quase todos os outros países. Também não menciona que o consumo total de alimentos per capita é mais alto na América.**

**Alarmismo simplificado sobre a saúde geral raramente é acurado. A duração de nossa vida é mais longa que nunca, e existe um considerável debate científico sobre o suposto aumento de condições como TDAH, autismo e câncer.**

**Curiosidades sobre longevidade são poderosas, mas não constituem evidência decisiva de nada.**

[74] http://www.nytimes.com/imagepages/2010/04/04/business/04metrics_g.html.

Evoca uma narrativa de bem e mal, na qual qualquer coisa associada à indústria deve ser ruim.

Apela para o medo da modernidade.

Contrasta a modernidade com uma visão idealizada da Natureza com N maiúsculo.

Hoje, o vidro raramente é usado para armazenar alimentos, e por uma razão simples: as grandes corporações alimentícias querem manter as coisas baratas. A despensa da avó já era. As cozinhas agora estão cheias de plásticos, metais e papéis fortemente branqueados e processados. Muitas pessoas nunca sequer viram um saco de aniagem tradicional. Em vez disso, nosso arroz e grãos são selados em sacos plásticos. O leite, outrora fresco e entregue em jarros de vidro, fica por dias em recipientes plásticos ou caixas de papel forradas com plástico. Nossos avós levavam produtos frescos para casa em caixas de madeira e de papelão. Nossas frutas e legumes vêm pré-cortados, convenientemente envoltos em plástico e isopor.

Nossos ancestrais paleolíticos ingeriam uma dieta de ampla variedade, dependendo de onde viviam.[75] Mas nenhum deles fazia compras em supermercados. Eles encontravam seu alimento na Natureza, envolvido nas embalagens de cascas da Natureza. Hoje em dia a história é diferente. Onde quer que seja encontrada, da lojinha de conveniência do posto de gasolina aos Walmarts gigantes, a comida quase sempre vem empacotada. E, mesmo quando isso não acontece, nós mesmos a colocamos em sacos plásticos antes de levar para casa para alimentar nossa família.

Se estivermos dispostos a ignorar as velhas formas de pensar em comida, a resposta para nossos problemas dietéticos será óbvia. O vaivém desaparece quando paramos de tentar descobrir que *tipo* de comida é o vilão alimentar, ou qual o novo modismo dietético que nos ajudará a perder peso e a nos livrarmos de doenças

[75] Marlene Zuk, Paleofantasy: What Evolution Really Tells Us about Sex, Diet, and How We Live (Nova York: W. W. Norton & Company, 2013).

crônicas. A ciência não pode nos dizer qual é a dieta certa porque *não existe* uma dieta certa!

Aqui está o que a ciência pode nos dizer, e é o que todos esses gurus das dietas e nutricionistas do vaivém não querem que você saiba porque eles ficariam sem emprego. Os materiais mais comuns de supermercado e fast-food — plástico, alumínio, estanho, até mesmo papel reciclado — contêm produtos químicos perigosos e metais pesados que nos engordam e destroem nossa saúde.

*O verdadeiro vilão está na embalagem.*

**Identifica um bode expiatório satisfatoriamente simples para culpar por todos os nossos problemas de saúde.**

## Plásticos não são fantásticos

Os perigos dos plásticos não são nenhuma surpresa para os cientistas que há décadas estudam seus efeitos negativos para a saúde. Pesquisadores e autoridades de saúde manifestaram preocupações a respeito do "nanoplástico" (pequenas partículas de plástico) que entra em nossa comida por "lixiviação" ou "migração". Embora as grandes indústrias químicas (*Big Chem*) e alimentícias (*Big Food*) façam de tudo para suprimir esta informação, numerosos estudos provam que os riscos para a saúde são enormes.

**Usa jargão pseudocientífico. Nanoplástico é um termo real, mas não significa "pequenas partículas de plástico". Entretanto, com certeza, soa assustador. Big Chem e *Big Food* = Super vilões!**

Ao contrário de baixo carboidrato versus baixo teor de gordura, não se debate os perigos desses materiais modernos de armazenamento de comida.

**Falso.**

Você deve ter ouvido falar do mais notório destes plásticos, o BPA. Plásticos de policarbonato (contendo BPA) são extremamente comuns nas embalagens de alimentos dos Estados Unidos. Em 2004, o CDC encontrou vestígios de BPA em quase todas as amostras de urina coletadas (93% de adultos), e os cientistas

**Parece alarmante, mas, em nosso corpo, existem traços de muitas coisas que são perigosas em doses mais elevadas. A dose faz o veneno.**

**As associações aterrorizantes feitas nesse parágrafo baseiam-se em alguns poucos estudos *in vitro* e com animais. O estabelecimento de fatos sobre o que causa câncer em humanos requer muitos estudos em humanos e estudos epidemiológicos. Com base em um único estudo, em primatas, com conclusões muito hesitantes. Organizações nem sempre fazem recomendações baseadas em ciência sólida. O Fundo do Câncer de Mama está baseando suas recomendações nos tipos de estudo mencionados acima.**

preveem que hoje o número estaria acima de 99%.[76] A fonte primária desse BPA é nossa dieta.[77]

Os perigos deste disruptor endócrino venenoso são quase numerosos demais para listar. O BPA imita o estrogênio e foi demonstrado que faz crescer células de câncer de mama.[78] A exposição ao BPA no início da vida leva a mudanças pré-cancerosas na próstata e nas glândulas mamárias, desenvolvimento alterado do cérebro, baixa contagem de espermatozoides, anomalias cromossômicas nos óvulos, obesidade e resistência à insulina.[79] A exposição pré-natal ao BPA está correlacionada a câncer de mama mais tarde, um fato tão alarmante que o Fundo do Câncer de Mama exorta as pessoas a evitar *todos os plásticos BPA*.[80] Também recomenda a eliminação de alimentos enlatados, uma vez que o BPA é comumente usado no revestimento interno de latas.[81]

---

[76] Antonia M. Calafat, et al., "Exposure of the US population to Bisphenol A and 4-Tertiary-Octylphenol: 2003–2004". *Environmental Health Perspectives* (2008): 39–44.

[77] L. Trasande, T. M. Attina e J. Blustein, "Association between Urinary Bisphenol A Concentration and Obesity Prevalence in Children and Adolescents", *JAMA* 308 (2012): 1113–21.

[78] Endocrine Society, "BPA Stimulates Growth of an Advanced Subtype of Human Breast Cancer Cells Called Inflammatory Breast Cancer", ScienceDaily, 23 de junho de 2014.

[79] www.medicalnewstoday.com/articles/243626.php.

[80] Endocrine Society, "BPA Exposure in Utero May Increase Predisposition to Breast Cancer", ScienceDaily, 3 de outubro de 2011.

[81] www.breastcancerfund.org/reduce-your-risk/tips/eat-live-better.

Pense nas implicações disso para os adeptos da assim chamada alimentação saudável. Um estudo independente, não financiado pela indústria, do Fundo do Câncer de Mama, analisou mais de 300 produtos e verificou que os níveis de BPA eram mais altos em alguns dos alimentos "mais saudáveis" de baixa caloria, como vegetais, sopas e leite de coco light enlatados.[82] Isso coloca aqueles que pensam estar fazendo escolhas alimentares inteligentes sob o maior risco.

Felizmente, o acúmulo de BPA pode ser revertido. Em 2011, o Fundo do Câncer de Mama, em conjunto com o Instituto Primavera Silenciosa, colocou em teste uma dieta de desintoxicação de BPA. O estudo, publicado na *Environmental Health Perspectives* (uma prestigiosa revista supervisionada pelo Instituto Nacional de Saúde), testou famílias que adotaram uma dieta que eliminou todos os alimentos empacotados. No final do estudo, os níveis de BPA havia caído em surpreendentes 60%![83]

**Só porque um estudo não é financiado pela indústria não significa que seja confiável ou livre de preconceito.**
**Se os níveis mais elevados de BPA ainda são seguros, então isso não importa. Os níveis "mais elevados" identificados no estudo ainda se situam bem abaixo das diretrizes da FDA e até mesmo dos limites mais conservadores da Agência de Proteção Ambiental (EPA).**

**Grande exemplo de preconceito não industrial. Aqui estão algumas citações do site do Primavera Silenciosa, ilustrando sua desconfiança da metodologia científica e impaciência com o processo científico:**

> **"[O Instituto Primavera Silenciosa] decidiu criar um laboratório próprio. ... O plano de fundo foi o ativismo social, não a ciência — e isso lhe conferiu uma vantagem".**
> **"Não queremos ciência como de costume. Não queremos financiar cientistas que iriam embora e só voltariam com um relatório dez anos mais tarde".**

**Estudos publicados em revistas de prestígio nem sempre são confiáveis. Veja o seguinte comentário:**
**Cinco famílias participaram do estudo. A dieta durou três dias.**

---

[82] Breast Cancer Fund (2010), What Labels Don't Tell Us: Getting BPA out of Our Food and Our Bodies, www.breastcancerfund.org/assets/pdfs/publications/what-labels-dont-tell-us-1.pdf.

[83] Ruthann A. Rudel, et al., "Food Packaging and Bisphenol A and Bis (2-Ethyhexyl) Phthalate Exposure: Findings from a Dietary Intervention", *Environmental Health Perspectives* 119.7 (2011): 914–20.

Como vimos com o MSG e o sal, a ação regulamentadora, especialmente quando se trata de segurança infantil, muitas vezes se precipita e cria a ilusão de um consenso científico. Em uma nota à imprensa em 2012, a FDA declarou que o motivo para sua proibição do BPA foi "abandono", o que significa que as companhias pararam de usar BPA em mamadeiras. A nota incluiu a declaração explícita de que "informações de segurança não são relevantes para o abandono".

Uma coisa é dizer que recipientes liberam produtos químicos. Uma outra bem diferente é comprovar uma ligação entre esses produtos químicos e problemas de saúde.

**QUER O RECIBO? Os recibos das máquinas registradoras são revestidos com BPA, que é absorvido pela pele. Se você é altamente sensível ao BPA, considere fazer compras com luvas ou recusar o recibo.**

Considerado tóxico no Canadá e proibido em toda a União Europeia, é surpreendente que o BPA ainda seja usado em alguma coisa. Embora a FDA tenha finalmente proibido o BPA nas mamadeiras, o *Big Food* e o *Big Chem* (grandes indústrias químicas) continuam a lutar contra as novas normas. Em vez disso, encorajam-nos a focar em "alimentos saudáveis", despejando no mercado linhas de produtos de baixa caloria e baixo teor de gordura que dependem da embalagem mais barata, o cerne dos problemas de saúde da nossa nação.

Assustadoramente, o BPA é apenas a ponta do iceberg. Outro estudo de 2011 da *Environmental Health Perspectives* testou 500 recipientes químicos e verificou que quase todos eles, mesmo aqueles anteriormente considerados seguros, liberam produtos químicos que imitam o estrogênio. Produtos sem BPA, incluindo mamadeiras, na verdade, liberam estrogênios sintéticos *mais potentes que o BPA*![84] Stuart Yaniger, um dos autores do estudo, coloca sem rodeios: "Mamadeiras, sacos plásticos, filme plástico, recipientes de alimento com tampa de encaixe, embalagens *stand-up pouch*: encontramos esta atividade em praticamente qualquer coisa que você

[84] *Environmental Health Perspectives* 119 (2011): 989–96. dx.doi.org/10.1289/ehp.1003220. [online em 2 de março de 2011].

possa pensar em termos de embalagens plásticas para alimentos ou bebidas. Foi chocante para nós".[85]

A advertência de Yaniger sobre o filme plástico é particularmente importante. Sabe-se que os filmes plásticos contêm um disruptor endócrino extremamente perigoso chamado DEHA, adipato de di-(2-etil-hexila). Grupos industriais em pânico continuam a negar a toxicidade, mas pesquisadores imparciais seguem ligando o DEHA a tumores no fígado, asma e câncer.[86] Pesquisa da União de Consumidores confirmou que alimentos embrulhados em plástico, como queijos de mercearia, continham níveis de DEHA superiores aos considerados seguros na Europa.[87] Você não embrulharia sua comida em um tecido embebido em veneno, mas é exatamente isso que está fazendo quando embrulha sua comida em plástico contaminado com DEHA.

**Stuart Yaniger trabalha para a PlastiPure, companhia com uma linha de produtos de plástico cuja missão é garantir "que elementos químicos estrogênicos não sejam liberados em alimentos, bebidas e outros materiais". Isso não significa que o estudo dele esteja errado — mas significa que deveríamos estender a ele o mesmo ceticismo que teríamos em relação a um estudo bancado pela indústria assegurando a segurança dos plásticos.**

**Fornecer o nome científico completo não significa nada, mas ajuda a estabelecer a expertise e invocar o medo da modernidade.**

**Lembre-se: só porque a indústria nega uma coisa não significa que o contrário seja verdade.**

**Em seu relatório, a União dos Consumidores também enfatizou que os riscos eram pequenos.**

**"... seguros na Europa". É verdade, mas e daí? Níveis de segurança legais para produtos químicos podem variar drasticamente entre países e organizações de saúde pública e é comum não terem base em ciência sólida.**

---

85 www.chriskresser.com/how-plastic-food-containers-could-be-making--you-fat-infertile-and-sick.

86 www.center4research.org/healthy-living-prevention/products-with-health-risks/plastic-wrap-and-plastic-food-containers-are-they-safe.

87 www.consumersunion.org/news/report-to-the-fda-regarding-plastic-packaging.

Isso é altamente controverso. Muitos especialistas sugeriram que os índices de autismo na verdade não estão crescendo e que a melhor detecção e a expansão dos critérios contribuem para a "epidemia" que se percebe. Poderiam desempenhar um papel... ou poderiam não desempenhar. Possam... ou não possam.

À medida que o uso de plástico aumenta, sobem também os índices de transtornos mentais como TDAH e autismo[88]. Embora os dois pareçam intuitivamente independentes, os cientistas veem uma conexão. Irva Hertz-Picciotto, chefe da Divisão de Saúde Ambiental e Ocupacional da UC Davis, acredita que, como as embalagens de plástico interferem no sistema hormonal natural do corpo, poderiam "desempenhar um papel no autismo ou em outros transtornos do desenvolvimento neurológico". Outros médicos suspeitam que as embalagens plásticas possam afetar o hormônio da tireoide, fundamental para o desenvolvimento do cérebro. A disfunção da tireoide é particularmente comum em crianças com autismo.[89]

...em ratos.

E essas enxaquecas? Elas não são coisa apenas da sua cabeça. De acordo com a Clínica Mayo, os plásticos podem ser responsáveis por sua enxaqueca. Os hormônios estrogênio e progesterona desempenham um papel-chave na regulação da menstruação e gravidez, que afetam elementos químicos no cérebro causadores de dor de cabeça.[90] Níveis constantes de estrogênio melhoram as dores de cabeça, mas níveis alterados as pioram. Um estudo da Universidade do Kansas constatou que plásticos disruptores de hormônio causaram sintomas de enxaqueca, incluindo sensibilidade à luz e ao som.[91] Produtos químicos em embalagens plásticas de alimentos também

[88] http://articles.mercola.com/sites/articles/archive/2014/04/02/environmental-toxin-exposure.aspx.

[89] http://thechart.blogs.cnn.com/2011/06/07/scientists-warn-of-chemical-autism-link/.

[90] www.mayoclinic.org/diseases-conditions/chronic-daily-headaches/in-depth/headaches/art-20046729.

[91] N. E. J. Berman, E. Gregory, K. E. McCarson et al., "Exposure to Bisphenol A Exacerbates Migraine-Like Behaviors in a Multibehavior Model of Ra t Migraine", Toxicological Sciences 137.2 (2014): 416–27.

têm sido associados a doenças cardíacas,[92] diabetes em adultos,[93] hipertensão arterial,[94] puberdade precoce,[95] alergias,[96] asma,[97] ansiedade,[98] falta de atrativos,[99] disfunção erétil,[100] depressão,[101] esquizofrenia[102] e Alzheimer.[103] Portanto, os plásticos nos deixam doentes — mas também nos deixam gordos? A resposta é clara. Os cientistas sabem há mais de uma década que os plásticos causam obesidade em ratos e recentemente verificaram que a ligação se estende aos humanos. No artigo de 2012 no Smithsonian.com "A lata é pior do que o refrigerante?", o autor Joseph Stromberg cita o primeiro estudo em larga escala (com uma amostra de cerca de 3.000 crianças) para encontrar uma ligação significativa entre BPA e obesidade. Stromberg nota que o estudo "sugere as principais causas surpreendentemente complexas da obesidade,

**Montes de citações não significam boa ciência. Cada "associação" dessa frase baseia-se em um estudo único; às vezes, com conclusões muito tênues.**

**Correlação não é causação.**

---

[92] Naomi Lubick, "Cardiovascular Health: Exploring a Potential Link between BPA and Heart Disease", Environmental Health Perspectives 118.3 (2010): A116.

[93] Ben Harder, "Diabetes from a Plastic?: Estrogen Mimic Provokes Insulin Resistance", Science News 169.3 (2006): 36–37.

[94] Leonardo Trasande, et al., "Urinary Phthalates Are Associated with Higher Blood Pressure in Childhood", Journal of Pediatrics 163.3 (2013): 747–53.

[95] Jonathan R. Roy, Sanjoy Chakraborty e Tandra R. Chakraborty, "Estrogen-Like Endocrine Disrupting Chemicals Affecting Puberty in Humans: A Review", Medical Science Monitor 15.6 (2009): 137–45.

[96] Datis Kharrazian, "The Potential Roles of Bisphenol A (BPA) Pathogenesis in Autoimmunity", Autoimmune Diseases, vol. 2014, Article ID 743616, 12 pp., 2014. doi:10.1155/2014/743616.

[97] Carl-Gustaf Bornehag, et al., "The Association between Asthma and Allergic Symptoms in Children and Phthalates in House Dust: A Nested Case-Control Study", Environmental Health Perspectives (2004): 1.393–97.

[98] Bryce C. Ryan e John G. Vandenbergh, "Developmental Exposure to Environmental Estrogens Alters Anxiety and Spatial Memory in Female Mice", Hormones and Behavior 50.1 (2006): 85–93.

[99] Lisa A. M. Galea e Cindy K. Barha, "Maternal Bisphenol A (BPA) Decreases Attractiveness of Male Offspring", Proceedings of the National Academy of Sciences 108.28 (2011): 11.305–6.

[100] De-Kun Li, et al., "Relationship between Urine Bisphenol-A Level and Declining Male Sexual Function", Journal of Andrology 31.5 (2010): 500–506.

[101] www.rodalenews.com/multiple-chemical-sensitivity.

[102] James S. Brown, "Effects of Bisphenol-A and Other Endocrine Disruptors Compared with Abnormalities of Schizophrenia: An Endocrine-Disruption Theory of Schizophrenia", Schizophrenia Bulletin 35.1 (2009): 256–78.

[103] Wei Sun, et al., "Perinatal Exposure to Di-(2-Ethylhexyl)-Phthalate Leads to Cognitive Dysfunction and Phospho-Tau Level Increase in Aged Rats", Environmental Toxicology (2012).

Stromberg também nota que a "descoberta é apenas uma correlação entre a quantidade de BPA no corpo e a obesidade, e não uma evidência de uma causa a outra".

...altos níveis de BPA tendiam... Correlação não é causação!

Falso. Muito provavelmente é uma coincidência.

que se pensava que simplesmente refletisse um desequilíbrio entre ingestão calórica e exercício".[104] Um estudo posterior na revista *Pediatrics* analisou 3.300 crianças de seis a dezoito anos de idade e verificou que aquelas com altos níveis de BPA tendiam a apresentar "quantidade excessiva de gordura corporal e cintura invulgarmente expandida".[105] Um estudo de 2013 da Kaiser Permanente concluiu que meninas com níveis mais elevados de BPA eram *cinco vezes mais propensas a estar acima do peso*.[106] Diversos estudos têm associado os plásticos a cinturas expandidas e resistência à insulina. Um estudo de 2013 na *Environmental Health Perspectives* verificou que a exposição ao plástico colocava especialmente crianças afro-americanas sob o risco da obesidade. Os autores relataram que cada aumento de unidade de nanoplásticos na urina significava uma chance 21% maior de que a criança estivesse acima do peso e 22% maior de que a criança seria obesa.[107]

Não é por coincidência que, quando o uso do plástico decolou, começamos a adquirir quilos a mais.

## Isopor: um debate acalorado

O poliestireno, familiar para a maioria de nós como isopor, é tecnicamente um tipo de plástico. É comumente usado em copos de bebida, embalagens de fast-food, caixas de ovos e recipientes de comida para le-

[104] www.smithsonianmag.com/ist/?next=/science-nature/is-the-can-worse-than-the-soda-study-finds-correlation-between-bpa-and-obesity-40894828.

[105] Donna S. Eng, et al., "Bisphenol A and Chronic Disease Risk Factors in US Children", Pediatrics 132.3 (2013): e637–e645.

[106] De-Kun Li, Maohua Miao, ZhiJun Zhou, Chunhua Wu, Huijing Shi, Xiaoqin Liu, Siqi Wang e Wei Yuan, "Urine Bisphenol-A Level in Relation to Obesity and Overweight in School-Age Children", PLoS ONE, 2013; 8 (6): e65399 DOI: 10.1371/journal.pone.0065399.

[107] Leonardo Trasande, et al., "Race/Ethnicity-Specific Associations of Urinary Phthalates with Childhood Body Mass in a Nationally Representative Sample", Environmental Health Perspectives 121.4 (2013): 501–506.

var. Embora você a encontre por toda parte, a espuma de poliestireno contém estireno, um conhecido agente cancerígeno. Um estudo de mais de 12.000 trabalhadores homens em uma fábrica de polímero de estireno verificou que operários expostos ao estireno tiveram os riscos de leucemia e linfoma não Hodgkin aumentados. O sistema digestivo parece particularmente suscetível a danos pelo estireno, pois os pesquisadores também encontraram índices maiores de câncer de esôfago em caucasianos e de câncer de estômago em negros. Trabalhadores negros expostos a estireno também tiveram taxas mais elevadas de doença cardíaca.[108] Outros riscos de saúde pela exposição ao estireno que foram observados incluem irritação da pele, olhos, trato respiratório superior e problemas gastrointestinais.[109] Isso para não mencionar a "doença do estireno", uma condição caracterizada por dores de cabeça, fadiga, névoa no cérebro e depressão.[110]

**Quase completamente irrelevante. Esses trabalhadores de fábrica estavam respirando grandes quantidades de estireno. A falácia monotônica — se muito é ruim, pouco também é ruim — entra em cena.**

**O dano do estireno inalado ao sistema digestivo não significa que a ingestão de pequenas quantidades de estireno provavelmente seja prejudicial.**

Está bem documentado que líquidos quentes fazem o isopor derreter e se romper. As autoridades de saúde dizem para nunca se aquecer copos de isopor no micro-ondas e alertam contra o uso com bebidas quentes.[111] Todavia, as grandes corporações alimentícias continuam a usar poliestireno para suas bebidas quentes e sopas, e nós continuamos bebendo seus produtos. Uma das piores transgressoras é a Dunkin' Donuts, que utiliza aproximadamente 1 bilhão de copos de isopor por ano. Houve várias petições e um grupo do Facebook dedicado à mudança de embalagem da Dunkin' Do-

**Que autoridades de saúde? Constata-se que são principalmente as alarmistas, não confiáveis. Seu médico já mencionou isso para você?**

---

[108] Genevieve M. Matanoski, Carlos Santos-Burgoa e Linda Schwartz, "Mortality of a Cohort of Workers in the Styrene-Butadiene Polymer Manufacturing Industry (1943–1982)", Environmental Health Perspectives 86 (1990): 107.

[109] www.earthresource.org/campaigns/capp/capp-styrofoam.html.

[110] www.rodalenews.com/coffee-and-styrofoam-cups.

[111] www.ewg.org/research/healthy-home-tips/tip-3-pick-plastics-carefully.

Esses movimentos geralmente enfocam preocupações ambientais, não preocupações com a saúde.

nuts, mas até agora a empresa tem resistido.[112] Durante todo esse tempo, você desconfiou daquelas rosquinhas repletas de gordura trans enquanto seu copo de café de isopor é o verdadeiro assassino. Dá para acreditar nisso? Seu café Dunkin' é pior que seu Dunkin' Donut. Lembre-se: *a América morre na Dunkin!*

**CONHEÇA O SEU PAPEL. Um copo de papel pode ser uma ótima alternativa segura quando você estiver na rua e esquecer sua caneca. Mas nem todo papel é feito da mesma maneira. Foi mostrado que o papel reciclado das caixas de cereais causa câncer. Saquinhos de chá de papel branqueado com cloro contêm dioxina, um conhecido agente cancerígeno que pode se infiltrar no líquido quente.**

O grande número parece excessivo, mas só sem dados comparativos de outros países. Assim como o nosso consumo de sal, o consumo norte-americano de água engarrafada é inferior ao de muitos outros países, incluindo México, Tailândia, Itália, Bélgica, Alemanha, Emirados Árabes Unidos e França.

Mas parece que o café é apenas uma gota no balde (de plástico). Nossa maior fonte de disruptores químicos vem da água engarrafada. Os norte-americanos consomem mais de 9 bilhões de galões de água engarrafada por ano, e os números estão subindo rápido.[113] Embora não se pareçam com isopor, as garrafas de água são feitas de plástico poliestireno. Um estudo de 2006 encontrou níveis elevados de estireno em amostras de água recém-engarrafadas. Os níveis aumentaram ao longo do tempo em que a água engar-

Níveis elevados não são alarmantes se não têm implicações para a saúde.

---

[112] www.facebook.com/pages/Encouraging-Dunkin-Donuts-to-stop-using-1--Billion-styrofoam-cups-a-year/199731989943.

[113] "Smaller categories still saw growth as the U.S. liquid refreshment beverage market shrunk by 2.0 percent in 2008, Beverage Marketing Corporation reports", nota à imprensa, Beverage Marketing Corporation, 30 de março de 2009.

rafada permaneceu na prateleira. Quando as garrafas eram aquecidas, os níveis ficavam ainda mais altos, mas, mesmo em água fresca e fria, os resultados foram alarmantes![114] Um estudo posterior publicado na revista *Environmental Science and Pollution Research* confirmou que havia elementos químicos disruptores endócrinos em todas as amostras de água engarrafada testadas.[115]

**Nunca foi confirmado que os níveis eram tóxicos. A dose faz o veneno.**

O gráfico a seguir acompanha o consumo de água engarrafada, e a curva corresponde quase exatamente ao crescimento de nossa epidemia de obesidade! Os nutricionistas enfatizam que beber bastante água é essencial para a perda de peso. Contudo, é óbvio que beber água de garrafa provoca mais do que aumento do peso em água.

**Correlação não é igual à causação. O site Tylervigen.com permite a você gerar gráficos customizados como estes. Por exemplo: o consumo per capita de queijo de 2000–09 correlaciona-se quase que exatamente com o "número de pessoas que morreram emaranhadas em sua roupa de cama".**

[114] Maqbool Ahmad e Ahmad S. Bajahlan, "Leaching of Styrene and Other Aromatic Compounds in Drinking Water from PS Bottles", Journal of Environmental Sciences 19.4 (2007): 421–26.

[115] Martin Wagner e Jörg Oehlmann, "Endocrine Disruptors in Bottled Mineral Water: Total Estrogenic Burden and Migration from Plastic Bottles", Environmental Science and Pollution Research 16.3 (2009): 278–86.

Enquanto muitos de nós se esforçam para ficar saudáveis e hidratados, nos vemos ficando mais gordos e mais doentes. Tomamos nosso café preto, sem açúcar ou creme, mas não parece ajudar. Comemos menos no jantar e carregamos as sobras para casa em uma embalagem na esperança de reduzir nossa cintura diminuido o tamanho de nossas refeições, mas a triste verdade é que todo esse foco na comida está nos distraindo da causa cientificamente comprovada dos nossos problemas.

*Dados do Departamento de Agricultura dos EUA, Serviço de Pesquisa Econômica e Beverage Marketing Corporation.*

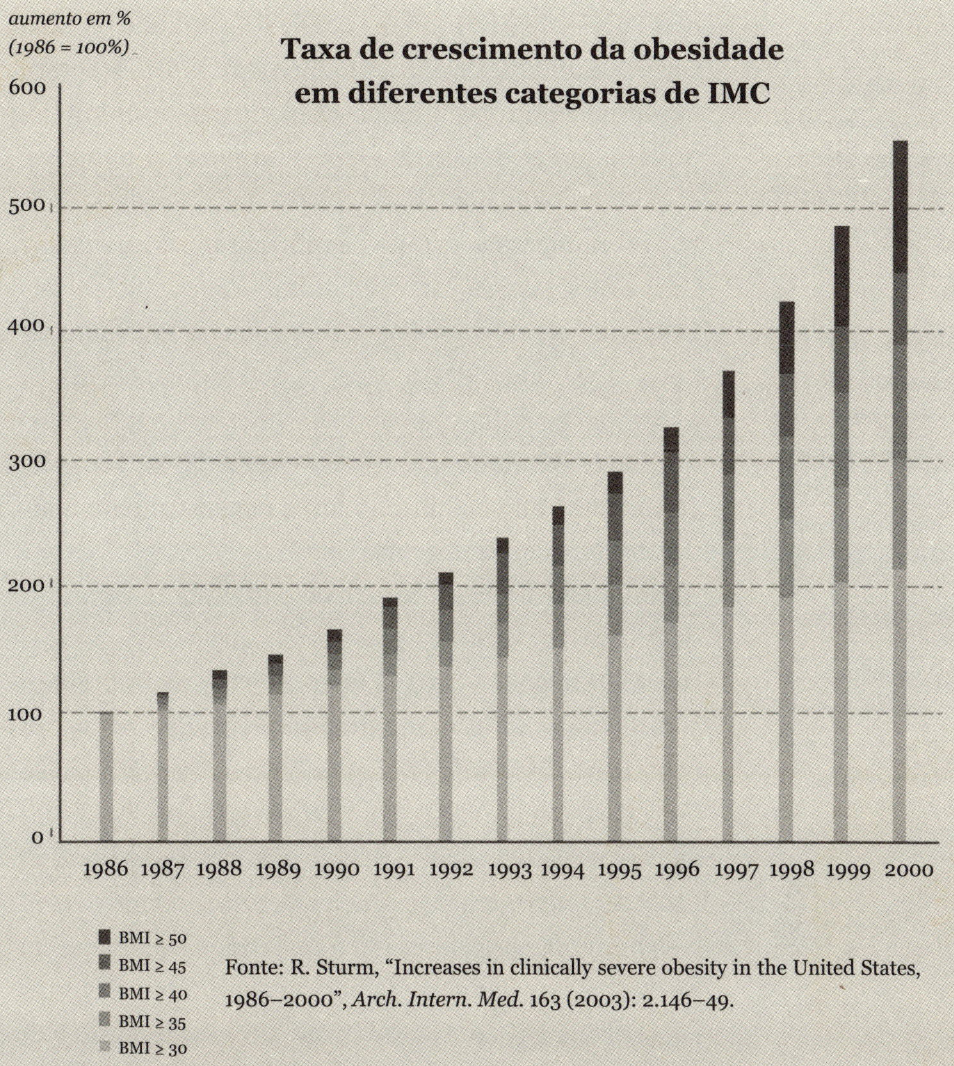


Fonte: R. Sturm, "Increases in clinically severe obesity in the United States, 1986–2000", *Arch. Intern. Med.* 163 (2003): 2.146–49.

## Folha falhada

Você poderia pensar que a folha de alumínio é uma alternativa segura para embrulhar as sobras de comida caseira, mas não é verdade. Um dos metais mais perigosos à espreita em nossa casa é o alumínio.

A embalagem de alumínio não era usada até o século XX e está se tornando cada vez mais popular. Hoje a produção global de alumínio excede todos os

Tampouco os condicionadores de ar ou muitas vacinas. Medo da modernidade outra vez.

Também "é considerado" controverso. Não existe consenso sobre a conexão entre alumínio e Alzheimer.

A dose faz o veneno. A dose faz o veneno. A dose faz o veneno.

metais, exceto o ferro.[116] Apesar de todo mundo ter uma certa quantidade de alumínio no corpo, ele não oferece nenhum benefício ou função. O acúmulo de alumínio, no entanto, pode ser tóxico. O alumínio há tempos é considerado um contribuinte para a doença de Alzheimer, e numerosos estudos confirmaram a conexão.[117] Os cientistas encontraram alumínio no núcleo das placas no cérebro associadas ao Alzheimer.[118] Mas os perigos vão além dessa associação bem conhecida. A exposição ao alumínio tem sido associada a tudo, desde câncer de mama até osteoporose.[119][120] Na verdade, verificou-se que o alumínio inibe negativamente mais de 200 funções biológicas.[121]

Assim como no caso do plástico, que libera produtos químicos, as pesquisas mostraram que metais perigosos migram para a comida quando esta fica em contato com o alumínio. É tanto alumínio entrando em nossa comida que o país de Omã proibiu cozinhar-se com ele em 2010 e restringe o contato de alimentos quentes apenas ao lado brilhante.[122] Um estudo italiano de 1996 fez soar o alarme pela primeira vez quando encontrou 2–6 miligramas de alumínio transferidos para a comida por folha, panelas e utensílios de alumínio.[123] Estudos subsequentes encontraram níveis ainda mais altos. Um

[116] www.commodities-now.com/news/metals-and-mining/612-world-metal-production-surges.html.

[117] www.whfoods.com/genpage.php?tname=newtip&dbid=8.

[118] www.doctoroz.com/article/your-brain-protection-plan.

[119] P. D. Darbre, "Underarm Cosmetics Are a Cause of Breast Cancer", European Journal of Cancer Prevention 10.5 (2001): 389–94.

[120] Bengt Mjöberg, et al., "Aluminum, Alzheimer's Disease and Bone Fragility", Acta Orthopaedica 68.6 (1997): 511–14.

121 Masahiro Kawahara e Midori Kato-Negishi, "Link between Aluminum and the Pathogenesis of Alzheimer's Disease: The Integration of the Aluminum and Amyloid Cascade Hypotheses", International Journal of Alzheimer's Disease (2011).

[122] www.thenational.ae/news/uae-news/aluminium-foil-linked-to-osteoporosis--and-alzheimers.

[123] L. Gramiccioni, et al., "Aluminium Levels in Italian Diets and in Selected Foods from Aluminium Utensils", Food Additives & Contaminants 13.7 (1996): 767–74.

estudo de 2011 no *International Journal of Electrochemical Science* constatou que os níveis de alumínio atingiam quantidades tóxicas bem acima dos limites de segurança da OMS em alimentos depois de cozidos, reaquecidos ou até mesmo simplesmente refrigerados em papel alumínio. Esse efeito era amplificado pela acidez — ponto a que retornaremos num instante.[124]

**LATAS DE ESTANHO: A ALTERNATIVA MAIS SEGURA? Estanho e alumínio são dois materiais populares em latas. A exposição ao estanho pode causar irritação na pele e nos olhos, bem como problemas neurológicos. Quando a lata é aberta e o revestimento exposto ao oxigênio, a corrosão ocorre rapidamente, liberando ainda mais estanho na sua comida.**

Recentemente, os cientistas voltaram a atenção para a ligação entre alumínio e obesidade. Juntamente com o BPA do revestimento interno das latas de refrigerante, o alumínio também ajuda a empilhar quilos extras. Altos níveis de alumínio no organismo foram associados à deficiência de ferro, desproporcionalmente comum nos obesos.[125] Em um relatório de 2007, bioquímicos verificaram que a disfunção mitocondrial induzida por alumínio leva à obesidade.[126]

**Saltos lógicos gigantescos que nenhum cientista de reputação jamais endossaria.**

**Um único estudo in vitro não prova nada.**

---

[124] F. S. Mohammad, E. A. H. Al Zubaidy e G. Bassion, "Effect of Aluminum Leaching Process of Cooking Wares on Food", International Journal of Electrochemical Science 6.1 (2011): 222–230.

[125] Sungwon Han, et al., "How Aluminum, an Intracellular ROS Generator Promotes Hepatic and Neurological Diseases: The Metabolic Tale", Cell Biology and Toxicology 29.2 (2013): 75–84.

[126] Ryan Mailloux, Joseph Lemire e Vasu Appanna, "Aluminum-Induced Mitochondrial Dysfunction Leads to Lipid Accumulation in Human Hepatocytes: A Link to Obesity", Cellular Physiology and Biochemistry 20.5 (2008): 627–38.

Falso. Não foi comprovado que refrigerantes dietéticos contribuam para o aumento de peso, exceto na medida em que as pessoas que os bebem também podem consumir mais calorias.

Tudo isso poderia ajudar a explicar por que se verificou que refrigerantes dietéticos contribuem para o aumento de peso, um mistério que especialistas em nutrição não conseguem solucionar.[127] Lembra como a acidez amplifica o efeito de lixiviação do alumínio? Uma bebida altamente ácida de zero caloria lixiviará o alumínio a uma taxa elevada. Se você quer perder peso, pode ser melhor beber um milk-shake de um copo de vidro do que uma lata de refrigerante diet.

Mais uma vez, isso é totalmente insano.

Ah, Russell Blaylock. Lembra dele no MSG? E das trilhas químicas da conspiração do governo? Isto não só é uma simples correlação: ainda correlaciona autismo com alumínio injetado, não com alumínio de latas de refrigerante.

Não deixe a graduação distraí-lo do foco no argumento e na ciência. Amy Yasko é uma figura controversa que apoia técnicas completamente infundadas para "a cura do autismo".

Assustadoramente, a pesquisa também conectou o alumínio a dificuldades de aprendizagem e autismo. Já em 2009, o renomado neurocirurgião Russell Blaylock estava examinando como o alumínio gera mudanças no cérebro.[128] Em uma revisão de 2012, intitulada "Dados empíricos confirmam sintomas de autismo relacionados à exposição ao alumínio e acetaminofeno", os autores observam que menções ao autismo "aumentaram de forma constante no final do século passado, durante um período em que o mercúrio estava sendo eliminado enquanto a carga adjuvante de alumínio era aumentada". No relatório, eles ligam vacinas contendo alumínio a um aumento significativo de "celulite, convulsão, depressão, fadiga, dor e morte".[129] Em um artigo in-

[127] Susan E. Swithers, "Artificial Sweeteners Produce the Counterintuitive Effect of Inducing Metabolic Derangements", Trends in Endocrinology & Metabolism 24.9 (2013): 431–41.

[128] Russell L. Blaylock, "A Possible Central Mechanism in Autism Spectrum Disorders, Part 3: The Role of Excitotoxin Food Additives and the Synergistic Effects of Other Environmental Toxins", Alternative Therapies in Health and Medicine 15.2 (2008): 56–60.

[129] Stephanie Seneff, Robert M. Davidson e Jingjing Liu, "Empirical Data Confirm Autism Symptoms Related to Aluminum and Acetaminophen Exposure", Entropy 14.11 (2012): 2227–53.

titulado "Toxicidade do alumínio em disfunção mitocondrial e ASD", os autores Nancy Mullan, MD, e Amy Yasko, PhD, AMD, FAAIM, notam o "intenso interesse e discussão em torno da alta incidência de doença e/ou disfunção mitocondrial em crianças com transtornos do espectro do autismo". Como não existe causa genética para essa disfunção, a atenção está "se afastando da genética e se voltando para o ambiente".[130] A exposição ao alumínio é uma grande suspeita.

Essas duas frases na verdade não fazem sentido. Simplesmente soam assustadoras.

Você pode não sofrer de nenhuma das condições acima, mas isso não significa que não foi envenenado por alumínio. Aqui está uma lista de verificação de sintomas associados com a toxicidade do alumínio.[131] Se você tiver dois ou mais deles, deve tentar eliminar todo alumínio de sua cozinha imediatamente:

**Essa lista de verificação provém de alguns sites aleatórios que vendem suplementos para limpeza, desintoxicação, sono natural e perda de peso. Quem não experimentou dois ou mais destes sintomas? Se você não experimentou, provavelmente é um super-humano.**

- Prisão de ventre
- Névoa no cérebro
- Anorexia
- Irritação gastrointestinal
- Hiperatividade
- Distúrbio de fala
- Demência
- Osteomalacia
- Dores de cabeça
- Ritmo anormal do coração
- Dormência de mãos e pés
- Visão turva
- Memória debilitada

[130] Nancy Mullan, et al., "Aluminum Toxicity in Mitochondrial Dysfunction and ASD".

[131] www.bodyhealth.com/sources-heavy-metals.

## Desempacotando as gerações futuras

A pressão das grandes indústrias químicas tem mantido esses materiais perigosos no mercado, mesmo quando caem sob o exame minucioso de um grupo de neurocientistas, toxicologistas, endocrinologistas, bioquímicos e pediatras cada vez mais articulados. Como já vimos, seus estudos pioneiros estão revelando verdades desconfortáveis. Uma descoberta particularmente preocupante é que muitas crianças hoje em dia nascem com metais pesados em seus sistemas. Alumínio, estanho e outros metais tóxicos podem passar para o bebê pelo leite materno ou placenta.[132] Foi mostrado que o BPA se acumula em uma concentração particularmente alta na placenta. Embora não esteja claro quanto BPA passa da mãe para o filho, o Programa Nacional de Toxicologia, que vem estudando o BPA extensivamente desde 2008, concluiu que existe "alguma preocupação" sobre a toxicidade para o desenvolvimento de fetos, bebês e crianças.[133] Um estudo de 2011 verificou até mesmo que mães com altos níveis de BPA em sua urina eram mais propensas a ter filhas com hiperatividade, ansiedade e depressão. Esses sintomas começaram a aparecer em meninas de até três anos de idade.[134]

**Esta afirmação e a seguinte são do site de um doutor naturopata. E as fontes que ele cita são um livro chamado *Staying Healthy with Nutrition* (Ficando saudável pela nutrição) publicado pela Celestial Arts de Berkeley, Califórnia, e outro livro chamado Medical Nutrition from Marz (Nutrição médica de Marz), baseado na "filosofia da Cura pela Natureza do século XIX".**

**Um único estudo que examinou correlações entre BPA e variáveis altamente subjetivas em crianças de três anos de idade, inclusive "fraco controle emocional e inibição".**

**Isso não significa que o BPA seja tóxico para fetos, bebês e crianças nos atuais níveis de exposição. Significa que o BPA pode ser tóxico em algum nível de exposição, o que justifica pesquisa adicional.**

---

[132] www.positivehealth.com/article/environmental/heavy-metal-toxicity-an--unsuspected-illness.

[133] www.infantrisk.com/content/bisphenol-effects.

[134] Joe M. Braun, et al., "Impact of Early-Life Bisphenol A Exposure on Behavior and Executive Function in Children", Pediatrics 128.5 (2011): 873–82.

Em seu editorial do *New York Times* "Grandes indústrias químicas, grande dano?", Nicholas Kristof discute como os efeitos dessas substâncias químicas podem ser epigenéticos, significando que a exposição química de um adulto pode afetar sua futura prole. "É assustador", disse Jennifer T. Wolstenholme, da Universidade da Virgínia, que verificou que os descendentes de ratos expostos a doses baixas de BPA (comparáveis a quantidades de consumo humano) exibiram comportamentos comparáveis a autismo e TDAH. "Estes resultados em doses baixas contribuem intensamente para as preocupações quanto aos disruptores endócrinos", disse John Peterson Myers, cientista chefe da organização Ciências de Saúde Ambiental. "Vai ser mais difícil do que apenas eliminar a exposição de uma geração". Kristof espera que esses novos estudos catapultem o assunto para o cenário nacional. "Ameaças a nós precisam ser tratadas", ele declarou, "mesmo que não venham de armas nucleares iranianas, mas de coisas tão banais como sopa enlatada e recibos do caixa eletrônico".[135]

**Dado que pode ser difícil definir autismo e TDAH em humanos, você tem que indagar sobre a confiabilidade de diagnosticar as mesmas condições em ratos.**

**Oh não, você não fez isso! Kristof simplesmente comparou o BPA a armas nucleares!**

A Dieta UNpacked™ pode muito bem ser a única dieta que realmente vai melhorar sua saúde e a saúde das futuras gerações. Se conseguirmos seguir rumo a uma sociedade desempacotada, poderemos mudar o curso de nossa crescente epidemia de obesidade, reverter as taxas crescentes de doenças crônicas e salvar nossas crianças de erros mortais que elas não escolheram cometer.

135 www.nytimes.com/2012/08/26/opinion/sunday/kristof-big-chem-big-harm.html?_r=0.

Você pode muito bem dizer isso à vontade a respeito de uma dieta. Ninguém irá detê-lo.

Desintoxicação na verdade não é coisa alguma.

**Desempacote-se dos seus quilos, desempacote o seu potencial, desempacote a sua comida!** A Dieta UNpacked™ tem resultados comprovados que lhe proporcionarão aparência e bem-estar que você não tem há anos. Evitando as toxinas, obesógenos e agentes cancerígenos comumente encontrados nas embalagens de alimentos, você irá desintoxicar seu corpo rapidamente.

**SEM GRUDAR? Não tem problema! O teflon, um revestimento antiaderente comum de panelas, já foi considerado agente causador de câncer. Numerosos estudos desmascararam esse mito. De fato, devido à natureza antiaderente do teflon, a comida, na verdade, tem menos contato com a superfície de cozedura, tornando-o um dos materiais culinários mais seguros à disposição hoje em dia.**

Por causa do efeito placebo. Porque você se sente virtuoso. Porque você está no controle. Porque isso te força a começar a prestar atenção no que come, o que quase certamente vai resultar em perda de peso. Mas NÃO porque qualquer coisa da Dieta UNpacked seja acurada em termos científicos.

A maioria das dietas promete liberdade para você comer "o que quiser", mas a promessa é seguida por uma lista de alimentos restritos. A dieta UNpacked™ não tem tal tipo de lista. É compatível com qualquer tradição culinária e permite todas as categorias de alimentos. Você nunca mais terá que ficar longe daquele bolo de chocolate ou evitar a cesta de pão! Você nunca se sentirá envergonhado ou excluído por causa de sua dieta de eliminação. Você vai descobrir que comer alimentos supostamente insalubres que evitou por anos fará com que se sinta ótimo, contanto que eles estejam livres da contaminação da embalagem.

Simples assim.

Coma o que quiser, o quanto quiser, quando quiser, contanto que respeite as seguintes regras:

**Estas regras vão tornar impossível você comer como um ser humano normal em nossa cultura:**

- Evite alimentos que foram armazenados em plástico selado ou filme plástico. Escolha recipientes plásticos (caixinhas com tampa/sacos) ventilados em vez de invólucros mais impermeáveis e use sacos de tecido para itens soltos.
- Cuidado com os alimentos dentro de caixas com sacos plásticos ocultos (caixas de cereais, bolachas e biscoitos são transgressoras comuns). Verifique os sacos de papel com revestimento interno de plástico. Cuidado nunca é demais!
- Guarde as sobras em recipientes de vidro ou cerâmica. Use revestimentos não porosos UNpacked™ para reduzir a contaminação.
- Nunca reaqueça alimentos em plástico.
- Evite alimentos enlatados. Lembre-se: recipientes "sem BPA" têm revestimento plástico e contêm metais tóxicos.
- Nunca beba líquidos quentes de copos/tigelas de plástico ou isopor.
- Cozinhe com esperteza: não contamine alimentos livres de produtos químicos com lascas de tábuas de cortar plásticas ou espátulas plásticas superaquecidas. Use tábuas de madeira ou bambu e utensílios de madeira ou de aço inoxidável.
- Evite cereais, massas, arroz etc. empa-

cotados em caixas de papelão reciclado, que já provaram conter óleos minerais cancerígenos.

- Use sacos de chá de tecido ou papel não branqueado. Use filtros de café não branqueados e somente as cafeteiras com a aprovação UNpacked™.
- Nunca armazene sobras de comida em contato direto com papel alumínio ou em recipientes/panelas de alumínio.
- Não cozinhe/asse com panelas de alumínio, nem asse com papel alumínio. Nunca coloque a folha de alumínio na grelha.
- Mantenha as vitaminas/suplementos seguros usando revestimentos internos não porosos UNpacked™.

**A maioria dos livros de dieta tem algum conflito de interesse, quanto mais não seja a venda do livro em si.**

*(Revestimentos não porosos UNpacked™, uma lista de cafeteiras com a aprovação UNpacked™ e o livro de receitas UNpacked™ est*ão todos disponíveis em *unpackeddiet.com.)*

**Estes são testemunhos verdadeiros. Mas não para a Dieta UNpacked™. Foram retirados de vários livros de dieta e sites, todos eles oferecendo conselhos, raciocínios científicos e planos de dieta loucamente conflitantes. A única mudança feita é a substituição de qualquer plano de dieta descrito pelo "unpacked".**

Eu experimentei os extraordinários benefícios desta dieta. Nada mais de acne, nada mais de pele seca, nada mais de névoa no cérebro. Agora que compreendo a ciência, já não tenho medo de sofrer de câncer, Alzheimer ou qualquer uma das doenças que a medicina moderna quer tratar com medicação. Você também não precisa ter medo. E meus peitinhos — sim, admito que tive! — sumiram completamente graças à retirada de todo aquele estrogênio sintético do meu sistema.
Mas não confie apenas na minha palavra. Aqui estão depoimentos reais de pessoas que se desempacotaram:

*"Eu pré-encomendei este livro, e finalmente me desempacotei uma semana antes de seu lançamento. E que diferença. Minha pressão arterial andava na média de 140/88 (tomando dois medicamentos para pressão arterial). Agora, apenas duas semanas depois de alimentação desempacotada, estou com uma média 124/68 nos últimos quatro dias. Reduzi um de meus medicamentos para impedir que minha pressão baixe demais depois que caiu para 108/58. É uma loucura! E não estou passando fome. Estou comendo bastante".*

**Testemunho para Barriga de trigo, que recomenda uma dieta de baixo carboidrato sem grãos.**

*"Meu marido e eu mudamos imediatamente para o estilo desempacotado de alimentação e, a seguir, em questão de poucas semanas, perdi 7 quilos. Não sou NADA gorda. Mas meu peso havia subido ao longo dos últimos anos, e eu não conseguia voltar ao meu normal. Me sinto ÓTIMA! Meus pais também estão nesse estilo de alimentação. Eles estão nos 70 anos, são muito ativos, conscientes da saúde e de mentalidade muito aberta".*

**Testemunho para Troque a faca pelo garfo, um livro de dieta vegetariana que recomenda grãos integrais e se opõe com veemência a tudo de A dieta da mente e Barriga de trigo.**

*"Comecei a alimentação desempacotada e minha energia não só foi às alturas como minha depressão abrandou, minha pele ficou mais suave e mais macia e baixei para o tamanho 36 sem sequer tentar perder peso! (Nunca usei tamanho menor que 42 na minha vida!). Em todo caso, mantive esse nível de vitalidade e o tamanho 36 sem esforço até começar a comer farinha de arroz, aveia, carnes e doces empacotados. Rapidamente ganhei 6,5kg e caí em* depressão *mais uma vez, o que me levou a perceber que, uma vez na dieta desempacotada, ela deve se tornar um estilo de vida".*

**Testemunho para *The Paleo Diet Revised* (A dieta paleolítica revisada), que afirma que você "pode perder peso e ficar saudável comendo os alimentos que você foi projetado para comer".**

**Testemunho para *Fat, Sick, and Nearly Dead* (Gordo, doente e quase morto), livro que recomenda, entre outras coisas, sucos e jejuns com suco. O Dr. Robert Lustig, autor antiaçúcar de *Fat Chance*, adverte que suco é basicamente a pior coisa que você pode fazer com uma fruta ou vegetal.**

*"Com 49 anos de idade e 111kg, eu sabia que precisava fazer alguma coisa para mudar minha saúde para melhor. Este programa mudou tudo para mim, minha saúde, meu peso, minha dor... Me senti 30 anos mais jovem, sem dor alguma, e tenho fibromialgia. 40 dias e acabei 16kg mais leve, durmo como um bebê, não há mais dor... Eu mal podia caminhar de tanta dor que sentia. Se você realmente quer fazer algo maravilhoso para si mesmo/sua saúde, isto é, é mesmo.... Desempacotar salvou minha vida!!!!!!!!!!!!!"*

*"Eu estava muito acima do peso e parecia não conseguir perdê-lo. Me sentia inchado e 'balofo', além de não ter energia. Devido a tudo isso, eu carecia de confiança e tinha uma autoimagem ruim. Encontrei a Dieta UNpacked™ e me comprometi a segui-la.*

**Testemunho para *Daniel's Diet* (A dieta de Daniel), um livro baseado na dieta vegetariana bíblica adotada pelo profeta Daniel. O lema é "restaurar a saúde natural de Deus".**

*"Em 10 dias, perdi 22 libras (10kg). Me sentia tão bem que continuei seguindo o plano de dieta e perdi 55 libras (25kg) em 3 meses e recuperei minha energia e autoestima. Minha mãe ficou* tão impressionada que agora está *seguindo a dieta".*

*"Isto é inacreditável. A parte mais difícil foi largar todas as 'regras de dieta' que adotei ao longo dos anos e simplesmente aprender a ouvir a Dieta UNpacked™. No primeiro dia que fiz o que Levinovitz sugeriu, perdi 2kg — não é brincadeira! Recomendo para quem está cansado de dieta ioiô. Você jamais terá que se restringir novamente. Isso é impressionante!"*

**Testemunho para um livro chamado The Eden Diet (A dieta do Éden). Não preciso dizer mais nada.**

**Então tente desempacotar-se por apenas 30 dias — o que você tem a perder além do seu peso?**

# Agradecimentos

Primeiro, obrigado a todos que se corresponderam comigo ou participaram de entrevistas: Jennifer Thomas, Brian Wansink, Stacey Rosenfeld, Emily Abel, Amy Kubal, Nortin Hadler, Kristen Vorhees, Priyanka Chugh, Kate Faasse, Fiona Crichton, Keith Petrie, The Bitchy Waiter, Fabrizio Benedetti, Wendy Woloson, Hisham Ziauddeen, Shingo Kajimura, Jack Bishop, Stephan Guyenet, Paul Rozin, Sharon Salomon, Luc Tappy, David Katz, Yoni Freedhoff, Michael Lowe, Ann Yaktine, Cheryl Anderson, James Hamblin, Lauren Moore, Richard Forshee, Steven Shapin, Morton Satin, Massimo Pigliucci, Andrew Ward, Ron Hoggan e Paul Unschuld.

Agradecimento especial a Peter Gibson, Philip Zeitler e Hillel Cohen por irem ao infinito e além para me ajudar a entender o quanto não sabemos.

Agradecimento extraespecial a Jay Olshansky por me deixar roubar "comendo na quarta dimensão" (boa essa, Jay!).

Este livro não existiria se Laura Helmuth, da Slate, não tivesse arriscado em mim lá em 2013. Nem existiria sem a fé e trabalho duro da equipe da Regan Arts, a visão de Judith Regan e a solicitude serena de Lynne Ciccaglione. Para o meu editor Michael Szczerban — o que posso dizer? Todo escritor deve ter essa sorte.

Megan Cather leu uma versão inicial terrível e ainda assim disse coisas boas. Larry Haber mostrou-me como um médico lê um estudo científico. Running Bird foi paciente. Inúmeros outros amigos, membros da família e colegas enviaram informações, conversaram comigo e deram um jeito de serem pacientes e encorajadores. Meus pais fizeram tudo isso a minha vida inteira.

Finalmente, a minha esposa, que foi um apoio infalível a cada passo do caminho: não sei como lhe agradecer o suficiente.

# Leitura adicional

Se você quiser ler mais sobre a importância cultural das práticas alimentares, *Pureza e perigo*, da antropóloga Mary Douglas, é uma leitura obrigatória clássica. Para um levantamento detalhado de tabus alimentares e seu significado, confira *Eat Not This Flesh*, de Frederick Simoons. Sobre a história da alimentação norte-americana, Harvey Levenstein tem três livros ótimos: *Revolution at the Table*, *Paradox of Plenty* e *Fear of Food*.

Se você estiver mais para cético sobre afirmações em dieta e saúde, *The Cure for Everything*, de Tim Caufield, faz um belo trabalho separando hipérbole de ciência sólida. Para medicina "alternativa" especificamente, experimente *Do You Believe in Magic?*, de Paul Offit. E, sobre a nefasta influência da indústria farmacêutica, não existe nada melhor do que *Bad Pharma*, de Ben Goldacre.

Irritado com os gurus das dietas? Indagando a si mesmo como eles vivem fazendo o que fazem? "This Is Your Brain on Gluten" (theatlantic.com), de James Hamblin, e "The Operator" (newyorker.com), de Michael Specter, são retratos impressionantes de David Perlmutter e Mehmet Oz respectivamente.

Para aqueles que desejam perder peso, *Por que comemos tanto?*, de Brian Wansink, e *The Diet Fix*, de Yoni Freedhoff, oferecem uma orientação sensata que não demoniza alimentos nem promete milagres.

Finalmente, dois blogs confiáveis em um mar de disparates inconfiáveis:

The Incidental Economist: foco primário em cuidados de saúde, coordenado pelo estatístico Austin Frankt e o pediatra Aaron Carroll. www.theincidentaleconomist.com.

Science-Based Medicine: avaliações céticas de afirmações e tratamentos médicos, fundado pelo neurologista Steven Novella. (A aparição de Novella no Dr. Oz em 2011 é incrível.) www.sciencebasedmedicine.org.

# Notas

**INTRODUÇÃO**

[1] NPD Group, "Percentage of U.S. Adults Trying to Cut Down or Avoid Gluten in Their Diets Reaches New High in 2013", 6 de março de 2013, https://www.npd.com/wps/portal/npd/us/news/press-releases/percentage-of-us-adults-trying-to-cut-down-or-avoid-gluten-in-their-diets-reaches-new-high-in-2013-reports-npd.

[2] O Dr. Hyman tem todo tipo de parecer sobre o glúten. Às vezes indica que só faz mal para 20 milhões de norte-americanos. Em outras ocasiões, sugere que está matando a todos nós. Ver "Dr. Hyman Discusses Gluten on the Dr. Oz Show", "Gluten: What You Don't Know Might Kill You" e "Three Hidden Ways Wheat Makes You Fat". Tudo em drhyman.com.

[3] William Davis, *Wheat Belly: Lose the Wheat, Lose the Weight, and Find Your Path Back to Health* (Emmaus, PA: Rodale, 2011), 44.

[4] Jordan Sand, "A Short History of MSG: Good Science, Bad Science, and Taste Cultures", *Gastronomica: The Journal of Critical Food Studies* 5.4 (2005): 38–49.

[5] Ian Mosby, "'That Won-Ton Soup Headache': The Chinese Restaurant Syndrome, MSG and the Making of American Food, 1968–1980", *Social History of Medicine* 22 1 (2009): 133–51. Minha discussão sobre o MSG recorre extensamente ao excelente artigo de Mosby.

[6] R. H. M. Kwok, "Chinese-Restaurant Syndrome", *New England Journal of Medicine* 278 (1968): 796. A carta foi intitulada por um editor, não pelo Dr. Kwok.

[7] Correspondência, *New England Journal of Medicine* 278 (1968): 1.122–24.

[8] R. D. Lyons, "Chinese Restaurant Syndrome Puzzles Doctors". *New York Times*, 19 de maio de 1968. Citado em Mosby.

[9] P. L. Morselli e S. Garattini, "Monosodium Glutamate and the Chinese Restaurant Syndrome", *Nature* (1970): 611–12. Citado em Mosby.

[10] Mosby.

[11] Ibid.

[12] Ibid.

[13] Ver L. Tarasoff e M. F. Kelly, "Monosodium L-Glutamate: A Double-Blind Study and Review", *Food and Chemical Toxicology* 31.12 (1993): 1.019–35. Ver também Raif S. Geha, et al., "Review of Alleged Reaction to Monosodium Glutamate and Outcome of a Multicenter Double-Blind Placebo-Controlled Study", *Journal of Nutrition* 130.4 (2000): 10.58S–10.62S. Para uma revisão da literatura, ver Matthew Freeman, "Reconsidering the Effects of Monosodium Glutamate: A Literature Review", *Journal of the American Academy of Nurse Practitioners* 18.10 (2006): 482–86.

[14] Dean D. Metcalfe, et al., eds., *Food Allergy: Adverse Reaction to Foods and Food Additives* (Nova York: John Wiley & Sons, 2013), 378.

[15] Joe Donatelli, "Is MSG (Monosodium Glutamate) Misunderstood?", 30 de junho de 2014, http://www.livestrong.com/article/1011122-msg-monosodium-glutamate-misunderstood.

[16] Carol Kleiman, "Chinese Food Make You Crazy? MSG is No. 1 Suspect", *Chicago Tribune*, 29 de outubro de 1979.

[17] George R. Schwartz, *In Bad Taste: The MSG Syndrome: How Living without MSG Can Reduce Headache, Depression and Asthma, and Help You Get Control of Your Life* (Santa Fé, NM: Health Press, 1988).

[18] Russell L. Blaylock, *Excitotoxins: The Taste That Kills* (Santa Fé, NM: Health Press, 1996), xiii.
[19] Ibid., xv.
[20] Schwartz na verdade estava prescrevendo narcóticos e anfetaminas para tratar uma doença delirante chamada morgellons. Os portadores de morgellons acreditam estar infestados de insetos ou parasitas que causam lesões de pele de onde brotam fibras estranhas. Ver Seth Mnookin, *The Panic Virus: A True Story of Medicine, Science, and Fear* (Nova York: Simon & Schuster, 2011), 90.
[21] "Dr. Russell Blaylock — Nutrition and the Illuminati Agenda", video do YouTube, 48:36, postado por RobinMFisher, 26 de julho de 2012, https://www.youtube.com/watch?v=d1g9YWib4mk.
[22] "What Chemtrails Are Doing to Your Brain — Neurosurgeon Dr. Russell Blaylock Reveals Shocking Facts", video do YouTube, 50:13, postado por Russell Blaylock, MD, 7 de abril de 2013, https://www.youtube.com/watch?v=X3lW-TGGlko.
[23] Robert Pratt, "'60 Minutes' Report on MSG Triggers More Debate", *Chicago Tribune*, 7 de novembro de 1991.
[24] Ibid.
[25] The American Chemical Society, "Is MSG Bad for You? Debunking a Long-Running Food Myth", 25 de agosto de 2014, http://www.acs.org/content/acs/en/pressroom/newsreleases/2014/august/is-msg-bad-for-you-debunking-a-long-running-food-myth-video.html .
26 Joseph Mercola, "MSG: Is This Silent Killer Lurking in Your Kitchen Cabinets?", 16 de maio de 2010, http://www.huffingtonpost.com/dr-mercola/msg-is-this-silent-killer_b_491502.html.
[27] Barbara L. Minton, "Consuming Common Food Additive MSG Increases Risk of Weight Gain", 19 de janeiro de 2009, redigido para NaturalNews.com. http://www.naturalnews.com/025353_msg_food_brain.html.

**CAPÍTULO 1**

[28] Robert Ford Campany, "The Meanings of Cuisines of Transcendence in Late Classical and Early Medieval China", *Toung Pao* (2005): 1–57. Minha discussão sobre os monges que não consumiam grãos deve-se totalmente à obra de Campany.
[29] Às vezes os cinco grãos incluíam o trigo. Ver Campany, 25, para uma discussão ampliada.
[30] A história do taoísmo é controversa, e alguns estudiosos, como Campany, não se referem a estes primeiros praticantes como taoístas. Eu o faço em nome da simplicidade. Ver Campany, 6.
[31] "Les ciseaux qui coupent la vie." Jean Lévi, "L'abstinence des céréales chez les taoïstes", Études chinoises 1 (1982): 3–47. Lévi descreve como grãos literalmente demoníacos: "une veritable mythologie démoniaque".
[32] Campany, 40.
[33] Ver, por exemplo, o ceticismo de Wang Chong no *Lunheng*, descrito em Lévi, 5.
[34] Ver Campany, 51.
[35] Ibid.
[36] Frederick J. Simoons, *Eat Not This Flesh: Food Avoidances from Prehistory to the Present* (University of Wisconsin Press, 1994), 319–20.
[37] Um exemplo clássico, descrito pelo epidemiologista Geoffrey Kabat, é a relação percebida entre câncer e alimentos irradiados. Irradiação é uma palavra científica genuína. Mas, conforme Kabat aponta em seu livro *Riscos ambientais à saúde*, enquanto os cientistas classificam a irradiação de alimentos como de "baixo risco" e "aceitável", o público classifica como de "risco moderado a alto". Irradiação = antinatural = ruim. Geoffrey C. Kabat, *Hyping Health Risks: Environmental Hazards in Daily Life and the Science of Epidemiology* (Nova York: Columbia University Press, 2011), 7.

[38] *Time,* 26 de março de 1984.

[39] *Los Angeles Times,* LATExtra, 13 de março de 2012, http://articles.latimes.com/2012/mar/13/health/la-he-red-meat-20120313.

[40] "Saturated Fat Heart Disease 'Myth'", 22 de outubro de 2013, BBC Health News, http://www.bbc.com/news/health-24625808.

[41] Aparentemente, existe uma disputa entre Nicholas Wade e Nicholas Bakalar sobre a eficácia do resveratrol. Nicholas Wade, "Longer Lives for Obese Mice, With Hope for Humans of All Sizes", *New York Times,* 19 de agosto de 2011. Este artigo é sobre novas drogas que "simulam o resveratrol — substância presente no vinho tinto".

[42] Nicholas Bakalar, "Patterns: Limits to Resveratrol as a Metabolism Aid", *New York Times,* 6 de novembro de 2012.

[43] Nicholas Wade, "Nutrition: New Optimism on Resveratrol", *New York Times,* 12 de março de 2013.

[44] Nicholas Bakalar, "Wine Ingredient May Have Few Health Benefits", *New York Times,* "Well Blog", 15 de maio de 2014, http://well.blogs.nytimes.com/2014/05/15/wine-ingredient-may-have-few-health-benefits.

[45] Petronella Ravenshear, "Lifting the Lid On Superfoods", *Vogue,* 8 de abril de 2014, http://www.vogue.co.uk/news/2014/04/08/foods-of-the-gods.

[46] John P. A. Ioannidis, "Why Most Published Research Findings Are False", *PLoS Medicine* 2.8 (2005): e124.

[47] "Dr. Oz Show — The New Science of Reversing Aging", postado no site de Ornish, http://ornishspectrum.com/video/dr-oz-show-the-new-science-of-reversing-aging, Ver também "Dr. Oz and Dean Ornish: New Diet Science Reverses Aging from Within", Examiner.com, 22 de julho de 2013, http://www.examiner.com/article/dr-oz-and-dean-ornish-new-diet-science-reverses-aging-from-within.

[48] James C. Whorton, *Crusaders for Fitness: The History of American Health Reformers* (Princeton, NJ: Princeton University Press, 1982). O relato sobre Fletcher recorre à pesquisa de Whorton.

[49] Ibid., 178.

[50] Sander L. Gilman, *Diets and Dieting: A Cultural Encyclopedia* (Nova York: Routledge, 2008), 101.

[51] Geoffrey C. Kabat, *Hyping Health Risks: Environmental Hazards in Daily Life and the Science of Epidemiology* (Nova York: Columbia University Press, 2008), 5.

[52] Michael Pollan, "Our National Eating Disorder", *New York Times Magazine,* 17 de outubro de 2004.

[53] Rozin me disse isso em uma entrevista, e uma frase muito semelhante aparece no artigo de Pollan.

**CAPÍTULO 2**

[54] "Celiac Disease: Fast Facts", National Foundation for Celiac Awareness, http://www.celiaccentral.org/celiac-disease/facts-and-figures.

[55] Alessio Fasano, ed., *A Clinical Guide to Gluten-Related Disorders* (Filadélfia: Wolters Kluwer/Lippincott Williams & Wilkins, 2014), 43.

[56] Markets and Markets, "Gluten-Free Products Market by Type, Sales Channel & Geography — Global Trends & Forecasts to 2019", resumo, http://www.marketsandmarkets.com/Market-Reports/gluten-free-products-market-738.html.

[57] Verlinden, Myriam Hesta, Sam Millet e G. P. J. Janssens, "Food Allergy in Dogs and Cats: A Review", *Critical Reviews in Food Science and Nutrition* 46.3 (2006): 259–73.

[58] Laci Stevens e Mohsin Rashid, "Gluten-Free and Regular Foods: A Cost Comparison", *Canadian Journal of Dietetic Practice and Research* 69.3 (2008): 147–50.

[59] William Davis, *Wheat Belly: Lose the Wheat, Lose the Weight, and Find Your Path Back to Health* (TK: Rodale, 2011), 65.

[60] David Perlmutter e Carol Colman, *The Better Brain Book* (Nova York: Penguin, 2005), 154. Este livro também tem uma seção sobre excitotoxinas.

[61] Ibid., 11.

[62] Carol Colman e David Perlmutter, *Raise a Smarter Child by Kindergarten: Raise IQ by up to 30 Points and Turn on Your Child's Smart Genes* (Nova York: Harmony Reprint, Random House LLC, 2008).

[63] http://www.drperlmutter.com, http://www.wheatbellyblog.com e http://www.cureality.com.

[64] http://www.drperlmutter.com/good-true , postado por "RiRi Ray", 25 de outubro de 2014.

[65] Kenneth Chang, "Gluten-Free, Whether You Need It or Not", *New York Times,* 5 de fevereiro de 2013.

[66] Ibid.

[67] *A Clinical Guide*, 72.

[68] Ibid., xii.

[69] Ibid.

[70] Ibid., 43.

[71] Ibid.

[72] Jessica R. Biesiekierski, Simone L. Peters, Evan D. Newnham, Ourania Rosella, Jane G. Muir e Peter R. Gibson, "No Effects of Gluten in Patients with Self-Reported Non-Celiac Gluten Sensitivity after Dietary Reduction of Fermentable, Poorly Absorbed, Short-Chain Carbohydrates", *Gastroenterology* 145.2 (2013): 320–28.

[73] Embora não esteja incluída no DSM-5 (quinta edição do *Diagnostic and Statistical Manual of Mental Disorders*), a condição conhecida como "ortorexia nervosa" (fixação na alimentação correta) refere-se a distúrbios alimentares resultantes de atenção obsessiva ao tipo e qualidade de comida. Steven Bratman e David Knight, *Health Food Junkies: Orthorexia Nervosa; Overcoming the Obsession with Healthful Eating* (Nova York: Broadway, 2001). Para um recente estudo de casos e discussão, Ryan M. Moroze, Thomas M. Dunn, J. Craig Holland, Joel Yager e Philippe Weintraub, "Microthinking about Micronutrients: A Case of Transition from Obsessions about Healthy Eating to Near-Fatal 'Orthorexia Nervosa' and Proposed Diagnostic Criteria", *Psychosomatics* (2014).

[74] Andrew Pollack, "Gilead's Hepatitis C Drug Wins F.D.A. Approval", *New York Times,* 11 de outubro de 2014.

[75] Sharon Cotliar, "Christopher Reeve's Son Gives First Look at Amazing Progress in Spinal Cord Injury Research", *People Magazine,* 9 de outubro de 2014, http://www.people.com/article/christopher-reeve-spinal-cord-injury-breakthrough.

[76] Gee tirou o nome do médico grego Areteu, que descreveu a condição pela primeira vez no século I. Samuel Gee, "On the Coeliac Affection", *St. Bartholomew's Hospital Reports*, 1888, 24, 17.

[77] Samuel Gee, "On the Coeliac Affection". *St. Bartholomew's Hospital Reports*, 1888, 24, 19.

[78] "As causas da doença são obscuras." Ibid., 18.

[79] Ibid., 21.

[80] Christopher Hardwick, "Prognosis in Coeliac Disease: A Review of Seventy-Three Cases", *Archives of Disease in Childhood* 14.80 (1939): 279–94.

[81] G. P. van Berge-Henegouwen e C. J. Mulder, "Pioneer in the Gluten Free Diet: Willem-Karel Dicke 1905–1962, over 50 Years of Gluten Free Diet". *Gut* 34.11 (1993): 1.473.

[82] Ibid., 1.474.

[83] Ibid., 1.473.

[84] Emily K. Abel, "The Rise and Fall of Celiac Disease in the United States", *Journal of the History of Medicine and Allied Sciences* 65.1 (2010): 81–105. Muito desta história depende do trabalho de Abel. Também sou grato ao tempo que ela dedicou às entrevistas comigo para discutir a dificuldade inerente em doenças contestadas, que moldaram a conclusão deste capítulo.

[85] Sidney Hass, "The Value of the Banana in the Treatment of Celiac Disease", *Archives of Pediatrics & Adolescent Medicine* 28.4 (1924): 421. Originalmente para o *American Journal of Diseases of Children*. Ver Abel.

[86] A discussão que se segue recorre intensamente ao artigo de Abel.

[87] Anon., *Food Value of the Banana: Opinion of Leading Medical and Scientific Authorities* (Boston: United Fruit, 1917), Em *Food Value,* 20. Citado em Abel.

[88] Abel, 95–96.

[89] Hass, "Value of the Banana", 421.

[90] Abel é sem dúvida um tanto cética quanto aos relatórios de Haas. Conforme ela observa, a inclusão de fotos e gráficos "empresta uma aura científica a suas alegações". O mesmo poderia ser dito de livros de dieta mais recentes.

[91] Sidney V. Haas, "Powdered Ripe Banana in Infant Feeding". *Archives of Pediatrics* 48 (1931): 249. Citado em Abel.

[92] Harrop estava na John Hopkins na mesma época que outro importante pesquisador celíaco chamado John Howland, primeiro professor de pediatria em tempo integral da América e chefe do Departamento de Pediatria. Howland foi um dos primeiros defensores do tratamento de DC com uma dieta incluindo leite. Não se pode duvidar de que Harrop estivesse familiarizado com o uso de leite e banana no tratamento de celíacos quando empreendeu seus estudos sobre diabetes.

[93] George A. Harrop, "A Milk and Banana Diet for the Treatment of Obesity", *Journal of the American Medical Association* 102.24 (1934): 2.003–5. Harrop e Haas enfatizaram a saciedade proporcionada pela banana.

[94] "Reducing on a Banana-Milk Diet Brings Warning From Medical Men", *Milwaukee Journal,* 3 de maio de 1934.

[95] Erin Monahan, "Banana and Milk Diet", 16 de agosto de 2013, http://www.livestrong.com/article/292271-banana-milk-diet. Para ser justo, o Livestrong.com tem outro artigo condenando a dieta: http://www.livestrong.com/article/474308-bananas-only-diet.

[96] John Lovett Morse, "Progress in Pediatrics", *New England Journal of Medicine* 204.13 (1931): 668–75. Citado em Abel.

[97] "New Vaccine Held Rheumatism Check; Bananas Help Ill Child", *New York Times,* 12 de maio de 1932. Citado em Abel.

[98] "24 Bananas for Baby, Ill of Rare Ailment, Are Located after Police Join Frantic Hunt", *New York Times*, 31 de julho de 1942, 17. "Banana Priorities", *Newsweek*, 10 de agosto de 1942, 20, 56–57. Citado em Abel.

[99] Sidney V. Haas, "To the Editor", *New York Times,* 4 de agosto de 1942. Citado em Abel.

[100] William Brady, "Mothers Making Baby Book Obselete", *Milwaukee Sentinel,* 1º de outubro de 1959, 11.

Ibid.

[102] Sidney Haas, "Celiac Disease", *New York State Journal of Medicine* 63 (1963): 1.346. Citado em Abel.

[103] Alessio Fasano, "Where Have All the American Celiacs Gone?", *Acta Paediatrica* 85.s412 (1996): 20–24. Citado em Abel.

104 Abel, 103.
105 "About the Author", http://www.breakingtheviciouscycle.info/p/about-the-author. A narrativa a seguir está em conformidade com a seção "About the Author" do site.
106 Elaine Gottschall, "Whatever Happened to the Cure for Coeliac Disease?", *Nutritional Therapy Today* 7.1 (1997): 8–11. Gottschall escreve que aceitar um tratamento sem glúten para DC era atraente porque significava que não haveria "necessidade de mergulhar na bioquímica dos alimentos e perguntar por que alimentos contendo glúten, como milho, eram considerados admissíveis".
107 "About the Author", http://www.breakingtheviciouscycle.info/p/about-the-author.
108 Em "Whatever Happened to the Cure for Coeliac Disease?", Gottschall escreve: "Foi demonstrado que a Dieta do Carboidrato Específico cura completamente a maioria dos casos de doença celíaca se seguida por pelo menos um ano".
109 http://www.breakingtheviciouscycle.info/home.
110 http://www.breakingtheviciouscycle.info/p/scd-autism.
111 http://www.breakingtheviciouscycle.info/p/beginners-guide.
112 James Braly e Ron Hoggan, *Dangerous Grains: Why Gluten Cereal Grains May Be Hazardous to Your Health* (Nova York: Penguin, 2002).
113 Ibid, 109.
114 http://www.linkedin.com/pub/james-braly-md/34/90/225.
115 Installment 34 — Ask the Doctor hosted by Dr James Braly, http://www.stemcellpioneers.com/showthread.php?3760-Installment-34-Ask-the-Doctor-hosted-by-Dr-James-Braly.
116 *Dangerous Grains,* xvii.
117 Ibid., xix. Hoggan contou-me esta história em grande detalhe durante nossa entrevista. Depois de concluída a entrevista, ele ficou desconfiado e me acusou de manipulá-lo para que desse informações que ele não queria dar. Tentei contatá-lo após ele fazer as acusações, mas não consegui. Fiz um esforço para não incluir detalhes de sua vida pessoal que ele me revelou e enfocar apenas o que está disponível publicamente.
118 Ibid., xx.
119 Bruce Taubman, Peter Mamula e David D. Sherry, "Prevalence of Asymptomatic Celiac Disease in Children with Fibromyalgia: A Pilot Study", *Pediatric Rheumatology* 2011, 9:11.
120 David S. Sanders, Martyn J. Carter, David P. Hurlstone, Alison Pearce, Anthony Milford Ward, Mark E. McAlindon e Alan J. Lobo, "Association of Adult Coeliac Disease with Irritable Bowel Syndrome: A Case-Control Study in Patients Fulfilling ROME II Criteria Referred to Secondary Care". *The Lancet* 358.9292 (2001): 1.504–8.
121 T. Not, A. Tommasini, G. Tonini, E. Buratti, M. Pocecco, C. Tortul, M. Valussi, et al., "Undiagnosed Coeliac Disease and Risk of Autoimmune Disorders in Subjects with Type I Diabetes Mellitus", *Diabetologia* 44.2 (2001): 151–55.
122 D. Zauli, A. Grassi, A. Granito, S. Foderaro, L. De Franceschi, G. Ballardini, F. B. Bianchi e U. Volta, "Prevalence of Silent Coeliac Disease in Atopics", *Digestive and Liver Disease* 32.9 (2000): 775–79.
123 Entrevista pessoal, Ron Hoggan. Ele contou que salas de bate-papo on-line eram especialmente populares em espalhar informações sobre o livro dele.
124 Jenny McCarthy, *Louder Than Words: A Mother's Journey in Healing Autism* (Nova York: Penguin, 2007), 166.
125 Joseph Mercola. *The No-Grain Diet: Conquer Carbohydrate Addiction and Stay Slim for Life* (Nova York: Penguin, 2004), 27.

[126] Ibid., 149.

[127] Elisabeth Hasselbeck, *The G-Free Diet: A Gluten-Free Survival Guide* (Nova York: Center Street, 2011), 192. O Dr. Peter Green de fato escreveu o prefácio do livro, embora discorde da posição de Hasselbeck, http://glutendude.com/celebrities/elizabeth-hasselbeck-or-dr-peter-green.

[128] Ibid., 183.

[129] http://www.thedailybeast.com/galleries/2010/08/01/gluten-free-stars.html.

[130] http://www.huffingtonpost.com/2010/05/05/jennifer-aniston-put-on-b_n_564484.html.

[131] https://twitter.com/MileyCyrus/status/189211162808827905.

[132] Karolina Wartolowska, Andrew Judge, Sally Hopewell, Gary S. Collins, Benjamin JF Dean, Ines Rombach, David Brindley, Julian Savulescu, David J. Beard e Andrew J. Carr, "Use of Placebo Controls in the Evaluation of Surgery: Systematic Review", *BMJ: British Medical Journal* 348 (2014). David Colquhoun e Steven P. Novella, "Acupuncture Is Theatrical Placebo", *Anesthesia & Analgesia* 116.6 (2013): 1.360–63.

[133] Robert A. Hahn, "The Nocebo Phenomenon: Concept, Evidence, and Implications for Public Health", *Preventive Medicine* 26.5 (1997): 607–11.

[134] Piero Vernia, Mauro Di Camillo, Tiziana Foglietta, Veronica E. Avallone e Aurora De Carolis, "Diagnosis of Lactose Intolerance and the 'Nocebo' Effect: The Role of Negative Expectations", *Digestive and Liver Disease* 42.9 (2010): 616–19.

[135] "Uma alta reação nocebo foi verificada, independentemente de ativadores alimentares subjacentes conhecidos", Biesierkski et al., "No effects of gluten", 2013.

[136] Umberto Volta, Giacomo Caio, Francesco Tovoli e Roberto De Giorgio, "Non-Celiac Gluten Sensitivity: Questions Still to Be Answered Despite Increasing Awareness, *Cellular & Molecular Immunology* 10.5 (2013): 386.

[137] A. Branthwaite e P. Cooper, edição de pesquisa clínica, "Analgesic Effects of Branding in Treatment of Headaches", *British Medical Journal* 282.6276 (1981): 1.576. Rebecca L. Waber, Baba Shiv e Ziv Carmon, "Commercial Features of Placebo and Therapeutic", *JAMA* 299.9 (2008): 1.016–17. Ted J. Kaptchuk, William B. Stason, Roger B. Davis, Anna RT Legedza, Rosa N. Schnyer, Catherine E. Kerr, David A. Stone, Bong Hyun Nam, Irving Kirsch e Rose H. Goldman, "Sham Device v Inert Pill: Randomised Controlled Trial of Two Placebo Treatments", *BMJ* 332.7538 (2006): 391–97.

[138] Pesquisa recente, feita com muito atraso, está começando a apoiar o uso da Dieta do Carboidrato Específico de Gottschall para lidar com a doença de Crohn e a colite ulcerativa, embora seja preciso muito mais para determinar por que poderia funcionar, para quem e por quanto tempo — bem como para determinar os inconvenientes ou efeitos colaterais potenciais. Todavia, essa pesquisa promissora não confirma que devamos ignorar o consenso da medicina moderna e confiar em gurus das dietas antissistema. Bem pelo contrário: a pesquisa mostra que, quando pessoas como Gottschall falam com excessiva confiança (e em falso) sobre "curar" a doença celíaca ou o autismo, correm o risco de alienar os pesquisadores que podem ajudar a provar a eficácia mais moderada da prática dietética que escolheram. Isso é um enorme desserviço para os doentes que têm a se beneficiar dessa pesquisa, dificultando a distinção de tratamentos genuinamente potenciais de panaceias charlatãs. Ver, por exemplo: Stanley A. Cohen, et al., "Clinical and Mucosal Improvement with the Specific Carbohydrate Diet in Pediatric Crohn's Disease: A Prospective Pilot Study", *Journal of Pediatric Gastroenterology and Nutrition* (2014).

[139] Benoit Nemery, Benjamin Fischler, Marc Boogaerts, Dominique Lison e Jan Willems, "The Coca-Cola Incident in Belgium, June 1999", *Food and Chemical Toxicology* 40.11 (2002): 1.657–67. Meu relato é baseado neste artigo extremamente detalhado.

[140] Jouko Tuomisto e Jouni T. Tuomisto, "Is the Fear of Dioxin Cancer More Harmful Than Dioxin?", *Toxicology Letters* 210.3 (2012): 338–44.

[141] "The Coca-Cola Incident," 2.2.

[142] Benoit Nemery, Benjamin Fischler, Marc Boogaerts e Dominique Lison, "Dioxins, Coca-Cola, and Mass Sociogenic Illness in Belgium", *The Lancet* 347.9172 (1999): 77.

[143] Robert E. Bartholomew e Simon Wessely, "Protean Nature of Mass Sociogenic Illness: From Possessed Nuns to Chemical and Biological Terrorism Fears", *British Journal of Psychiatry* 180.4 (2002): 300–306.

[144] Ibid.

[145] Timothy F. Jones, Allen S. Craig, Debbie Hoy, Elaine W. Gunter, David L. Ashley, Dana B. Barr, John W. Brock e William Schaffner, "Mass Psychogenic Illness Attributed to Toxic Exposure at a High School", *New England Journal of Medicine* 342.2 (2000): 96–100.

[146] Ver Ketan Joshi, "Diseases That Speak English," post em blog, 6 de outubro de 2012, http://etwasluft.blogspot.com/2012/10/diseases-that-speak-english.html. Ver também Simon Chapman, "Wind turbine syndrome: a classic 'communicated' disease", 19 de julho de 2012, http://theconversation.com/wind-turbine-syndrome-a-classic-communicated-disease-8318.

[147] Fiona Crichton, George Dodd, Gian Schmid, Greg Gamble e Keith J. Petrie, "Can Expectations Produce Symptoms from Infrasound Associated with Wind Turbines?", *Health Psychology* 33.4 (2014): 360.

[148] Nicholas A. Christakis, "This Allergies Hysteria Is Just Nuts", *BMJ: British Medical Journal* 337.7683 (2008): 1.384. Ver também Miranda R. Waggoner, "Parsing the Peanut Panic: The Social Life of a Contested Food Allergy Epidemic", *Social Science & Medicine* 90 (2013): 49–55.

[149] James I. Hudson, Eva Hiripi, Harrison G. Pope Jr. e Ronald C. Kessler, "The Prevalence and Correlates of Eating Disorders in the National Comorbidity Survey Replication", *Biological Psychiatry* 61.3 (2007): 348–58.

[150] http://www.anad.org/get-information/about-eating-disorders/eating-disorders-statistics.

[151] De acordo com Meredith Broussard, a maior parte das estimativas de morte por alergias alimentares são exageradas. Ver seu "Everyone's Gone Nuts", *Harper's,* janeiro de 2008. Broussard situa o número anual de mortes alimentares em 12, comparadas com uma estimativa muito conservadora de 145 mortes anuais *unicamente* por anorexia. Ver Paul L. Hewitt, Stanley Coren e G. D. Steel, "Death from Anorexia Nervosa: Age Span and Sex Differences", *Aging & Mental Health* 5.1 (2001): 41–46.

[152] http://www.naturalnews.com/038699_gluten_weight_gain_wheat_belly.html.

[153] O Dr. Mark Hyman salpica seu artigo de título aterrorizante com frases de efeito: "o trigo tece a desgraça", "tsunami de doenças crônicas", "FrankenFoods". Também inclui a menção obrigatória dos avós: "Esse não é o trigo que sua avó usava para assar pão", http://www.huffingtonpost.com/dr-mark-hyman/wheat-gluten_b_1274872.html.

[154] Amy Kubal, "Coming Out", postagem em blog, 12 de fevereiro de 2014, http://robbwolf.com/2014/02/12/coming-out. Robb Wolf, o curador de um site tremendamente popular de dieta paleolítica e um dos gurus mais reverenciados desse setor merece ser louvado por postar o artigo de Amy. Tomara que sirva para inspirar um exame de consciência sério na comunidade dos que fazem dieta de eliminação.

[155] Nortin M. Hadler, *Worried Sick: A Prescription for Health in an Overtreated America* (University of North Carolina Press, 2012). Hadler não é o primeiro a intitular um livro sobre estes problemas com "worried sick" ("doente de preocupação"). Para uma versão mais antiga de argumentos semelhantes, ver Arthur J. Barsky, *Worried Sick: Our Troubled Quest for Wellness* (Nova York: Little, Brown and Co, 1988).

[156] Simon Wessely, "Responding to Mass Psychogenic Illness", *New England Journal of Medicine* 342.2 (2000): 129–30.

[157] Louis R. Caplan e Theodore Nadelson, "Multiple Sclerosis and Hysteria: Lessons Learned from Their Association", *JAMA* 243.23 (1980): 2.418–21.

[158] Harvey A. Levenstein, *Revolution at the Table: The Transformation of the American Diet* (University of California Press, 1988), 86. Também citado em Abel.

[159] Davis debateu com Tim Caufield, professor de direito da saúde e autor de *The Cure For Everything: Untangling the Twisted Messages About Health, Fitness, and Happiness*, http://www.cbc.ca/q/blog/2013/02/07/are-wheat-free-diets-a-fad; Matthew Chang e Peter H. R. Green, "Genetic Testing Before Serologic Screening in Relatives of Patients with Celiac Disease as a Cost Containment Method, *Journal of Clinical Gastroenterology* 43.1 (2009): 43–50.

[160] http://www.oregonlive.com/living/index.ssf/2012/02/focus_on_gluten_q_a_with_celia.html. Ver também: Peter H. R. Green e Rory Jones, *Celiac Disease: A Hidden Epidemic* (Nova York: Collins, 2006).

[161] Jane Brody, "When Gluten Sensitivity Isn't Celiac Disease", *New York Times,* 6 de outubro de 2014, http://well.blogs.nytimes.com/2014/10/06/when-gluten-sensitivity-isnt-celiac-disease/?_php=true&_type=blogs&_r=0.

[162] Podcast transcrito de www.glutenfreeschool.com, 20 de maio de 2014, http://www.glutenfreeschool.com/2014/05/20/alessio-fasano-gluten-freedom.

**CAPÍTULO 3**

[163] Julia Moskin, "Creamy, Healthier Ice Cream? What's the Catch?", *New York Times,* 26 de julho de 2006, http://www.nytimes.com/2006/07/26/dining/26cream.html?pagewanted=print.

[164] Alexandra Sifferlin, "Have It the Healthier Way: Burger King Reveals Low-Fat Satisfries", 24 de setembro de 2013, para a seção "Healthland" on-line da *Time*'s, http://healthland.time.com/2013/09/24/have-it-the-healthier-way-burger-king-reveals-low-fat-satisfries.

[165] Para os conselhos de culinária de baixo teor de gordura da AHA, ver o livro de receitas de baixo teor de gordura e baixo colesterol da entidade. *American Heart Association Low-Fat, Low-Cholesterol Cookbook: Delicious Recipes to Help Lower Your Cholesterol,* 4ª ed. (Nova York: Clarkson Potter, 2008). Essa turma da AHA não é divertida. "Se você bebe álcool, beba com moderação. Se não bebe, não comece." Muito embora "ingestão moderada de álcool possa reduzir o risco de doença cardíaca"? Ibid., 7.

[166] Ibid., 3–5.

[167] http://www.heart.org/HEARTORG/General/Frequently-Asked-Questions-About-Saturated-Fats_UCM_463756_Article.jsp.

168 Marcia C. de Oliveira Otto, Dariush Mozaffarian, Daan Kromhout, Alain G. Bertoni, Christopher T. Sibley, David R. Jacobs e Jennifer A. Nettleton, "Dietary Intake of Saturated Fat by Food Source and Incident Cardiovascular Disease: The Multi-Ethnic Study of Atherosclerosis", *American Journal of Clinical Nutrition* 96.2 (2012): 397–404.

[169] Rajiv Chowdhury, Samantha Warnakula, Setor Kunutsor, Francesca Crowe, Heather A. Ward, Laura Johnson, Oscar H. Franco, et al., "Association of Dietary, Circulating, and Supplement Fatty Acids with Coronary Risk: A Systematic Review and Meta-Analysis", *Annals of Internal Medicine* 160.6 (2014): 398– 406. Este estudo gerou objeções ferozes, especialmente depois que os autores tiveram que corrigir erros no artigo original. Como a maior parte da ciência da nutrição, este estudo não prova nada positivamente, mas soma-se à montanha de evidências de que a maioria das diretrizes alimentares baseiam-se em conclusões legitimamente contestadas.

[170] http://www.noo.org.uk/NOO_about_obesity/adult_obesity/international.

[171] Marion Nestle, "World's First Fat Tax: What Will It Achieve?", *New Scientist,* 23 de outubro de 2011, http://www.newscientist.com/article/mg21228356.600-worlds-first-fat-tax-what-will-it-achieve.html#.VE1mU76przI.

[172] Ibid.

[173] Nem mesmo para os cientistas dinamarqueses da época. Ver essa apresentação pós-morte por professores da Universidade de Copenhagen: https://acss.org.uk/wp-content/uploads/2014/01/5-AcSS-IAG--Seminar-3-Holm.pdf.

[174] William Borders, "New Diet Decried by Nutritionists", *New York Times,* 7 de julho de 1965. Citado em Susan Berkowitz, *The Hundred Year Diet: America's Voracious Appetite for Losing Weight* (Nova York: Rodale, 2010).

[175] Gary Taubes, "The Soft Science of Dietary Fat", *Science* 291.5513 (2001): 2.536–45. Gary Taubes, "What If It's All Been a Big Fat Lie?", *New York Times Magazine* 7 (2002).

[176] Para uma meta-análise de dietas de marca, ver Bradley C. Johnston, Steve Kanters, Kristofer Bandayrel, Ping Wu, Faysal Naji, Reed A. Siemieniuk, Geoff DC Ball, et al., "Comparison of Weight Loss Among Named Diet Programs in Overweight and Obese Adults: A Meta-Analysis", *JAMA* 312.9 (2014): 923–33.

[177] http://www.cnn.com/2014/06/06/health/saturated-fat-debate.

[178] David Katz, "Is All Saturated Fat the Same?", 15 de junho de 2011, http://www.huffingtonpost.com/david-katz-md/saturated-fat_b_875401.html.

[179] David Katz, "Scapegoats, Saints and Saturated Fats: Old Mistakes in New Directions", 24 de outubro de 2013, http://www.huffingtonpost.com/david-katz-md/saturated-fat_b_4156320.html.

[180] Katz, "Is All Saturated Fat the Same?".

[181] "'Eat Butter'? The Skinny On Saturated Fat", 19 de junho de 2014, http://blog.aicr.org/2014/06/19/eat-butter-the-skinny-on-saturated-fat.

[182] Freedhoff confirmou isso em entrevista para mim. Ver também essa postagem em blog, com a sensatez característica, "Atkins — the King of Diets?", 6 de março de 2007, http://www.weightymatters.ca/2007/03/atkins-king-of-diets.html.

[183] Aseem Malhotra, "Saturated Fat Is Not the Major Issue", *BMJ: British Medical Journal* 347 (2013).

[184] Sarah Boseley, "Butter and Cheese Better Than Trans-Fat Margarines, Says Heart Specialist", Guardian.com, 23 de outubro de 2013, http://www.theguardian.com/lifeandstyle/2013/oct/22/butter-cheese-saturated-fat-heart-specialist.

[185] Charlie Cooper, "Top Heart Doctor: Unprocessed Fatty Foods May Actually Be Good for You", Independent.com, 23 de outubro de 2013, http://www.independent.co.uk/life-style/health-and-families/health-news/top-heart-doctor-unprocessed-fatty-foods-may-actually-be-good-for-you-8897707.html.

[186] Nina Teicholz, *The Big Fat Surprise: Why Butter, Meat and Cheese Belong in a Healthy Diet* (Nova York: Simon and Schuster, 2014), 28.

[187] Gary Taubes, *Good Calories, Bad Calories* (Nova York: Random House LLC, 2007), x.

[188] William A. Woodbury, *How to Get Thin and How to Acquire Plumpness: A Text Book for Professional and Private Use* (G. W. Dillingham, 1915), 15.

[189] William Banting, *Letter on Corpulence, Addressed to the Public ... with Addenda* (Harrison, 1869), 47.

[190] Shaojie Huang, "Businessman Guilty of Killing and Eating Tigers", blog Sinosphere para o *New York Times,* 13 de junho de 2014, http://sinosphere.blogs.nytimes.com/2014/06/13/businessman-guilty-of--killing-and-eating-tigers.

[191] Philip Shenon, "The World; Poachers 'n' Tigers 'n' Bears", *New York Times,* 11 de dezembro de 1994.

[192] Ibid.

[193] James George Frazer, *The Golden Bough: A Study in Magic and Religion*, acessado no Projeto Gutenberg, LI, Homeopathic Magic of a Flesh Diet, http://www.gutenberg.org/dirs/etext03/bough11h.htm. Todos os exemplos são tirados dessa seção. Frazer refere-se ao povo mishing da Índia como "os miris de Assam".

[194] William Von Hippel, Frank A. Von Hippel, Norman Chan e Clara Cheng, "Exploring the Use of Viagra in Place of Animal and Plant Potency Products in Traditional Chinese Medicine", *Environmental Conservation* 32.3 (2005): 235–38.

[195] Niki S. Papavramidou, Spiros T. Papavramidis e Helen Christopoulou-Aletra, "Galen on Obesity: Etiology, Effects, and Treatment", *World Journal of Surgery* 28.6 (2004): 631–35. As informações sobre Galeno provêm inteiramente deste artigo.

[196] Ken Albala, *Eating Right in the Renaissance* (University of California Press, 2002), 80.

[197] Ibid., 168.

[198] Ken Albala, "Weight Loss in the Age of Reason", em Christopher E. Forth e Ana Carden-Coyne, eds., *Cultures of the Abdomen: Diet, Digestion, and Fat in the Modern World* (Nova York: Palgrave Macmillan, 2005), 171.

[199] Christopher E. Forth, "The Belly of Paris", ibid., 214.

[200] Albala, ibid., 175–77.

[201] "Useless and Pernicious Matter: Corpulence in Eighteenth-Century England", ibid.

[202] Thomas Short, *A Discourse Concerning the Causes and Effects of Corpulency: Together with the Method for Its Prevention and Cure. By Thomas Short, MD*, J. Roberts, perto de Oxford Arms em Warwick Lane, 1727, 10.

[203] Ibid, 75, 11.

[204] Ibid., 72. Short diz que peixe e aves são "menos nutritivos", o que significa que ele pode ter tido em mente algo como redução de calorias ao proibir carnes gordurosas. Ao mesmo tempo, ele parece pensar que alguns alimentos são indesejáveis porque são digeridos com menos facilidade e acabam ficando no corpo, entre eles vegetais e mariscos. Seu raciocínio não fica inteiramente claro, mas, o que quer que possa ser dito a mais, ele com certeza desaprova carne gordurosa e sua única recomendação explícita é "pão de aveia, centeio ou cevada". Não exatamente baixo carboidrato.

[205] Ibid., 73.

[206] Ibid., 72.

[207] George Cheyne, *The English Malady, Or a Treatise of Nervous Diseases of All Kinds ... by George Cheyne,* 1733, 28. Citado em Fredrik Albritton Jonsson, "The Physiology of Hypochondria in Eighteenth-Century Britain", ibid., 17.

[208] *The English Malady,* 337.

[209] William Wadd, *Cursory remarks on corpulence; or Obesity considered as a disease*, reedição de 1816, 79.

[210] Ibid., 40.

[211] Ibid., 80.

[212] Ibid., 79.

[213] Ibid., 78.

[214] Percy Bysshe Shelley, *A Vindication of Natural Diet,* Nº 4, F. Pitman, 1886, 12.

[215] Ibid., 12.

[216] Ibid., 26.

[217] Ibid., 27.

[218] William Lambe e Joel Shew, *Water and Vegetable Diet in Consumption, Scrofula, Cancer, Asthma, and Other Chronic Diseases* (Fowlers & Wells, 1854). Este foi o título da reedição norte-americana. A edição original britânica de 1815 era intitulada *Additional Reports on the Effects of a Peculiar Regimen in Cases of Cancer, Scrofula, Consumption, Asthma, and Other Chronic Diseases.*

[219] Ibid., 60.

[220] Ibid., 73.

[221] Sylvester Graham, *A Defence of the Graham System of Living: Or, Remarks on Diet and Regimen. Dedicated to the Rising Generation* (W. Applegate, 1835). Ver, por exemplo, 114 ff.

[222] Ibid., 25 ff.

[223] Ibid., 105.

[224] Harvey A. Levenstein, *Paradox of Plenty: A Social History of Eating in Modern America* (University of California Press, 2003), 11.

[225] Ibid.

[226] Ibid.

[227] Berkowitz, *The Hundred Year Diet*, 34.

[228] Ibid.

[229] Taubes, *Good Calories, Bad Calories*, 10.

[230] Carol Nemeroff e Paul Rozin, "'You Are What You Eat': Applying the Demand-Free 'Impressions' Technique to an Unacknowledged Belief", *Ethos* 17.1 (1989): 50–69.

[231] Michael E. Oakes, "Stereotypical Thinking about Foods and Perceived Capacity to Promote Weight Gain", *Appetite* 44.3 (2005): 317–24.

[232] Brian Wansink e Pierre Chandon, "Can 'Low-Fat' Nutrition Labels Lead to Obesity?", *Journal of Marketing Research* 43.4 (2006): 605–17.

[233] Abigail C. Saguy, *What's Wrong with Fat?* (Oxford University Press, 2012).

[234] Ibid., 71 ff.

[235] Ibid., 72.

[236] Gary D. Foster, Thomas A. Wadden, Angela P. Makris, Duncan Davidson, Rebecca Swain Sanderson, David B. Allison e Amy Kessler, "Primary Care Physicians' Attitudes about Obesity and Its Treatment", *Obesity Research* 11.10 (2003): 1.168–77. Citado em Saguy, 74.

[237] Peg Tyre, "Fighting Anorexia — No One to Blame", *Newsweek*, 4 de dezembro de 2005. Citado em Saguy.

[238] Yann C. Klimentidis, T. Mark Beasley, Hui-Yi Lin, Giulianna Murati, Gregory E. Glass, Marcus Guyton, Wendy Newton, et al., "Canaries in the Coal Mine: A Cross-Species Analysis of the Plurality of Obesity Epidemics", *Proceedings of the Royal Society B: Biological Sciences* 278.1712 (2011): 1.626–32.

[239] http://www.heart.org/HEARTORG/Conditions/Cholesterol/PreventionTreatmentofHighCholesterol/Know-Your-Fats_UCM_305628_Article.jsp.

[240] http://www.hsph.harvard.edu/nutritionsource/healthy-eating-plate.

**CAPÍTULO 4**

[241] http://healthland.time.com/2013/08/14/how-sweet-can-become-toxic.

[242] http://fedupmovie.com/#/page/about-the-issue?scrollTo=facts.

[243] E-mail, Fed Up Challenge Day 2.

[244] O número de nomes é debatido. Cá está uma referência prática para os nomes que aparecem na Bíblia: http://www.markbeast.com/satan/names-of-satan.htm.

[245] "WHO opens public consultation on draft sugars guidelines", 5 de março de 2014. O limite absoluto de consumo de açúcar é de 10% das calorias totais, e a meta é menos de 5%, http://www.who.int/mediacentre/news/notes/2014/consultation-sugar-guideline/en.

[246] http://edibleschoolyard.org/our-story.

[247] Lindsey Christians, "Alice Waters Decries 'Insidious' Fast Food Culture", *Capital Times,* 28 de março de 2014.

[248] Roberta Furger, "Middle School Students Grow Their Own Lunch", 11 de março de 2004, Edutopia.com, http://www.edutopia.org/garden-of-eating-middle-schoolers-grow-lunch.

[249] Ibid.

[250] Kyle Cornforth, "Celebratory Apple Crisp", 8 de março de 2013, acessado em 27 de outubro de 2014, http://edibleschoolyard.org/node/8113.

[251] A apresentação de Lustig tem mais de cinco milhões de visualizações, https://www.youtube.com/watch?v=dBnniua6-oM.

[252] Robert H. Lustig, *Fat Chance: Beating the Odds Against Sugar, Processed Food, Obesity, and Disease* (Nova York: Penguin, 2012). Abra em qualquer página e você vai ver do que estou falando.

[253] Gary Taubes, "Is Sugar Toxic?", *New York Times Magazine,* 17 de abril de 2011.

[254] Maira Bes-Rastrollo, Matthias B. Schulze, Miguel Ruiz-Canela e Miguel A. Martinez-Gonzalez, "Financial Conflicts of Interest and Reporting Bias Regarding the Association Between Sugar-Sweetened Beverages and Weight Gain: A Systematic Review of Systematic Reviews", *PLoS Medicine* 10.12 (2013): e1001578.

[255] Tom Hamburger, "'Soft Lobbying' War Between Sugar, Corn Syrup Shows New Tactics in Washington Influence", *Washington Post,* 12 de fevereiro de 2014.

[256] http://www.springer.com/new+%26+forthcoming+titles+%28default%29/book/978-1-4899-8076-2?detailsPage=authorsAndEditors.

[257] G. Taubes e C. K. Couzens, "Big Sugar's Sweet Little Lies: How the Industry Kept Scientists from Asking: Does Sugar Kill?", *Mother Jones* (2012).

[258] Ver, por exemplo, Alan Bavley e Mike McGraw, "Big Beef: Industry Fights Back Using Money, Science", *Kansas City Star,* 11 de dezembro de 2012. Ver também o American Dairy Science Institute: http://www.adsa.org.

[259] Lustig, *Fat Chance*, 50.

[260] Ibid., 197.

[261] Ver H. Ziauddeen e P. C. Fletcher, "Is Food Addiction a Valid and Useful Concept?", *Obesity Reviews* 14.1 (2013): 19–28. Ver também: Hisham Ziauddeen, I. Sadaf Farooqi e Paul C. Fletcher, "Obesity and the Brain: How Convincing Is the Addiction Model?", *Nature Reviews Neuroscience* 13.4 (2012): 279–86.

[262] Byung-Joon Ko, Kyung Hee Park e Christos S. Mantzoros, "Diet Patterns, Adipokines, and Metabolism: Where Are We and What Is Next?", *Metabolism: Clinical and Experimental* 63.2 (2014): 168.

[263] Paul Rozin, "Sweetness, sensuality, sin, safety, and socialization: some speculations", em *Sweetness*, pp. 99–111 (Springer London, 1987), 100.

[264] Paul Rozin, Michele Ashmore e Maureen Markwith, "Lay American Conceptions of Nutrition: Dose Insensitivity, Categorical Thinking, Contagion, and the Monotonic Mind", *Health Psychology* 15.6 (1996): 438.

[265] Harvey Levenstein, *Fear of Food: A History of Why We Worry about What We Eat* (University of Chicago Press, 2012), 145 ff.

[266] Um artigo de Jean Hewitt para o serviço do *New York Times* foi publicado sob várias manchetes. Ver "British Doctor Defends the Egg", *Eugene Register-Guard,* 26 de dezembro de 1974.

[267] Para "profeta" e "acólito", ver o vídeo de Lustig no YouTube, "The Bitter Truth", por volta de 32:00. Para "discípulo", ver John Yudkin, *Pure, White and Deadly: How Sugar Is Killing Us and What We Can Do to Stop It* (Nova York: Penguin, 2013), xiv e xv.

[268] Jerome Irving Rodale, *Natural Health, Sugar and the Criminal Mind* (Pyramid Books, 1968).

[269] William Dufty, *Sugar Blues* (Nova York: Warner Books, 1975), 1, 96 e 14. Para uma análise de Dufty e Yudkin como moralistas, ver Elizabeth Walker Mechling e Jay Mechling, "Sweet Talk: The Moral Rhetoric Against Sugar", *Communication Studies* 34.1 (1983): 19–32.

[270] William C. Crook, "An Alternate Method of Managing the Hyperactive Child", *Pediatrics* 54.5 (1974): 656.

[271] National Institute of Mental Health, "What is Attention Deficit Hyperactivity Disorder?", acessado em 28 de outubro de 2014, http://www.nimh.nih.gov/health/publications/attention-deficit-hyperactivity--disorder/index.shtml.

[272] Sidney Mintz, "Sugar and Morality", *Morality and Health* (1997): 173–84.

[273] Sidney Wilfred Mintz, *Sweetness and Power* (Nova York: Viking, 1985).

[274] James Hart, "The Diet of the Diseased", Londres: John Beale for Thomas Allot, 1633. Citado em Elizabeth Abbot, *Sugar: A Bitterweet History* (Nova York: Penguin, 2010).

[275] William H. Bowen e Ruth A. Lawrence, "Comparison of the Cariogenicity of Cola, Honey, Cow Milk, Human Milk, and Sucrose", *Pediatrics* 116.4 (2005): 921–26.

[276] Jonas Hanway, *A journal of eight days journey from Portsmouth to Kingston upon Thames*, H. Woodfall, 1756, ix.

[277] Ibid., 39.

[278] Citado em Mintz, "Sugar and Morality".

[279] Hanway, *A journal*, 221.

[280] Lowell J. Ragatz, *The Fall of the Planter Class in the British Caribbean, 1763–1833* (Nova York: Appleton-Century), 262. Citado em Mintz, "Sugar and Morality", 176.

[281] Ibid.

[282] Michael Moss, *Salt Sugar Fat: How the Food Giants Hooked Us* (Nova York: Random House, 2013), 8.

[283] Nicholar Bakalar, "Added Sugars Pile Up on Children's Plates", *New York Times,* 19 de março de 2012.

[284] Ibid.

[285] Wendy A. Woloson, *Refined Tastes: Sugar, Confectionery, and Consumers in Nineteenth-Century America*, No. 1 (Johns Hopkins University Press, 2002), 47. A discussão a seguir recorre extensamente à obra de Woloson.

[286] Ibid., 49.

287 *The Friend, A Religious and Literary Journal*, vol. VIII, 141.

[288] 133.

[289] David Katz, "Fructose, Fruit, and Frittering", 2 de Agosto de 2013, http://www.huffingtonpost.com/david-katz-md/fructose-fruit_b_3694684.html.

[290] Cal Orey, *The Healing Powers of Honey* (Kensington Publishing Corp., 2011), 44.

[291] Mark Sisson, "Is Honey a Safe(r) Sweetener?" postagem em blog, 8 de fevereiro de 2012, http://www.marksdailyapple.com/is-honey-a-safer-sweetener/#axzz3lm1P20KG.

[292] Para uma excelente análise das evidências, ver Jim Laidler, "High Fructose Corn Syrup: Tasty Toxin

or Slandered Sweetener?", 23 de agosto de 2010, http://www.sciencebasedmedicine.org/high-fructose--corn-syrup.

[293] James W. Redfield, *Comparative Physiognomy or Resemblances between Men and Animals: Illustrated by 330 Engravings* (Redfield, 1852), 270.

[294] Ibid.

[295] Tara Parker- Pope, "A New Name for High-Fructose Corn Syrup", *New York Times,* 14 de setembro de 2010.

[296] Vani Hari, "The Ingredients in This Popular Snack Might Surprise You", Foodbabe.com, 29 de julho de 2014, http://foodbabe.com/2014/07/29/fig-newtons-100-whole-grain.

[297] http://drhyman.com/blog/2011/05/13/5-reasons-high-fructose-corn-syrup-will-kill-you.

[298] Redfield, 270–71. Citado em Woloson, 60.

[299] Citado em Woloson, 36

[300] Ibid., 62.

[301] Benjamin Rush, *Medical Inquiries and Observations upon the Diseases of the Mind* (John Grigg, 1830).

[302] Joseph W. Schneider, "Deviant Drinking as Disease: Alcoholism as a Social Accomplishment", *Social Problems* (1978): 361–72.

[303] Ver Woloson, 99.

[304] http://www.diabetes.org/diabetes-basics/myths.

[305] Ver Woloson, capítulos 3 e 4.

[306] Citado em Woloson, 138.

[307] John Harvey Kellogg, *Plain Facts for Old and Young* (I. F. Segner, 1882), 330.

[308] William Andrus Alcott, *The Physiology of Marriage* (J. P. Jewett & Co., 1856), 215, 67.

[309] Para as citações neste e no próximo parágrafo, ver o capítulo 2 em Woloson, esp. 61 ff.

[310] Mark B. Cope e David B. Allison, "White Hat Bias: Examples of Its Presence in Obesity Research and a Call for Renewed Commitment to Faithfulness in Research Reporting", *International Journal of Obesity* 34.1 (2009): 84–88.

[311] David S. Ludwig, Karen E. Peterson e Steven L. Gortmaker, "Relation Between Consumption of Sugar-Sweetened Drinks and Childhood Obesity: A Prospective, Observational Analysis", *The Lancet* 357.9255 (2001): 505–8.

[312] David Katz, "Research Funding: When Is the Money Dirty?", 13 de junho de 2014, http://www.huffingtonpost.com/david-katz-md/research-funding-when-is-_b_5493613.html.

**CAPÍTULO 5**

[313] AHA, "Frequently Asked Questions (FAQs) About Sodium", http://www.heart.org/HEARTORG/GettingHealthy/NutritionCenter/HealthyEating/Frequently-Asked-Questions-FAQs-About-Sodium_UCM_306840_Article.jsp.

[314] Ibid.

[315] "Salt: The Scapegoat for the Western Diet", *McDougall Newsletter,* agosto de 2008, https://www.drmcdougall.com/misc/2008nl/aug/salt.htm.

[316] United States, Congress, Senate, Select Committee on Nutrition and Human Needs, *Diet Related to Killer Diseases: Hearings before the Select Committee on Nutrition and Human Needs of the United States Senate, Ninety-Fifth Congress, first session* (Washington: U.S. Government Printing Office, 1977), 157.

[317] Jiang He e Tanika Kelly, "Commentary: Sodium and Blood Pressure: Never Too Late to Reduce Die-

tary Intake", *Epidemiology* 24.3 (2013): 419–20.

[318] Arthur Ruskin, *Classics in Arterial Hypertension* (C. C. Thomas, 1956), xi ff.

[319] Ver Paul U. Unschuld e Hermann Tessenow, *Huang Di Nei Jing Su Wen: An Annotated Translation of Huang Di's Inner Classic–Basic Questions: 2 volumes* (University of California Press, 2011), 559, n. 98. Aqui, Wang Bing diz que o sal é empregado para tratar [qi de fogo excessivo]. Na medicina tradicional chinesa, pressão alta frequentemente é entendida como excesso de "yang qi" ou "qi de fogo". Isso é um erro — realmente não existem bons análogos na MTC para muitos conceitos modernos, e pressão arterial realmente não existe na MTC. As outras frases onde o sal poderia estar ligado à pressão alta são 10-70-6 (是 故 多 食 鹹 則 脈 凝 泣) e 12-80-2 (鹽 者 勝 血). Nenhuma delas se encaixa. Conforme Paul Unschuld escreveu em um e-mail para mim: "Traçar uma relação entre pressão alta e consumo de sal com o Suwen — uma bela fantasia, longe da realidade histórica. O simples fato a ser levado em conta é o seguinte: visto que não havia o conceito de 'pressão arterial', não poderia haver o conceito de 'pressão alta'".

[320] Donald Harper, *Early Chinese Medical Literature: The Mawangdui Medical Manuscripts* (Londres: Kegan Paul International, 1998), 171.

[321] Para a história definitiva do sal, ver Mark Kurlansky, *Salt: A World History* (Walker and Company, 2002).

[322] Ibid., 120.

[323] Ambard Beaujard, "Causes de l'hypertension artérielles", *Arch Gén Méd* 1 (1904): 520–33.

[324] Frederick M. Allen, "Arterial Hypertension", *Journal of the American Medical Association* 74.10 (1920): 652–55, 654.

[325] Ver, por exemplo, James G. O'Hare e William G. Walker, "Observations on Salt in Vascular Hypertension", *Archives of Internal Medicine* 32.2 (1923): 283–97.

[326] B. Frank Scholl, ed., *The Library of Health: Complete Guide to Prevention and Cure of Disease* (Historical Publishing: 1935).

[327] Howard W. Blakeslee, "Rice Diet Used to Fight High Blood Pressure", Associated Press, 12 de junho de 1944.

[328] Para a história inicial de Kempner, inclusive o uso de jacarés, ver Barbara Newborg e Florence Nash, *Walter Kempner and the Rice Diet: Challenging Conventional Wisdom* (Carolina Academic Press, 2011)

[329] Ver Philip Klemmer, Clarence E. Grim e Friedrich C. Luft, "Who and What Drove Walter Kempner? The Rice Diet Revisited", *Hypertension* 64.4 (2014): 684–88. Ver também E. Harvey Estes e Lauren Kerivan, "An Archaeologic Dig: A Rice-Fruit Diet Reverses ECG Changes in Hypertension", *Journal of Electrocardiology* (2014).

[330] Philip Klemmer, Clarence E. Grim e Friedrich C. Luft, "Who and What Drove Walter Kempner? The Rice Diet Revisited", *Hypertension* 64.4 (2014): 684–88.

[331] Ibid.

[332] Vincent P. Dole, Lewis K. Dahl, George C. Cotzias, Howard A. Eder e Margaret E. Krebs, "Dietary Treatment of Hypertension. Clinical and Metabolic studies of Patients on the Rice-Fruit Diet", *Journal of Clinical Investigation* 29.9 (1950): 1.189.

[333] Ibid. Em um estudo subsequente conduzido da mesma forma, Dahl concluiu que os paciente na dieta do arroz perdiam peso graças à ausência de proteína, independente do consumo de calorias, uma conclusão que não inspira grande confiança em seus outros resultados: Vincent P. Dole, Lewis K. Dahl, Irving L. Schwartz, George C. Cotzias, Jørn H. Thaysen e Cecilia Harris, "Dietary Treatment of Hypertension. III. The Effect of Protein on Appetite and Weight", *Journal of Clinical Investigation* 32.2 (1953).

[334] Lewis K. Dahl e R. A. Love, "Evidence for Relationship Between Sodium (Chloride) Intake and Human Essential Hypertension", *Archives of Internal Medicine* 94.4 (1954): 525–31.

[335] Benjamin Rush, *Medical Inquiries and Observations, Vol. I,* Second Edition (Philadelphia, 1805), 10.

[336] Ibid., 8.

[337] Ver Kurlansky, *Salt,* 202.

[338] United States, Congress, Senate, Select Committee on Nutrition and Human Needs, *Hearings, Reports and Prints of the Senate Select Committee on Nutrition and Human Needs* (U.S. Government Printing Office, 1969), 3.995.

[339] "Baby Food Salt May Be Harmful, Researcher Says", *Times Record,* 28 de abril de 1970.

[340] Ronald Bayer, David Merritt Johns e Sandro Galea, "Salt and Public Health: Contested Science and the Challenge of Evidence-Based Decision Making", *Health Affairs* 31.12 (2012): 2.738–46.

[341] Frank Zell, "Baby Foods Change Seasonings — Sugar, Salt", *Chicago Tribune,* 3 de fevereiro de 1971. Citado em Bayer, et al.

[342] R. J. Contreras, "Salt Taste and Disease", *American Journal of Clinical Nutrition* 31.6 (1978): 1.088–97.

[343] Lewis K. Dahl, Martha Heine, George Leitl e Lorraine Tassinari, "Hypertension and Death from Consumption of Processed Baby Foods by Rats", *Experimental Biology and Medicine* 133.4 (1970): 1.405–8.

[344] Bayer, et al.

[345] Fiona Godlee, "The Food Industry Fights for Salt", *BMJ* 312.7041 (1996): 1.239–40.

[346] Suzanne Oparil, "Low Sodium Intake — Cardiovascular Health Benefit or Risk?", *New England Journal of Medicine* 371.7 (2014): 677–79.

[347] Marion Nestle, "It's salt war time again: new research, arguments over public health recommendations, and issues of conflicts of interest", Foodpolitics.com, 14 de agosto de 2014.

[348] P. Pietinen, U. Uusitalo, A. Nissinen e Intersalt Cooperative Research Group, "Intersalt: An International Study of Electrolyte Excretion and Blood Pressure, Results for 24 Hour Urinary Sodium and Potassium Excretion", *BMJ: British Medical Journal* (1988).

[349] J. D. Swales, "Salt Saga Continued", *BMJ: British Medical Journal* 297.6644 (1988): 307.

[350] Gary Taubes, "The (Political) Science of Salt", *Science,* 14 de agosto de 1998.

[351] Irene Gavras e Haralambos Gavras, "'Volume-Expanded' Hypertension: The Effect of Fluid Overload and the Role of the Sympathetic Nervous System in Salt-Dependent Hypertension", *Journal of Hypertension* 30.4 (2012): 655–59.

[352] Ronald Bayer, David Merritt Johns e Sandro Galea, "Salt and Public Health: Contested Science and the Challenge of Evidence-Based Decision Making", *Health Affairs* 31.12 (2012): 2.738–46.

[353] Aaron Carroll, "Dash of Salt Does No Harm, Extremes Are the Enemy", *New York Times,* 26 de agosto de 2014.

[354] "Most Americans Should Consume Less Sodium", acessado em 28 de outubro de 2014, http://www.cdc.gov/salt.

[355] IOM, "Sodium Intake in Populations: Assessment of Evidence", maio de 2013, http://www.iom.edu/~/media/Files/Report%20Files/2013/Sodium-Intake-Populations/SodiumIntakeinPopulations_RB.pdf.

[356] Martin O'Donnell, Andrew Mente, Sumathy Rangarajan, Matthew J. McQueen, Xingyu Wang, Lisheng Liu, Hou Yan, et al., "Urinary Sodium and Potassium Excretion, Mortality, and Cardiovascular Events", *New England Journal of Medicine* 371.7 (2014): 612–23.

[357] Lenny Berstein, "Salt Intake Is Too High in 181 of 187 Countries around the World", *Washington Post,* 14 de agosto de 2014.

[358] AP, "Faculty Doctor Donates $8M to Duke", 8 de outubro de 1997.

[359] Tim Gray, "Heavy Industry", *Business North Carolina,* julho de 2006.

[360] AP, "Report: Rice Diet Doctor Admitted to Whippings in Depositions", 19 de outubro de 1997.

[361] Nome alterado a pedido da pessoa.

[362] Bob Ellinger, "Case against Duke Rice Diet King Continues Despite Roadblocks", *Duke Chronicle,* 23 de outubro de 1997.

[363] Ibid.

[364] Os detalhes sobre Kempner e sua Kreis provêm de um artigo detalhado, publicado no *News Observer* de Charlotte: Chris O'Brien, Wendy Howes, "Suit Reveals Kempner's Guarded Private Life", 19 de outubro de 1997.

[365] Klemmer, "Who and What Drove Walter Kempner?", e também Newborg, *Walter Kempner and the Rice Diet.*

[366] Jean Renfro Anspaugh, *Fat Like Us* (Generation Books, 2001). Todas as referências em "O culto do baixo teor de sal" foram retiradas de Renfro.

[367] "Salt", em Jeffrey Steingarten, *The Man Who Ate Everything* (Nova York: Random House LLC, 2011).

[368] Ibid, 197.

[369] Tim Carman, "How Hard Is It to Reduce Your Salt?", *Washington Post,* 15 de fevereiro de 2011.

[370] Rod S. Taylor, Kate E. Ashton, Tiffany Moxham, Lee Hooper e Shah Ebrahim, "Reduced Dietary Salt for the Prevention of Cardiovascular Disease: A Meta-Analysis of Randomized Controlled Trials (Cochrane Reviews)", *American Journal of Hypertension* 24.8 (2011): 843–53.

[371] Consensus Action on Salt, "How to eat less salt", http://www.actiononsalt.org.uk/less/Reducing%20Intake/79609.html.

[372] http://www.actiononsalt.org.uk/resources/Postcard/88012.pdf.

[373] http://www.heart.org/HEARTORG/GettingHealthy/NutritionCenter/HealthyEating/Sodium-Swap-Change-Your-Salty-Ways-in-21-Days-Infographic_UCM_455060_SubHomePage.jsp.

[374] AHA, "How to Track Your Sodium", http://www.heart.org/HEARTORG/Conditions/More/MyHeartandStrokeNews/How-to-Track-Your-Sodium_UCM_449547_Article.jsp?appName=MobileApp.

[375] Matthieu Maillot, Pablo Monsivais e Adam Drewnowski, "Food Pattern Modeling Shows That the 2010 Dietary Guidelines for Sodium and Potassium Cannot Be Met Simultaneously", *Nutrition Research* 33.3 (2013): 188–94.

[376] http://www.hormelhealthlabs.com/2colTemplate_product.aspx?page=CO_SinFree&cond_id=132&cat_id=136.

[377] http://www.guiltlessgourmet.com.

[378] Renfro, *Fat Like Us,* 240.

**CAPÍTULO 6**

[379] Robert Ford Campany, *To Live as Long as Heaven and Earth: A Translation and Study of Ge Hong's Traditions of Divine Transcendents* (University of California Press, 2002).

[380] Ibid., 289.

[381] Dave Asprey, "Recipe: How to Make Your Coffee Bulletproof® ... And Your Morning Too", acessado em 28 de outubro de 2014, https://www.bulletproofexec.com/how-to-make-your-coffee-bulletproof-and-your-morning-too.

[382] Quando o Bulletproof® virou um livro de dieta, a afirmação vergonhosa e abusiva sobre o combate ao câncer foi apagada do site de Asprey. Veja a página arquivada: http://web.archive.org/

web/20140701034518/https://www.bulletproofexec.com/how-to-make-your-coffee-bulletproof-and--your-morning-too.

[383] https://www.bulletproofexec.com.

[384] Jonny Bowden, "The Ten Best Foods You Aren't Eating", http://www.menshealth.com/mhlists/best_healthy_foods/Goji_Berries.php.

[385] Adam Leith Gollner, *The Fruit Hunters: A Story of Nature, Adventure, Commerce, and Obsession* (Nova York: Simon and Schuster, 2013). A história de Mindell está na p. 164.

[386] James A. Lowell, "An Irreverent Look at the Vitamin Bible and Its Author (Earl Mindell)", Nutrition Forum, junho de 1986, http://www.quackwatch.com/04ConsumerEducation/NegativeBR/vbible.html.

[387] Citado em Leith, 164.

[388] Adam Hadhazy, "Should You Be Drinking Bulletproof Coffee?" *Men's Journal,* 28 de janeiro de 2014.

[389] Para uma excelente história sobre a carragena, ver Duika Burges Watson, "Public health and carrageenan regulation: a review and analysis", *Nineteenth International Seaweed Symposium* (Springer Netherlands, 2009), 55–63. Sim, Simpósio Internacional de Algas.

[390] S. Bhattacharyya, I. O-Sullivan, S. Katyal, T. Unterman e J. K. Tobacman, "Exposure to the Common Food Additive Carrageenan Leads to Glucose Intolerance, Insulin Resistance and Inhibition of Insulin Signalling in HepG2 Cells and C57BL/6J Mice", *Diabetologia* 55.1 (2012): 194–203.

[391] Joint FAO/WHO Expert Committee on Food Additives, "Summary and Conclusions", 2 de julho de 2014, http://www.who.int/foodsafety/publications/Summary79.pdf?ua=1.

[392] Vani Hari, "BREAKING: Major Company Removing Controversial Ingredient Carrageenan Because of You!", Foodbabe.com, 19 de agosto de 2014.

[393] http://www.forksoverknives.com/synopsis.

[394] Jonathan D. Schoenfeld e John P. A. Ioannidis., "Is Everything We Eat Associated with Cancer? A Systematic Cookbook Review", *American Journal of Clinical Nutrition* 97.1 (2013): 127–34.

[395] Emily Thomas, "Vibram, 'Barefoot Running Shoe' Company, Settles Multi-Million Dollar Lawsuit", Huffingtonpost.com, 13 de maio de 2014.

[396] "Why Vaccines Aren't Paleo", GreenMedInfo.com, 23 de fevereiro de 2014, http://www.greenmedinfo.com/blog/why-vaccines-arent-paleo.

[397] "We haven't given Sylvie any vaccinations at all. She's nine months old now." ("Não fizemos absolutamente nenhuma vacina em Sylvie. Ela agora está com nove meses.") Transcrito de um podcast, Chris Kresser, "RHR: CoQ10, Vaccination, and Natural Treatment for Migraines", 2 de maio de 2012.

[398] Jennifer Reich, "Neo-Liberal Mothering and Vaccine Refusal", 2 de setembro de 2014, http://gendersociety.wordpress.com/2014/09/02/neoliberal-mothering-and-vaccine-refusal.

[399] Judith Crist, "Horror in the Nursery", *Collier's* 27 (1948): 22–23.

[400] Jacqui Shine, "The Great Comic Book Conflagration", Laphamsquarterly.org, 12 de agosto de 2014.

[401] Ver, por exemplo: Christopher J. Ferguson, "The School Shooting/Violent Video Game Link: Causal Relationship or Moral Panic?", *Journal of Investigative Psychology and Offender Profiling* 5.1–2 (2008): 25–37.

[402] Paul Rozin, Claude Fischler, Sumio Imada, Allison Sarubin e Amy Wrzesniewski. "Attitudes to Food and the Role of Food in Life in the USA, Japan, Flemish Belgium and France: Possible Implications for the Diet–Health Debate", *Appetite* 33.2 (1999): 163–80.

[403] Evelyn Tribole, "Warning: Dieting Increases Your Risk of Gaining MORE Weight (An Update)", Intuitiveeating.com, acessado em 28 de outubro de 2014.

[404] K. H. Pietiläinen, S. E. Saarni, J. Kaprio e A. Rissanen, "Does Dieting Make You Fat?; A Twin Study", *International Journal of Obesity* 36.3 (2011): 456–64.

[405] Para esta citação e as subsequentes, ver Max Horkheimer e Theodor W. Adorno, *Dialectic of Enlightenment: Philosophical Fragments,* E. Jephcott, tradutor (Stanford: 2002), 195–96.

[406] Jay Olshansky saiu-se com esta frase em uma conversa e generosamente permitiu que eu a usasse. Com atribuição do crédito, é claro!